中村文則

教団X

集英社

教団X

ヴァルナよ。私の主な罪はなんだったのですか？

『リグ・ヴェーダ』

「つまり、彼女は生きてるんだ」

小林はそう言い、目の前の楢崎(ならざき)を見る。

バーの青いライトが、楢崎の顔を微かに照らしている。現在の楢崎の姿を、悪意のある光で曝(さら)すように。こいつはこんな顔だったろうか、と小林は思っている。生きるための重要な何かが、抜け落ちた表情。なのに視線だけが無造作に強く、奇妙に光っている。

「……本当に?」

楢崎の声がかすれて聞こえる。

「うん、嘘は言わないよ、前にも言ったけどやっぱり間違いない。……立花涼子は生きてる死んでない」

小林は自分のウイスキーが随分減っているのに気づく。自分の意志だったかわからないほど、小林の手は独りでに動いていた。先月の初め、小林は立花涼子を見た。あまりにもはっきりと。

楢崎の元から失踪した女性。自殺までほのめかして失踪した女性。

「でもさ、何というか、関わらない方がいいと思うんだ」

小林は小さな声でそう言う。

「どうして？」

「ん、まあ……」

そもそも小林から見ても、楢崎と立花涼子の関係は奇妙だった。付き合っている、とは聞いていたが、親密にも見えなかった。彼女が楢崎の元から突然失踪した後、小林は偶然にその姿を見かける。小林は声をかける勇気がなく、職業の習慣のせいか、後をつけた。彼女は古びたアパートに入っていった。間違いなく彼女だった。

「……で、調べてくれたんだろう？　早く見せてくれ」

「まあ、そうなんだけど……」

彼らのやり取りとは無関係に、遠くのテーブルから何かをはやし立てる声が聞こえる。その声は次第に力をなくし、やがて暗がりに溶けるように消えた。数週間前、立花涼子を偶然見た事実を小林が告げると、楢崎はかなり驚きながらも、どこかわかっていたような、辻褄（つじつま）があったような、不思議な表情をした。小林は楢崎からの頼みで、彼女について調べることになった。彼女が入っていったアパートも教えたのだから、自分で行けばいいと小林は告げたが、楢崎は奇妙にも小林に調べてくれと言ってきかなかった。確かに小林は探偵事務所に勤めているが、まだ半年も経っていない。仕事の内容も主に他の探偵の補助で、単独に案件も任されていない。自分には無理だと感じたし、気もすすまなかったが、小林は彼女について様々に調べることができた。短期間に、効率よく調べることができた。でも、と小林は思っている。何かがおかしかった。なぜ自分のような見習いが、ここまで調べることができたのだろう？

「何か重大な秘密が？　俺が傷つくような」

「そういうわけじゃ」

さっきとは別の遠くのテーブルで、笑い声が起こる。店内は薄暗く、騒ぐテーブルの人間達の姿は輪郭しか見えない。小林は再びウイスキーを飲んでいる自分に気づく。酔おうとしている。なぜだろう。

楢崎に自分の懸念を言うべきだろうか？　小林は考える。バッグの中には、立花涼子に関しての調査資料が入っていた。彼女の出身は長崎県。彼女は長崎で小学校から高校まで過ごし、立教大学入学のため東京に出る。でも退学し、消息が途絶える。次に彼女の姿が現れるのは、とある宗教施設での会合だった。東京にある、いい噂を聞かない小さな宗教団体。でもそこからもやがて姿を消す。彼女が次に姿を現すのは去年。楢崎と出会った時だ。

つまり彼女は、宗教施設から消えて楢崎と出会うまで、どこにも生活した痕跡がないのだった。彼女はどこからともなく楢崎の前に現れ、また姿を消したことになる。宗教施設というのも気になる。関わらない方がいいのは当然だった。彼女が入っていったアパートはもう引き払われていた。今回の調査で同じアパートの住民達に何度も話を聞くことにもなったが、やはり彼女は立花涼子だった。間違いなかった。

小林はぼんやりカウンターを見る。中で動く三人のバーテンダーが三つ子のように見える。彼らは無表情に気だるく動いている。小林は頭を軽く振る。

「謎に思うのはわかるよ。でもさ、とにかく死んでなかったんだ。今回のではっきり確認できた。それだけでも、何というかさ。……彼女なりの考えがあったんだろうし、納得いかないのもわかるけど、お前の元から出て行ったのは、もう確かなんだから」

彼女について調べながら、奇妙な感覚を覚えた。まるで、彼女の跡を辿る、一本の線があらかじめ用意されていたかのように。まるで自分が、遠くから、彼女に招かれていたかのように。小林はさらにウイスキーを飲む。彼女は初め、実はわざと自分の前に姿を見せたんじゃないか？　自分が探偵事務所にいたことは彼女も知っていたはず。でもそれはなぜだろう。どういうことだろう。

「いいか」

小林は楢崎に向き直る。

「はっきり言うよ。嫌な予感がする。会わない方がいい。彼女には何かあるんだよ。巻き込まれる必要はない」

「……なぜ？」

「だからお前の人生がさ」

「人生？」

「その、変な風に、駄目になるかもしれないじゃないか。つまり……」

「別にいいじゃないか」

「え？」

それから楢崎が言った言葉を、小林は生涯覚えていることになる。

「俺のこれまでの人生？　そんなものに何の価値がある？」

小林はしばらく楢崎の顔を見ていたが、やがて調査結果の入った封筒を彼に渡す。彼らのやり取りとは無関係に、隣のテーブルから小さなどよめきが起こる。小林はまたウイスキーを飲む。飲みながら、自分はこれを彼に渡すために、わざと酔ったのだと気づく。

封筒を開けようとする楢崎を見ながら、自分の役割は何だったのだろうと思う。たとえばこれが何かの物語だったとしても、自分は当然のことながら、脇役に過ぎないのだろうと。これから何が起ころうと、誰がどうなろうと、それは自分とは関係がなく、自分はただ、この物語のきっかけの気だるい歯車に過ぎないのだろうと。他の客達が徐々に帰っていく。薄暗い店内には、楢崎と小林だけが残っていく。青いライトは楢崎だけを照らしている。

もう飲む必要もないのに、小林は新たにウイスキーを注文する。自分のこれまでの人生に価値はない。楢崎はそう言った。それはそうだろう、と小林は思う。楢崎の人生は、小林の目から見ても、充実したものではなかった。彼の人生は、決して誰からも嫉妬されるものではなかった。これまでの小林の人生と同じように。

第一部

I

楢崎の前に門がある。

古びた、巨大な、木製の門。何か字が書かれているけど、薄くてよく読めない。すぐに入ろうか？　楢崎は迷った。でも何だか奇妙だ。宗教施設というより、これじゃただの屋敷じゃないか。

門は冷えた空気の中でそびえ立ち、楢崎を試すように、何かの判決を下すように見下ろしている。門を見上げ、楢崎は自分の身体（からだ）の小ささを意識していた。すぐ入る覚悟がなく、門を通り過ぎる。瓦のついた高い土壁で覆われ、中の様子を見ることはできない。

小林からの調査報告書を思い出す。立花涼子は、確かにここの宗教団体に所属していた。松尾正太郎（しょうたろう）、という人物が教祖となっているけど、本人はアマチュア思索家、と名乗っているらしい。周囲からは宗教団体と見られていたけど、実は正式な団体名はなく、宗教法人の届出もなく、特定の信者という概念もなかった。祀（まつ）る神もなく、そもそも《神はいるのか？》という問いを考える会ということだった。なんだろうこれは。わけがわからない。

門を通り過ぎながら、いつもこうだ、と思う。行動の躊躇。重く沈んでいく日々の中に、留まっていたい感覚。そんな日々は不快であるのに、その不快さを味わっていたくなる。日々の倦怠は自分の血肉のようで、離れることがない。それをやめると決めたはずだった。目の前の現象に身を任せる。内面に感じ始めたこの引力だけに従う。その先に何があろうともう関係なかった。

一周し、またさっきの門が見え始める。今自分は歩いてる、と楢崎は思った。ほとんど意識することなく歩いている。なぜこんな風に歩けているのだろう？　当然のことながら、心臓も他の内臓も勝手に動いている。他人のように。体内にうごめく無数の他人のように。楢崎は大きく息を吸った。何を考えてるのだろう。あの門を見たからだ。意識が混乱している。

とにかくこの施設を訪ねれば、立花涼子のことが少しはわかるはずだ。

再び門の前に立つ。門は相変わらず巨大過ぎた。開けようかと思った時、インターフォンが目に入る。自分の指がインターフォンへ伸びていく。覚悟もないのに。カルト教団だったらどうするのだろう？　監禁されるかもしれない。鼓動が速くなる。自分は洗脳されておかしくなるかもしれない。もうすでに洗脳されてるのに気づかず、ぴょんぴょん飛び跳ねながら、洗脳とか超怖いっすねとか言うようになるかもしれない。楢崎はボタンを押していた。鈍いチャイムの音が辺りに響く。押してしまった、もう遅い。

——はい。

予想と違う、中年の女性の声がした。

「あの、松尾正太郎という方はいらっしゃいますか」

——……どなたですか。

身体が緊張していく。自分はもう、この状況に入ってしまっている。

「私は、楢崎透という者です。その……何者でもありません」

いきなり立花涼子の居場所を聞いても、教えてはくれないだろう。信者になるつもりはないが、興味がある振りをし、少しずつ聞き出そう。小林が見つけた立花涼子のアパートには、もう彼女は住んでいない。彼女は小林に見られ、また姿を消したのだ。楢崎は自分が笑みを浮かべているのに気づく。

——……何者でもない？

「……ええ」

——マスコミの方ではないですよね？

「違います。なんなら、持ち物を調べてもらっても」

——おじい……いや、松尾さんに用が？

「……そうです」

しばらく間があり、やがて内側から門が開く。出迎えたのは、三人の男女だった。中年の男女に、若い女性。白装束の格好でもしてると思ったけど、彼らはみな普段着だった。中年の女性の方は、なぜかリラックマのエプロンをしている。楢崎は少し驚く。

「……どうぞ」

楢崎は中に入る。門の内部は、広大な広場だった。微かに青色を帯びた砂利が敷き詰められ、所々飛び石がある。神社みたいだ、と楢崎は思う。でも鳥居はない。大きな池もあるけど、鯉などがいる様子もない。

「あの、……本当にマスコミの人ではなくて？」

リラックマの中年の女性が言う。

「はい。……ここの宗教に興味があって……」

「宗教？」

中年の男性が言う。髪型は白髪の混ざる坊主だったが、表情は若かった。

「うーん、ここは宗教じゃないよ」

「え？」

「ああ、まあ宗教か。何て言えばいいかな……」

「難しいよね。どうしよう」

若い女性がそう言い、言葉を続ける。

「あの……、ヒーリングパワーを？」

「……は？」

楢崎は聞き返す。ヒーリングパワー？

「違うのですか。では、やっぱり話を？」

「ええ、そうです」

楢崎の様子に、中年の坊主の男が少し笑う。

「……屋敷に入れても大丈夫なんじゃないかな。彼はなんか、害なさそうだし」

屋敷の縁側が見え、数人の男女が座っている。彼らの視線を感じながら、楢崎は玄関から屋敷の中に通された。大丈夫なんだろうか？　楢崎は思う。こんなにスムーズに通されるなんて。でも歩くしかない。屋敷は広かったが古く、外の庭に比べ威厳のようなものもない。畳の広間に通され、楢崎は座布団の上に座った。二十畳ほどの部屋。静けさは場所の広さに比例するように思えた。

「で、楢崎透さんだよね。私は吉田」

中年の男性が言う。

「私は峰野(みねの)です。さっき会ったエプロンの女性は田中さん」

若い女性が口を開く。峰野と名乗った彼女は目が細く、美しかった。

「ここのことは誰から？」

「友人からです」

「友人？　あー、なるほど……」

　何がなるほどなんだろう？　適当に言ったのに。追及されても答えを用意していたのに。彼女がまた口を開く。

「えっと、せっかくいらっしゃってもらって申し訳ないんですけど、松尾さん、今いないんです」

「いない？」

「はい。病気になっちゃって」

　その言葉に、吉田が笑う。

「面白いだろう？　ヒーリングパワーで人を治してた人が、病気になっちゃったんだから。しかも自分のヒーリングパワーが効かなくて大学病院。西洋医学だよ」

「ちょっと黙ってて」

　峰野が吉田に言ったが、彼女自身も笑いをこらえている。どういうことだろう。教祖が病気なのに笑うなんて。

「話を整理しますとね」

　峰野がもう一度口を開く。

「ヒーリングパワーっていうのはほとんど冗談で、軽い肩こりとか、そんなのが治る気がする、という感じで。松尾さん自身も最近はふざけてやってたというか……。本人もそんなつもりはないんです」

　彼女が微笑む。

「で、今は入院してまして、だから本当はあなたをここに入れるのはおかしいんですけど、ここでは、誰かが訪ねてきたら追い返さない、という決まりがあって」

「ここのこと、どれくらい知ってる？」

　吉田がそう言った時、リラックマのエプロンの女性がお茶を持って入ってきた。楢崎は礼を言ったが、まだ口をつける勇気はなかった。

「実は、よく知らないんです」

「知らないのに来るってなかなか凄いね」

　吉田が少し笑う。

「じゃあ、どうしようかな。ここはね、さっきも言ったけど、誰が来ても追い返さないルールがある。松尾さんがいない時も、誰かが話し相手になるって決まりもある。……うーん、だから、えっと、取りあえずここのことを簡単に教えようか？　あんまり期待させるわけにもいかないし。松尾さんに会った時も、できるだけ冷静でいて欲しいし。……ここは宗教じゃないんだ。だから君の期待に添えるかわからない。最近は、人が来るたびそうしてるんだよ。過度に期待して来る人も多くて、後でがっかりしてトラブルになるのも防がないといけないし」

松尾正太郎というこの屋敷の主は、よく庭で一人で瞑想するような奇妙な人間だった。昔はこのような壁もなく、その様子は通行人でも見ることができた。近所でも怪しい老人として知られていたが、初めはただそれだけの人間だった。彼がそれまで何をしていたのか、元々この屋敷に住んでいたのかもわからなかった。住人がいないと思われていた古い屋敷の中に、彼は突然現れた感じだった。彼の過去を誰も知らなかった。

ある日、原因不明の足の痛みに悩む老婆がここを訪ねてくることになる。老婆は松尾に何か祈ってくれと頼んだ。医者もわからないその痛みに老婆は悩み、様々な宗教団体、祈禱師の類を渡り歩いていたが、改善は見られなかった。「あなた、いつもここで座禅組んでるやろ?」と老婆は言う。「何か力があるんじゃないですか? 試しに、この足に祈ってはくれまいか?」

松尾は驚き、自分にそんな力はないと言い、まあお茶でもどうぞと老婆を屋敷の中に入れた。屋敷の中には松尾の他に、妻の芳子(よしこ)がいた。彼らは三人で様々な話をした。松尾も妻の芳子も老婆の足の痛みに同情した。松尾が試しに老婆の足をさすっても、何も起きなかった。

「でもありがたい」と老婆は言った。「また来ても?」

松尾夫婦は頷く。その訪問が数週間続いた時、老婆の足に改善が見られる。

「……えっと、でも、期待させるわけにもいかないから言うけど、そのおばあさんの症状はストレスだったんだよ」

吉田が口を開く。

「病の治癒は、昔から宗教の典型的なスタイル。もちろん本当にパワーを持ってる人もいるんだろうけど、少なくとも松尾さんは違うんだよ。……うーん、たとえば、『信じるものは救われる』って言葉があるだろう？　あれはある意味真実なんだ。イエス・キリストが表舞台に登場した時、多くの患者を治した伝説があるけど、俺はあれ、真実だと思う。この人には病を治す力が本当にある、神の子だ、と心の底から信じることができれば、多少の病なら治る可能性はあるよ。人間の自然治癒の能力は本当は凄まじいものだし、ストレスが引き起こす病も多いからね。目の前に神を見た感動に包まれれば、人間の内面は相当活性化されるはず」

吉田が微笑む。

「除霊、というのも同じ性質だと思う。もちろん本当に除霊する人もいるだろうけど、体内にあるストレスの塊に一つの人格を持たせて、霊であるとして、それを除去したと依頼者本人に納得させる。……身体の不調や精神の変調がストレスからきていた場合、体調はよくなるよ
ちなみに、俺は何も批判してるんじゃないよ。人間は文化的に進歩していくにつれて、そういう治癒の仕方を放棄してしまったというかね。……神や霊に自分の病の根本を求めて、そこから癒しの手をもらって内側の免疫力を活性化させる方法。医学が未熟だった昔の人にとっては、切実で重要な医学だったはずだよ。しかも治るという意味では、正真正銘の医学だし」

足の治った老婆の評判は、少しずつ町に広がっていった。人が少しずつ訪れるようになり、原因不明の動悸とか、肩こりなどがよくなるようになっていった。松尾は自分にそんなパワーはないと言い続けていたが、それをしつこく言えば信じるという依頼者の気持ちを削ぐことになり、それでは治るものも治らず、せっかくなら皆に治って欲しい松尾はジレンマの中にいた。吉田の目から見ると、松尾はなぜか、信じるという行為と、簡単な治癒という現象に関連があることを、以前から知っていたような様子だった。宗教家が不本意に誕生していく、奇妙な構図だった。でも長くは続かなかった。当然のことながら、治らなかった人々も多かったからだ。

治らなかった人々は、松尾を糾弾するようになる。他の人間が治ったのに自分達が治らないのは面白くない。でも松尾は金品を取らなかったから、問題は大きくならなかった。しかし次第に、この団体は変容していくことになる。

「何か、ここにいると穏やかな気持ちになりませんか」

峰野が今度は口を開く。彼らの微笑む顔を見ながら、楢崎は次第に息が苦しくなる。

「……木も多いし、砂利が敷いてあるから音を吸収するみたいに静かです。神社に入ったみたいに」

「……確かにそうですね」

檜崎は感情のない声で言う。

「……段々、ここにいると何だかいい気持ちになる、という人が増えてきました。ヒーリングパワーというより、この場所自体に何かがあるんじゃないかって。……今で言うパワースポットみたいに。他県からもちょっと人が集まってきた。深刻な感じではなくて、ただ何となく、『何かあるらしい』という感じで。松尾さん達は庭を開放するようになって、周りの人達から『鳥居を置いたら神社になる』と言われたりもした。元々、松尾さん自体に人を惹き付ける何かがあった。松尾さんの過去はずっと謎で……、それで自然発生的に、月に一度くらい、この庭にパイプ椅子を並べて、松尾さんの話を聞く会が開かれるようになったんです。バブルが崩壊して、社会が不安定だった時期でした」

檜崎は頷いたが、でも特別に興味があるわけではなかった。吉田が口を開く。

「松尾さんの話は面白いかどうかは人によるだろうけど、少なくともユニークだよ。この神を信じろ、じゃなくて、神はいるんだろうか、というものだったし。『こんな教祖いるか？』という感じで、若い人にはちょっとウケたんじゃないかな。お金も取らないし、確かに怪しいけど、宗教の名前もないから敷居も低かった」

檜崎はもう一度頷いたが、どうしたらいいだろう、と考えていた。なぜこのような団体に、立花涼子は関わっていたのだろう？　失踪するような深刻さも見当たらない。この教団の歴史など楢崎に関係なかった。楢崎が期待していたのはこれじゃなかった。もっと無造作に、徹底的に、自分を変えてくれるものだった。倫理も道徳も人間的な迷いも何も、どうでもよくなるほどに。自分も、自分のこれまでの人生も、消滅させてくれるほどに。

「あの」

楢崎は彼らの話に口を挟んだ。こんな善良そうな人間達に用はない。思ったことをやればいい。面倒な話を聞く必要もない。躊躇はいらない。

「立花涼子という女性がここに?」

彼らがみな楢崎の顔を見る。

「え? 人を探してるの? ……松尾さんの話を聞きにきたんじゃ」

「そうです。そうなんですけど、同時に、この女性を」

「……その名前じゃわからないよ」

吉田がそう言い、他の者も似たような反応を見せた。

「ここでは会員の概念もないから、名簿もないし。まあ、偽名だって使えるからね」

「……この女性です」

楢崎は一枚の写真を取り出す。そこにいる人間の全てが写真を見る。それは数秒のことだったが、楢崎にはいつまでも長く感じられた。静寂が、部屋の広さを助長していくように思えた。

「君は……」

吉田が真剣に楢崎を見ている。もう微笑んでいない。

「この女と何か関係が？」

「え？」

「ちょっと待って」

峰野が吉田を止めるように言う。でも彼女も明らかに動揺している。

「ごめんなさい。……あの、あなた、この女性と関係があるのですか？」

どういうことだろう。全員がこちらを見続けている。楢崎は意識して息を吸った。

「関係……と言われれば難しいですけど、探してるんです」

「……何でだ？」

吉田が低く言う。全部しゃべるべきだろうか？　妙なことに巻き込まれるんじゃないか？

楢崎は笑みを浮かべ始める自分に気づく。

「僕の元から、この女性がいなくなって」

「……君の元から？　どういうこと？　彼女がどんな人間か知ってて探してるのか？」

「え？　どんな人間か？　それはどういう……」

「違うよ」

峰野が吉田に言う。

「彼女を詳しく知ってて探してるんなら、当たる場所はここじゃない」

「……そうか」

また部屋が静かになる。エプロンの女性はどうしたらいいかわからないとでもいうように、ただ下を向いている。

「……どのみち、あなたは話を聞いた方がいいかもしれない。順番に聞いた方がわかりやすいだろうし。……松尾さんと、ここに集まってきた人達のその後の話。この女性のことを聞くには、それが一番理解しやすいように思います。……それがあなたの聞きたいことになると思うから」

2

微かに吹き始めた風で、広間の窓が苦しげに揺れた。空気が乾燥している、と楢崎は思う。火をつければすぐ燃えるだろう。柱も天井も、この屋敷を構築する全てが。

「……ここには、色んな人が集まってきたんです」

峰野が言葉を続ける。

「えーっと、うん、その毎月第二土曜日にやる、松尾さんの話を聞きに……。私や吉田さんみたいに、松尾さんの人柄に惹かれて来た人もいたけど、相変わらず松尾さんに神聖さを見る人達もいました。うん……やっぱり、順番に話した方がわかりやすいです。とても入り組んでいるので……。あなたはこの写真を私達に見せた時、とても真剣でした。そうであるなら、私達も真剣に、しっかりとあなたに話さなければならない」

松尾に神聖さを見る人々は、大抵が過去に何かの宗教を経験し、それぞれに失望し、松尾に巡り合い何かを期待していた。苦しみを抱える若者達もいた。本来なら、友人や恋人や会社や、あるいは他の宗教や何かが救うべきだった人達。数は少なかったが、勉強しに来る者達もいた。宗教を開くための勉強。松尾の話を、自分達の教養の参考にするために。昔から会に参加していた人々からすれば、そういう者達は見ればすぐわかった。功利的で、言葉が相手の奥へ届く独特の声質があり、よくない感じの印象があった。その中の一人かわからないが、五十代くらいに見える男がいた。沢渡（さわたり）と名乗っていたが恐らく本名でなかった。

今から五年前、いつもの土曜日の松尾の対話会の時、事件があった。その頃が最盛期で、との庭には約二百人が集まっていた。みなに話している最中、松尾が突然倒れる。後からわかったが脳梗塞だった。倒れた瞬間、峰野など昔から松尾を知る者達が慌てて駆け寄ろうとした時、聴衆の中から『神懸りだ』という声がした。『前にも見たことがある。何か降りてきた』

場が騒然となる。その『見たことがある』というのは、後から聞けばその声の主が以前に入っていた何かの宗教団体のミサでのことだったが、新しくこの会に参加していた者達は、松尾のこの様子自体を声の主が『前にも見たことがある』と言ったのだと解釈していた。松尾の元に駆け寄る者達に対して、『邪魔するな』という声が聞こえた。『こういうのは、途中で邪魔すると死んでしまうこともあるんだ』まるで駆け寄ろうとした古くからの参加者達が、空気の読めない新人達であるかのように。

「この辺が盲点だったというか」

峰野が静かに言う。彼女はなぜか怯えているように見える。

「ここは関わりがあまりない、自由な集まりでしたから、参加者はお互いをよく知らなかったんです。……いわゆる幹部、みたいなのでもいれば、事態は収拾しやすかったかもしれないのですが。ちょうどその時は松尾さんの奥さんのよっちゃんさんもいなかったから。……吉田さんが携帯電話で救急車を呼んだんです。この先のパニックを予想して。みんなが松尾さんに気をとられてるうちに」

松尾の元に行こうとする者達を、力ずくで止めようとする者達。多くのパイプ椅子が倒れ、混乱が大きくなる。救急車は吉田のおかげで早く到着したが、一部の者達が救急隊員を中に入れようとしなかった。小競り合いが起こる。救急隊員達は混乱したに違いない。怒号が起こり、泣き叫ぶ声が上がる。でも新しい参加者の中で、教祖が倒れたのはくだらない演出で、この団体もやはり怪しいと失望していた者達が、実際の救急車を見て態度を変えた。教祖が本当に倒れたと彼らは知った。彼らが、昔からの参加者達の味方につく。早くこの老人を救急車で運ばなければ。教祖にさわるなと叫ぶ者達を、力で抑えなければならなかった。松尾は担架で運ばれることになる。

松尾は命を取りとめたが、左腕に麻痺が残った。もう少し病院に運び込まれるのが早ければ、もしかしたらその麻痺もなかったかもしれない。でも松尾は誰も責めることはなかった。なぜなら、誰も悪くなかったから。松尾に霊的な現象が起こったという誤解は、集まっていた彼らが——様々な不幸を経験し、救われたいと望んでいた彼らが——抱いていた願望だったのだから。偉大な何かに、自分を救ってもらいたいという彼らの純粋な思いだったのだから。いわば松尾の動かない左腕は、彼らの苦しみが生んだ結果ともいえた。『これじゃ足りんな』と松尾は後から言うことになる。『左手一本くらいじゃ、彼らの苦しみを引き受けたことにならないよ。そもそも、私にそんな資格はないんだ』

五年前のその事件から、この会は分裂していくことになる。松尾に神聖さなどないと失望した者達も多かったし、騒ぎの異常さを経験し距離を置くようになった者達も多かった。松尾の入院中、参加者達は毎月第二土曜日に集まってはいたが、ただ何となくたむろするだけで、やがて帰っていった。その中で、参加者達に話しかけている者がいた。さきほど少し名前の出た、沢渡という男だった。彼は松尾が倒れた時の騒動を、ずっとぼんやり観察していた。教祖には霊がついたのだと騒いでいた人々を、いわば熱しやすい人々を彼は見ていた。吉田は、沢渡が彼らに話しかける姿を遠くから見ていたことがあった。三十分もしないうちに、沢渡の前の彼らは泣き出すのだった。沢渡は数十人の参加者達を引き抜いて姿を消すことになる。引き抜かれた者達は高学歴が多かった。さらにある事実が発覚する。


「松尾さんは詐欺にあっていたんです」

峰野が小さな声で言う。

「松尾さんは資産家だったのだけど、保有する土地の一部を慈善病院に提供してくれと言われて、深く考えず手放してしまいました。でもその土地は病院に使われることはなくて、わけのわからないうちに転売が繰り返されて、高速道路の通り道になったんです。でもそれだけじゃなかった。松尾さんはなぜか他の土地も手放さなければならなくなっていて、いつの間にか、そういう契約になっていて、かなりの損失を出すことになりました。その詐欺は架空の投資会社がやったことなんですけど、沢渡がそこに関わっていたんです。松尾さんは言いたがらなかったけど、実は松尾さんと沢渡は、以前から深い関わりがあったらしく……。考えてみれば、私達は、この屋敷に現れる前の松尾さんのことを誰も知らない……。つまり、沢渡は、松尾さんの資産の一部と、松尾さんの元に集まって来た人達の一部を引き抜いて姿を消したの。それで……」

峰野が不意に黙る。吉田が後を続ける。

「君が探してるその女は、その投資会社の女だよ。……架空の会社で、松尾さんに詐欺をやった者達の一人。……で、彼らは沢渡と共に姿を消した。……彼らのやっている宗教に戻ったと言った方が正確かもしれない」

「……彼らの宗教？」

楢崎はようやくそれだけ言った。

「……そうだよ。だから彼女はここにはいない。そこは名前のない宗教団体だ。その団体は一度公安に目をつけられ巧妙に姿を消している。公安の中ではXと呼ばれてたらしいよ。名前かないからね。いかがわしい呼び名だし、何か他の由来があるのかもしれないけど俺は知らない。君の、そして俺達の探している女はそこにいる。そこは――」


暗い部屋。自分はもう、どれくらいここにいるだろう？　一週間だろうか？　一ヶ月？　周囲を壁で囲まれた狭い部屋。頭が痛い。いや、痛くないのかもしれない。さっきも見えた、あ、ドア。ドアがある。お母さん？　ドアを閉めさえすれば、大丈夫とでも？　全然大丈夫じゃないですよ。なぜなら、そのドアには穴が空いていたのだから。僕が、図工の授業で使ったキリで、小さく、穴を空けておいたのだから。

もう空腹も感じない。身体に力も入らない。最後に何か食べたのはいつだろう？　最後に何か飲んだのはいつだろう？　音。音がした。身体の奥から、歓喜のような熱が沸き起こる。音だ。音がした。今、確かに、ノックの音がした。どこからだろう？　この囲まれた壁の向こうから？　忘れられているわけではない、という音。ノックの音。君を、我々は、覚えているという音。ありがたい。ありがたくて仕方ない。これほど苦しいのに、もう何も吐くこともできないのに、僕は今、会社にいた頃より、自分をはっきり感じている。何て言えばいいんだろう？　お母さん、ドアを閉めさえすれば、大丈夫とでも？　会社にいた頃よりも、自分を、はっきりと……、存在してる、というのは、当たり前のはずなのに、いや、違う、実在してる、と思える。僕は今、この苦痛の中、いや、苦痛そのものとして、この空間に、ある。苦痛となって、この世界の中にある。僕の手足。僕の内臓、僕の性器、身体はもう動かないのに、意識だけが沸騰してくるみたいだ。意識の洪水、吐きたくなるほどの、意識の……ああ、あの女性は今どこに？　いや、あれは、夢だったんだろうか？　ドアを閉めさえすれば大丈夫とでも？　寂れたスナックの二階。風の強い日は窓がカタカタ鳴って怖かった二階。いけないことだとはわかっていたんです。見てはいけないということも。でも、僕は、小学生だったのに、そういうことを、見たくて仕方なかったんです。そういうのを見て、性器をいじっていたかったんです。よく知らない男達を、しっかりとした腰で、見事に受け止めていたあなたを。見事に受け止めながら、喜んでいたあなたを。ドアを閉めさえすれば大丈夫とでも？　僕は、あの男達が羨ましかった。僕も二万円を払えば、あなたとそういうことができたのですか？　もっと言いましょうか、僕が羨ましかったのは、あなたを抱く男達だけじゃなかったんです。言葉が溢れるのを止めることができない。止める必要も感じない。僕は、あなたのことも羨ましかった！　男達は、性欲にまみれた男達は、隣の部屋にいる僕になんか興味がない。彼らは僕になんて興味がなく、ただあなただけを求めた。あれほど頑丈な、立派な身体の男達を、あれほど乱暴な彼らの性欲を、あなたはしっかりと腰で受け止め続けることができていた。凄いなあお母さんは。凄いなあお母さんは。あんなに大きな男達を全部受け止め続けているのだから。あんたにも、あんなにも、僕が焦がれるくらい、気持ち良さそうな顔で。僕もあんな風になってみたい。僕もあんな風に夢中で求められてみたい。皆が僕を無視しないんだ。僕を求めて、仕方ないんだ。それからだ、それからなんです。僕が女性に感情移入しながらセックスするようになったのは。抱いてる自分の快楽だけじゃなく、抱かれてる女性の快楽まで想像して、女性に焦がれるように快楽を……、だから女性をおかしくさせるほど、だから女性をおかしくさせるほど、乱暴に、乱暴に、ああ！　僕は善良なはずなのに、いくじのない男であるはずなのに、その部分だけは！　僕の人生を崩壊させるほどに強く！　何だこの音楽は？　ああ、知ってる。知ってるよこの音楽は。何度もこの部屋で聞こえてきたじゃないか。バッハだよ。バッハだ。《主イエス・キリストよ、われ汝に呼ばわる》。何でだろう？　この音楽が、あの映像と重なるなんて。男達が群がっているお母さんの映像と重なるなんて。まさか、あの場所にキリストが？　あの場所にキリストがいたのか？　あの時、四つんばいになって、そっとドアの穴に目を近づけて、あなたの喜ぶ様子を見ていた時、僕は何かに呼ばれ、導かれるような気がした。それがキリストだったとでも？　あの場所に、あの場所のどこかに、いや、あの場所そのものが、キリストだったとでも？　救い？　違う。救いじゃない。救いじゃなく、恐怖。恐怖だった。なぜキリストは僕に恐怖を見せたのだろう？　何のために？　僕の本質だから？　あれが僕の本質を、キリストが僕に見せた？　何のために？　僕をどこに導くために？　どのような深淵の果てに？　何のために？　なぜそんな残酷なことを！

ノックの音。ありがたい。忘れられたわけじゃない。ああ、でも、視界が霞む。ドア？　ドアを閉めれば大丈夫とでも？　僕の本質。視界が……。吐き気がする。何も出ない。微かに、喉が痙攣する。苦しいのか、気持ちがいいのか、もうわからない。……ん？　ドア？　ドアが開く？

「おめでとう」

開かれたドアの向こうから、明かりが漏れてくる。

痩せた男は、その光を倒れた状態で見上げる。強い光ではないが、ずっと暗闇の中にいた男の目には眩しかった。光？　と痩せた男は思った。ああ、人々がいる。人々が。

「……大丈夫か？　おめでとう。よかった。本当に良かった」

髪の長い信者の男が、痩せた男の身体を支え、この狭い部屋から連れ出す。光が溢れている。髪の長い信者が泣いている。痩せた男は、自分の身体が熱くなっていくのに気づく。僕のために？　人が泣いてる？

「あ……」

「大丈夫。しゃべらなくてもいい。おめでとう。教祖様がお会いになる」

「え？」

教祖様が？　本当に？　痩せた男は身体を震わせ始める。こんな自分のために？　ああ、人がたくさんいる。みな微笑んで自分を見てくれる。中には泣いてくれている人もいる。こんな僕のために？　ありがたい。ノックをしてくれていたのは、あなた達だったのですね。お前のことを誰も忘れてないと、しっかり音を聞かせてくれていたのは、あなた達だったのですね。痩せた男の身体の内部に、温かなものが広がる。これほどの、これほどの喜びを、僕は経験したことが？

「おめでとう」

「おめでとう」

「おめでとう」

痩せた男は、髪の長い信者に連れられ階段を上がる。21階へ。選ばれたものしか入ることのできない21階。自分が21階へ行けるなんて。こんな自分が……。霞む視界の果てに、扉が見える。広々とした空間、硬質な石のタイルに、自分達の足音が響く。意識が薄れる中、あらゆる音が体内に響く。巨大な扉がある。巨大な扉だけがはっきり見える。髪の長い信者が口を開く。

「私はこの先へは行けません。おめでとう。さあ、教祖様があなたと直々にお会いになる。何という感動だろう。何という喜びだろう」

扉が開く。中は暗いが、教祖が椅子に座っている。一目見てわかった。一目見て、彼が、教祖であるとわかった。僕は、と瘦せた男は心の中で叫ぶ。僕はあなたに会うためにここに来ました。僕はあなたに会うためにここに来ました。僕はあなたに会うために、あなたと会うために、生まれてきたのです。

――よく持ちこたえた。お前は素晴らしい。

教祖の声は低く強い。瘦せた男はその場で泣き崩れる。

――これまでのお前の苦痛だった人生、これまでのお前の報われなかった人生は、今日終わる。

「……はい」

瘦せた男はただ泣きながら声の主を見上げた。

――ここにはお前を傷つける者はいない。

「……はい」

――お前の能力を理解できない馬鹿も存在しない。

「……はい」

――お前の人生を邪魔する者も存在しない。

「……はい」

――お前は掛け替えのない弟子だ。お前は掛け替えのない弟子だ。我々にとって私にとってお前は掛け替えのない仲間だ。

痩せた男は泣いたまま立ち上がることができない。

――ここにお前の人生がある。お前の生きる目的の全てがある。私はこの世界を変えるつもりでいる。お前の力が欲しい。

「はい」

痩せた男は跪(ひざまず)き、教祖に祈るように指を組む。男はもう一度泣く。涙が流れて止まらない。激しく、温かく、どうしようもないほどに。人生の意義、安らぎ、夢、誇り、全て――。

「私の人生を捧げます。教祖様。私はあなたのものです」

「そこは名前がないからこう呼ぶしかない」

吉田が呟くように言う。

「教団X」

3

「……教団X?」

奇妙な名前だ、と楢崎は思う。プロジェクトXみたいだ。スパルタンXとか。

「その詐欺のことを、警察には?」

「松尾さんが嫌がってね」

吉田がうんざりと言う。

「松尾さんと沢渡、あの二人の間には昔何かがあったんだよ。……俺達は知らないけど」

外が段々と薄暗くなり、部屋の照明が強調されるように思えた。人工的なその光で、ここにいる人間達の影が伸びている。

「で、君の話を聞かせてくれないか」

吉田が楢崎に言う。

「役に立てなくて申し訳ないけど、俺達も彼女達、というか沢渡を探してるんだ。……松尾さんには内緒でね。君から話を聞けば、何か探すきっかけをつかめるかもしれない」

「……実は、よく知らないんです」

楢崎はそう言う。

「……知らない？」

「はい」

どこまで話せばいいだろう、と楢崎は思う。でも、嘘は言っていない。自分は彼女のことをほとんど知らない。

「……どういうこと？」

「彼女が僕の元から突然失踪した、ということです」

「それは……君達は恋愛関係に？」

「……上手く言えないんです」

沈黙が続く。吉田がじっと自分を見てるのに気づく。リラックマのエプロンの女性はまだ下を向いている。部屋の時計の秒針がゆっくり動いていく。峰野が息を吐き出すように小さく声を出した。

「まあ、せっかく来たんだし、また来てくれるみたいだし……。言いにくいこともあると思うから、気が向いた時、ゆっくり話してくれればいいですよ。……今日はＤＶＤでも観ていったらどうですか。会の様子を録画したものです。松尾さんがいない時、来た人にはいつもそうしてるので」

「でもさ」

「無理やり話を聞きだそうとでも？　松尾さんもそういうのは望まないでしょう？」

吉田が困惑した顔で峰野を見る。でも峰野は吉田を無視し、控えめに楢崎の目を見る。

「立花さんの姿も映ってるはずですし」

峰野が立ち上がり、吉田も仕方ないというように腰を上げた。楢崎は彼らに続いて部屋から出、古い廊下を歩いた。くたびれているがよく磨かれている。

「あなた達は、ここで何を？」

楢崎は言う。興味はなかったが、自分が何もしゃべらなかった負い目があった。

「ああ、掃除です。松尾さんが帰ってくるから」

「帰ってくる？　重い病気じゃ」

「痔だよ」

吉田が言う。峰野が思わず笑う。

「痔なんだよ。手術が必要なくらいの、徹底的な痔。凄いだろう？　教祖が痔だよ？」

別の部屋に通される。畳の部屋にテレビがあり、灰皿がある。さっきの部屋より狭いが、なぜかもう暖房が効いている。楢崎を残し、吉田達は出て行った。信用されてるんだろうか。自分を一人にするなんて。この引き戸も外からじゃ鍵はかけられそうにない。

楢崎はＤＶＤの入った段ボールをぼんやり見る。教祖の映像なのだから、もっと仰々しく並べられていると思った。一枚を手にする。楢崎は煙草に火をつける。一ヶ月前まで、禁煙していた煙草。

映像に映し出されたのは、身体の細い老人だった。七十代くらいだろうか。見ただけではよくわからない。目が大きく、短くそろえられた髪も色は白いが量は多く、老人であるのに整った顔をしている。左腕は動いているから、倒れる前のものだろう。グレーのセーターにベージュのチノパンツのようなものをはいている。教祖のような印象は確かに受けない。松尾は縁側に腰を下ろし、数十名の観客は庭にパイプ椅子を並べている。

この宗教に興味があって来たと言ったのだから、楢崎は観るしかなかった。

教祖の奇妙な話　I

『えーっと、今日はちょっと真面目な話です。みんな、ブッダって知ってるよね？　ブッダさん。仏教の開祖と言われてる人。初詣に行く神社の方じゃないよ。あれは神道という宗教で別の神様。除夜の鐘の方。つまりお寺ね。お寺が仏教。

大仏ってあるでしょう？　あれはブッダさんの姿を大きな銅像にしたものです。みなさんどんなイメージありますか？　ブッダさんについて。少なくとも、いいやつ、とは思うでしょう？（多少の笑い声）善いことをして、慈悲に溢れ、罪人も諭し極楽へ導く存在……。でも、本当にそうだったのでしょうか。果たしてブッダさんは本当に「いいやつ」だったのか。今回のテーマはこれと、最新の脳理論についてです。この二つは、実は密接に関わってるんです。

ブッダさんは、ゴータマ・シッダールタという名前です。生まれたのは紀元前624年と言われてますが、紀元前463年とも言われ、実際のところよくわかりません。紀元前、ですから、イエス・キリストより約600年〜400年くらい前に生まれています。王族だったのですが29歳の時に妻子を残して宮廷を出て、放浪して35歳〜36歳の時に悟りを開いたと言われてます。彼の教え、仏教はインドだけでなく、後に中国や日本などにも広がっていきました。日本にもたくさんお寺がありますね。ブッダさんがどのように生きたかは色々言われてまして、中には伝説としか思えないような奇想天外なものも含まれてます。船に乗せてもらえなくて空を飛んでったとかね。後の人達が様々に仏教を展開して、膨大な経典、膨大な教義があります。もちろんそれらの経典はどれも大変素晴らしいものです。でも、正直なところ、私は仏教自体に興味があるんじゃないんです。ただ、ブッダその人に興味がある。彼は本当はどんな人で、彼の教えはどのようなものだったんだろう？　でもブッダさん自体は言葉を何も残さなかった。キリストのケースと同じです。弟子達が、彼を信奉する人達が、後の世に彼の言葉を伝えたのです。

で、ここに「スッタニパータ」という経典があります。膨大な数の仏教の経典の中で、最も古いものです。最も古い、ということは、それだけブッダさんの言葉に近い、ということを意味します。私はこれを読んで驚くことになります。従来の仏教のイメージとは大分かけ離れていたから。しかもこの「スッタニパータ」は、仏教がインドから中国、日本へ広がった時、ほとんど伝わらなかったと言われています。つまり後の東アジア圏での仏教には、この本はほとんど影響を与えることがなかった。仏教の中で最も古い経典、つまりよりリアルにブッダさんの生の声を伝えている可能性がある経典であるのにです。

この「スッタニパータ」の中でも、第四章とラストの第五章が最も古いと言われてます。なんで数字の大きい方が、つまり後の方が古いかというと、こういう編集の仕方は経典のある種のスタイルの一つとしてあるからだと思われます。ちなみにイスラム教の「コーラン」も時期的に後のものが前に並べられたりしています。でもヒンドゥー教の聖典の中で最も古いといわれている「リグ・ヴェーダ」では新しいほど後に来るので、まあ何というか、それぞれですね。

では読み上げます。

「〈われは考えて、有る〉という〈迷わせる不当な思惟〉の根本をすべて制止せよ」

1596年に生まれた哲学者デカルトの有名な言葉「我思う、ゆえに我あり」を、それより約二千年も前に生まれたブッダさんが否定しています。西洋の哲学者達があーだこーだと考えていたことを、ブッダさんは約二千年も前に一蹴しているのです。

「（輪廻の）流れを断ち切った修行僧には執著が存在しない。なすべき（善）となすべからざる（悪）とを捨て去っていて、かれには煩悶が存在しない」

つまり悪いことだけじゃなくて、善いこともしないんです。宗教家なのに！　彼は善悪について悩むこともないんです。

「聖者はなにものにもとどこおることなく、愛することもなく、憎むこともない」

そして人を愛することもない。当然女性を愛することもありません。恋愛もない。女性も人間で体内には内臓があるし鼻水とかウンコとか出すんだから愛欲も捨てろとあります。まじっすかブッダさん、という感じです。そもそも人間はウンコとかしてるんだから偉ぶるな、ともあります。

「宗教的行為によっても導かれないし、また伝統的な学問によっても導かれない」

「見たこと・学んだこと・思索したこと、または戒律や道徳にこだわってはならない。／諸々の教義のいずれかをも受け入れることもない」

「ヴァッカリやバドラーヴダやアーラヴィ・ゴータマが信仰を捨て去ったように、そのように汝もまた信仰を捨て去れ」

……どうでしょう？　まるで宗教じゃないみたいでしょう？　世界的仏教学者で、原始仏教に精通していた中村元さんの注釈を引用すれば、「教義を否定したところに仏教がある」となります。格好いいですね。「最初期の仏教では、或る場合には、教義を信ずることという意味の信仰（saddhā）は説かなかったが、教えを聞いて心が澄むという意味の信（pasāda）は、これを説いていたのである」ということです。いわゆる、「宗教」ですらなかった可能性がある。中村元さんはブッダさんについて、「かれには、みずから特殊な宗教の開祖となるという意識はなかった」ともお書きになっています。「いわゆる〈仏教学〉なるものを捨ててかからなければ、『スッタニパータ』を理解することはできない」とも。

ではブッダさんの悟りはどんなものだったんでしょう。同じく「スッタニパータ」を頼りに見ていきます。大分難解です。

「内面的にも外面的にも感覚的感受を喜ばない人／の識別作用が止滅するのである」

「識別作用が止滅することによって／この名称と形態とが滅びる」

名称と形態、というのは、簡単に言えば個人存在を構成する精神と身体のことです。

つまり、彼がしていたのは、あらゆる欲望をなくすこと。快も不快もなくし、感覚的な感受も喜ばず、これはあれ、あれはこれ、という識別作用もなくした「無」の状態。欲望を持とうとも思わず、また欲望を捨てようとも思わない状態。つまり、そんなことは考えないくらいの「無」。西洋で言うところの虚無を超えた、もっと徹底的な「無」。何にも執着しない。そういう存在が、死んでは生まれ変わり、また死んでは生まれ変わるというインドの思想「輪廻」のサイクルに再び入るわけがない。だって生きることで受ける快、不快から遠く離れた「無」の境地にいるのだから。言い方を変えれば、また生まれてくる必要が見当たらない。つまり「解脱」ということになり、「涅槃（ニルヴァーナ）」の状態ということになります。全ての欲望をなくし、その感覚も消滅させ、何かを識別することも消滅させた絶対的境地、「涅槃（ニルヴァーナ）」。無であり、自分が無であるとも認識していない究極の状態。凄まじいです。では「解脱」後は？　と考えたくなりますけど、恐らく、その後も考えないのが「解脱」だと思います。つまりブッダさんは、輪廻から解脱して神になるという意識もなく、そんなこともそもそも考えていなかったように感じられます。あるのは、ただ安らかな状態です。どうでしょう？　これは最強の人間ではないでしょうか？　この世界の全てから自由であり、神のことも思わないのだから、ある意味では神をも超えている。あーだこーだと人間に要求する神の性質である「こだわり」からも、ブッダさんは自由になっている。人間が、精神の分野において神を超越している。そう言えるように私には思えるのです。こんなことを、今から二千数百年も前に彼は一人で考えていたのです。キリストの教えも素晴らしいですが、ブッダさんもまた相当な人物です。

「ありのままに想う者でもなく、誤って想う者でもなく、想いなき者でもなく、想いを消滅した者でもない。――このように理解した者の形態は消滅する」

この言葉は、「言葉」として書くのは可能ですが、脳での理解は難しいですね。想うものでもなく、想わないものでもないなんて。このように、言葉では書けるけども、言葉の意味の理解から、つまり言葉の論理からも超越した状態が「涅槃（ニルヴァーナ）」とも言えるのではないでしょうか。言い方を変えれば、「涅槃（ニルヴァーナ）」の境地に入れば、この言葉も理解できるようになる。仏教に詳しい人なら、さっきの言及から「無所有処」「非想非非想処」を連想するかもしれません。ブッダさんはその後さらに別の領域へ飛躍したのだと。でもこの頃は「中道（ちゅうどう）」の萌芽はありましたが、それは前面には押し出されていませんでした。「三界説」など様々な教義もまだ誕生していません。それは後の世の仏教の発展によるものです。

皆さんは、もうお気づきになったかもしれません。

「果たして、この『宗教』は広まるか？」

その通りです。このままでは広まるのは難しい。なぜなら、このような状態になるのは難しいし、みながブッダさんのようになれば恋愛もなく子供もいっさい生まれず、人類は滅亡するからです。「涅槃（ニルヴァーナ）」は、全てを超越した究極の境地です。一般の人々がこの境地を目指すとも思えない。だから仏教は変わっていくのです。でもこれは何も、ブッダさんの教えから必ずしも離れていく、ということを意味しません。そのことについてはまた最後にお話しします。

さて、始めの方に言及したブッダさんの言葉を覚えていますでしょうか。

「〈われは考えて、有る〉という〈迷わせる不当な思惟〉の根本をすべて制止せよ」

デカルトの有名な言葉を約二千年も前に否定したこの言葉。私はアマチュア思索家で、最近「脳」について色々調べています。「脳」と「意識」。我々が今、こうやって自分について考えたりするこの「意識」とはそもそも何か？　調べていくうちに、このブッダさんの言葉が、最新の脳理論とほとんど同じであることに気がついたんです』

4

教祖の奇妙な話　I　続き

『脳は、約千数百億個の神経細胞が、それぞれ無数のシナプスというもので接合されて構成されています。

それは想像するだけで凄まじいものです。千数百億個ですよ？　途方もない数です。これが皆さんの脳の中にそなわっているのです。

人間の身体は、無数の原子でできています。それももう、膨大な数です。

たとえば、人体を構成する上で大変重要な、タンパク質を例に見てみましょう。

タンパク質は、二十種類のアミノ酸の結合の仕方によって、約数千万種類あると言われてます。人体の構成要素であるタンパク質、そのタンパク質をさらに構成する数あるアミノ酸の中の一つ、アラニンを例に見てみますと、アラニンは、H_3C、NH_2、OH、O、でできてます。つまりそれぞれの原子の結合体による、化学的物質なんです。当然のことながら、脳もミクロの世界で見れば、無数の原子、その結合によって形作られてます。原子はさらに、より小さな陽子、中性子、電子から出来てまして、さらにその陽子、中性子は、もっと小さなクォークから出来てます。今のところ、一般的な科学者達が受け入れてるのはクォークまでです。ちなみに原子の大きさを表す時オングストローム（Å）という単位を使いますが、1オングストロームは1ミリの10000000分の1ですので、いかに小さいかがわかります。つまり、人間の身体は全て化学的物質。改めて聞くと何だかすごいですが、脳内の千数百億の神経細胞も同じです。神経細胞はそういった原子の結合体で、つまりミクロの物質による化学的な働き、発生する無数の電気的信号などで活動しています。これも改めて聞くと何だかすごいですね。でも実際に脳もそうなのです。

ではなぜ、このような無数の化学的反応から意識が生まれるのでしょうか。これは不思議ですね。そもそも、意識とは何だろう？　あーだこーだと考える「私」という存在。この「私」とは何か。「私」達は、自分で考えて自分で行動してますね。今私はこの話をしようと思ったから、この話をしています。でも実は、ちょっと怖い実験結果があるんです。

ベンジャミン・リベットという科学者による有名な実験です。その実験によると、人間は、何かをしようと意志を起こす時、実はその意志を起こすよりも前に、本人にもわからないところで、既に脳のその部位が反応してるというのです。どういうことでしょうか？　つまり、指を動かそうとする意志よりも先に、その指を動かす役割をになっている脳の神経回路が、すでに反応しているのです。

その実験では、脳が指を動かそうと反応した0・35秒後に、意識、つまり「私」が指を動かそう、という意志をもつ。実際に指を動かしたのは、その意識、つまり「私」が指を動かそうと意志をもってから0・2秒後です。

そして多くの脳科学者は言います。

意識「私」を司る脳の特定の部位は存在しない。

脳の大局的な働きによって意識「私」が生まれる。

脳がなければ、意識「私」は発生しない。

脳の活動が、意識「私」に反映される。

でも、意識「私」によって、脳に何らかの因果作用を働きかけることはできない。

どういうことか？　つまり意識「私」というものは、決して主体ではなく、脳の活動を反映する「鏡」のような存在である可能性があるのです。「私」達が「閃いた！」と感じた時、その〇・何秒か前に、実は脳が「閃いて」いるのです。今、あーだこーだと思っているこの意識「私」は、自分がやることも、何かを思うことも実は決定していない。決定してると思い込んでるだけで、実は私達が認識できない領域、つまり脳の決定を遅れてなぞってるだけなんです。これが意識「私」の正体です。まるで「私」達が、「自分」という座席に座ったこの人生の観客であるかのように。

あれ、何かざわざわしてきましたね。そんな馬鹿な、という感じでしょうか？　うん、確かにそんな馬鹿な、です。でもこのことは最後にもう一度ふれましょう。まずは話を進めます。

ここで思い出して欲しいのが、ブッダさんのあの言葉です。

「〈われは考えて、有る〉という〈迷わせる不当な思惟〉の根本をすべて制止せよ」

ブッダさんは科学的な実験もせず、脳も解剖せず、ただ意識を見つめ瞑想し続けることで、この意識「私」が本当は実体のないものだと気づいたことになるのかもしれません。それは相当に凄まじいことです。動いているのは脳という「化学的物質」であり、「私」というものはないのだと。行動のスタートは「私」ではなく「私」が認識できない「化学的物質＝脳」であり、「私」はそれをなぞっているだけなのだと。ではそんなブッダさんが見ていた世界はどういうものだったのでしょう。

人間の身体が結局は無数の原子でできているのは前に話しました。しかも人間の身体は、食べ物を食べ、排泄することなどで、実は一年もすればその身体を構成する原子はすっかり入れ替わっています。つまり今ここにある私の指も、一年もすれば、その構成している原子は全て入れ替わっているのです。ではなぜ入れ替わってるのにまた同じ形、性質を持った指として維持されているのかは、DNAと、さらにその指の中にある無数の原子がそれぞれの特徴の中で同じように構成するようにできているからです。なぜ入れ替わらなければいけないかというと、人間も含めた全ての物質は、エントロピー増大の法則の中にあるからです。凄く簡単に言えば、原子レベルで見れば、全ての物質は、放っておけば乱雑になっていくんです。固体もいずれ分解されていきます。それを防ぐために、生物は自己を構成する原子達を常に新鮮に保っておかなければいけない。そうでないと、体内はどんどん原子達が乱雑になって崩壊していくからです。つまり、食べ物を食べるということは、栄養以外にも必然な役割があるのです。ちなみに、DNAというのもデオキシリボ核酸という化学的物質です。あー、何だか怖いですね。ブッダさんは、世界をそんな風に見ていた可能性がある。

人間を見ても、それは「人間」ではなく、「入れ替わりながら固まりが維持されている原子のゆるやかな結合体」という風に。もっと言えば、「身体は全部常に入れ替わっているのに『自分』というものがあるのだと思い込んでいる結合体」です。誰かが自分にぶつかれば、それは原子のゆるやかな結合体に、原子のゆるやかな結合体がぶつかっただけだというように感覚的な感受も喜ばないから、脳が世界を「人間という存在に対してこのように」見せていることにも何も感じない。当然意味や価値を思わない。ただ空間に無数の原子が動き、無数の原子がゆらゆらとゆらめく安らかな境地――。

実は私がこの庭で座禅を組んでいた時、目指していたのはこの境地だったのです。あ、嘘でした。正確に言えば、女性にだけ興味を保ったまま、無我の境地に入ること。（笑い声）だってそうでしょう？　女性ってあんなにも素晴らしいんだから！（笑い声）でも、女性に対する執着を持ったまま全ての執着を捨てるなんて矛盾してます。その境地はある意味ブッダさんより難しい。（笑い声）

さて、これで今日の話の主要な部分は終わりですが、では最後にまた脳に戻りましょう。

さきほど、意識「私」によって、脳に何らかの因果作用を働きかけることはできない、と言いました。意識よりも先に、脳が既に反応していると。この意識「私」は、自分がやることも、何かを思うことも実は決定していない。決定してると思い込んでるだけで、実は私達が認識できない領域、つまり脳の決定を遅れてなぞっているだけなのだと。ではなぜそもそも、このような私「意識」というものが、脳の内部で出現したのでしょう？　出現しなければならなかったのでしょう？

これには進化が関わってきます。一説によると、私、という概念を持たない、いわゆるもっと下位の意識、原意識は、爬虫類から鳥類、そして爬虫類から哺乳類へ進化していく辺りで発生したと言われています。

この進化の段階の時に、視床、と呼ばれる脳の部位と、皮質、と呼ばれる脳の部位との間に、双方向に行ったり来たりする複雑な回路が出来上がったことから原意識が発生したと。なぜかというと、意識があった方が、あらゆるケースに対応でき、生物として有利だったからです。

脳が意識という鏡に自らを反映させることで、その脳内の活動を自らが把握しやすくなるからです。

さらに「私」という概念が発生したのは、その回路がより複雑になっていったからと言われています。それはさらに高位の進化の段階の時に発生した。〝高次の意識〟は、つまり人間に、恐らくオランウータンに少しあるのでは、と言われています。私はイルカやチンパンジーにもあるのではと思っています。

ではなぜこのような高次の意識、私「意識」が生まれたかは、記憶が大きく関わっていると言われています。

膨大な記憶を処理する時に、「これはすべて、ある個体が経験したことだ」という、「統一感」が必要になったからです。そうではないと混乱する。だから「私」という存在が、この「入れ替わりながら固まりが維持されている原子のゆるやかな結合体」に発生することになったのです。

脳が全てを決め、この私「意識」はただそれをなぞってるだけです。しかし、「なら何考えても同じじゃん、脳次第なんだから。よし、じゃあ明日から自暴自棄になろう」と思ってはいけません。なぜなら、あなた達がもしそう思ってしまったら、脳がそうなってしまうからです(正確に言えば、あなた達、というのは、つまりあなた達の脳ということになるのですが)。なので、自暴自棄になっても同じという意味ではありません。繰り返しますが、自暴自棄になろうと思ってしまえば（脳がそう思ったかは、つまりあなた達の意識によって、あなた達が○・何秒後かに知るのですが）、脳が自暴自棄になってしまうからです。

もちろん、これが現在の脳医学における「真実」とは断定できません。「とにかく脳がきっかけだが、意識は拒否権を持っている」という我々にとっては結構しっくりくる説もありますし（とは言っても、残念ながらこの説は有力とは言えません）、そもそも「意識は脳の活動に働きかけることができる。意識が主体だ」という説だってあります。どれが真実かはまだ断定はできません。ただ、こういう有力な説がある、ということを思ってくだされればいいです。

日常生活において、何もこんなことは意識する必要はありません。大体、間違った学説かもしれないんだから。ただ、何か日常の中で、「もしかしたら、私達の意識は、何も決めてなんかいないのかもしれない」とか、「もしかしたら『私』達は観客かもしれない」という疑問を何かの拍子に、ごくたまにでも時々思ったりしてみれば、エゴがぶつかり合う戦争や争いなどが非常に滑稽に見えるでしょう。くよくよ悩むことが（くよくよ悩むのはいいことなのですが）、ちょっとは別の角度から見ることができるかもしれません。「あーあ、また脳が悩んでる。面倒くさいなこの原子の結合体は」という風に。そしてはっきりしていることは、この「意識」を創り出す脳システムは圧倒的に凄まじいということです。千数百億の神経細胞が、圧倒的なスピードと激しさでありえないほど目まぐるしく動き続けている。こんな凄まじい意識システムを持っているあなた達は、誰もが全て凄まじい存在なのです。意識「私」がいなければ、脳は自身の活動をしっかり把握することができません。つまり意識とは、脳にとって必ず必要なものなのです。結局のところこれは、あなた＝脳、という結論と同じです。「あなた＝脳」は、「あなた＝脳」特有の、オリジナルな「あなた＝脳」です。でもこのことは、またおいおい話していくことにしましょう。

ただ……、うん、この説が正しいとなると、恐ろしい結果が生まれてしまう。つまり、「魂は存在しないかもしれない」ということです。

魂という定義を、死んだ後も意識が残り、煙みたいな塊として存在し、どこかへ上っていくものだと定義するならです。……意識が脳のメカニズムの産物であるのなら、脳の活動を反映する鏡であるのなら、魂は存在しない可能性が大きくなってしまう。なぜなら、脳のシステムがなければ意識は生まれてこないのだから。脳の消滅と共に意識は消えてしまうことになる。

物理学では、一般的に魂の存在を否定します。でも……、と私は思うのです。「魂はある」と。しかも、物理学とも矛盾しない形で「魂はある」と思っています。そのことも、また別の機会に話しましょう。

最後の最後に、またブッダさんにもふれます。私が言ったブッダさん像は、当然のことながら、真実かどうかわかりません。私はアマチュア思索家で、様々な知識や事実をこうやって組み合わせているのですから。なんなら、「何とか宗」という感じで、新しい仏教の宗派・教派と判断してもらっても構いません。でもこのことは、さっきも言いましたが、本来仏教とも盾してないんです。この話の最後を、中村元さんの言葉を引用して締めたいと思います。

「釈尊（ブッダさんのことです）の悟りの内容、仏教の出発点が種々に異なって伝えられているという点に、われわれは重大な問題と特性を見出すのである。

まず第一に仏教そのものは特定の教義というものがない。ゴータマ自身（ブッダさんのことです）は自分の悟りの内容を定式化して説くことを欲せず、機縁に応じ、相手に応じて異なった説き方をした。〈中略〉既成の信条や教理にとらわれることなく、現実の人間をあるがままに見て、安心立命の境地をえようとするのである。〈中略〉実践哲学としてのこの立場は、思想的には無限の発展を可能ならしめる。後世になって仏教のうちに多種多様な思想の成立した理由を、われわれはここに見出すのである」

つまり教えを請う人そのものを見ながら、ブッダさんは様々に言葉を発したということです。さらに引用します。

「広々としたおちついた態度をもって異端をさえも包容してしまう。仏教が後世に広く世界にわたって人間の心のうちに温かい光をともすことができたのは、開祖ゴータマ（ブッダさんです）のこの性格に由来するところがたぶんにあると考えられる」

仏教とは何と美しい思想なのでしょう。ブッダさんはかなりエキセントリックだったけどいいやつだった、ということになります。

何か話が色々脱線してしまいましたね。今日の話は終わります』

峰野は縁側に出た。

辺りはもう暗く、微かな風が木々を揺らしている。のどかだ、と峰野は思う。ここにいると、時間がゆっくり過ぎていく。自分の脳はこんなにも苦しいのに。私の意識はこんなものを見せられているのに。

さっきの彼はもうＤＶＤを観終わっただろうか。ややこしい話だから、まだ私も全部は理解しきれていない。背後で足音が聞こえ、自然と身構えていた自分に気づく。

「……さっき、何で彼の話を聞かなかったの？」

吉田が峰野の背後から言う。峰野は振り向く気力がなかった。

「……言いにくそうだったから。……私達の場合はこのグループについての歴史を話せばいいことだけど、彼の場合は個人史を話さなければならなくなる」

「まあ、そうだけど」

「今聞いても、彼は表面でしか話してくれないよ。……それに、松尾さんだったらこうすると思ったから」

「……なるほどね」

胸騒ぎがする。庭はこんなにも静かなのに、木々が、砂利が、微かな風までが、意志をもっているように感じる。悪意で何かを期待してるみたいに。

「ねえ吉田さん、彼をどう思った？」

「うん、実は俺もそれを聞こうと思ったんだけどね」

風が鳴る。冷えてくる。

「……悪い人じゃなさそうだけど」

「でも何だか思いつめた顔をしてる。松尾さんに会わせたとしても、どうだろうかな。……プライドが高くて傷つきやすそうだから、簡単に心も開かなそうだ。ただ……」

「ん？」

「嫌な予感がするね。彼の存在は。……上手く言えないけど、彼のせいではないんだけど、彼が今のタイミングでここに来たこと自体が、何というか」

「……私も同じことを考えてたの」

彼は、何かを壊してしまうような気がする。自覚もなく、ただここに出現しただけで。でも今の状況を解決するには、何かを壊さなければならない。それが私ならいい、と峰野は思う。私が壊れても、みんなが良くなるのなら……、本当か？　峰野は奥歯に力を入れ、頬をかく。

そうではないだろう？　お前は欲しがってるのだろう？　ほら、ほら、お前は！　峰野は頭を振る。苦しい。そしてこの苦しみは、誰とも共有できない。私は……。

「……なあ」

吉田が言う。その声が優しくなったことに、峰野は警戒してしまう自分を感じた。

「俺達に言えないことも、松尾さんには言えるはずだ」

「え？」

「抱えるな。抱えると……お前死ぬぞ」

峰野は振り向く勇気がない。自分がどんな表情をしてるかわかるから。峰野はゆっくり息を吸い、声をつくる。小さい頃からそうしてきたように。

「何言ってるの？　馬鹿みたい。さぼらないで早く掃除やって」

このような場所に集まってるからと言って、誰もが幸福になれるわけじゃない。吉田の遠ざかっていく足音を聞きながら、峰野はぼんやり庭を見る。また奥歯を強く嚙んでいた自分に気づく。松尾さんの理想から、自分は遠く離れている。

5

「もし人生をやり直せるとして」

立花涼子はそう言ったことがあった。

「これまでの自分の人生をなぞってまた今のあなたになることを、あなたは了承する？」

あの時自分は何て答えただろう。楢崎は考えている。もちろん、と嘘をついただろうか。それはない。正直に答えたはずだった。


『まるで「私」達が、「自分」という座席に座ったこの人生の観客であるかのように』


松尾正太郎はＤＶＤの中でそう言っていた。もしそうなら、と楢崎は思う。自分の前にある人生のショウは、何て退屈だったのだろう。周囲の様子をうかがい、慎重に、考えながら生きてきた。臆病なほどに。守るものなどどこにもないのに。だからパンクするんだ、あんな風に。

無数の空き缶をぼんやり見ている自分に気づく。自分の部屋のテーブルに置かれた、中身が少しだけ残った無数の缶。その凹凸のない缶のアルミの表面に、その表面の無数の集まりに、槢崎は不意に肌寒さを感じる。何だろうこの存在感は？　捨てればいいのに。部屋の掃除でもすれば、少しは気分が晴れるだろうか？　でも気力がない。今自分は酔っている。

部屋の天井を見、窓を隠すカーテンを見、ぼやけたベッドライトを見る。部屋の様子を見ているのだと思う。松尾正太郎風に言えば、部屋の様子を意識である「俺」が見せられている。どこにも行く場のない場所で酔っている。酔うしかない気分だったから。何て月並みな脳だろう。

そもそも、立花涼子との出会いも奇妙だった。

会社をあのような形で辞めた数週間後、図書館からの帰りだった。元々本はよく読んだ。ページをめくりさえすれば、言葉は自分を面倒な世界から隔離してくれる。発熱に似た気だるさの中、いつの間にか辞めていた読書を始めようとした。新しい本はどれもピンとくるものがなく、昔読んだ本を求め図書館に向かった。主人公が「無職」だった小説をいくつか思い出す。本を借り、缶コーヒーを買い近くのベンチに座った時、声をかけられた。思えばその時から怪しかった。

「本、……たくさんですね」

なんて不自然な声のかけ方だろう？　でもあの時自分は疲れていた。孤独が好きなのにどこかで人を求める自分がいる。槢崎は気がつくと動揺していた。立花涼子が美しかったからかもしれない。立花涼子がサルトルを知っていたからかもしれない。この日本で、同世代で、サルトルに詳しい奇特な人間なんてどれくらいいるだろう？　『嘔吐』を読んだ人間なんてどれくらいいるだろう？

彼女の姿も奇妙だった。服装や髪型に「今」がなかった。黒い髪は真っ直ぐで、やや長過ぎていた。服も飾るというより、肌を隠す目的のように見えた。世界に対して自分を開かず、まるで飾るのを恥じるように。そもそも、飾る概念そのものがないかのように。そのような女性が他人に声をかけるだろうか？　吉田から話を聞いた今なら理解できる。あれは世界から隔離された人間の姿に似ている。昔新興宗教が世間を賑わせていた頃、ニュースなどでよく見かけた地味な女達の姿に。

その日は別れたけど、本の返却日に、また彼女は図書館にいた。偶然だったろうか？　それとも日常的に図書館にいる女性だったのだろうか？　彼女は自分の知らない現代作家の本をいくつかと、『バガヴァッド・ギーター』を隠すように持っていた。昔の作家の本だと思っていたが、後でネットで検索するとヒンドゥー教の物語とわかった。若い女性がヒンドゥー教？　単にインド好きの女性だったかもしれないが、孤独の中で奇妙にも彼女に惹かれていく自分がいた。仕事を辞めたからだろうか、と楢崎は思う。日常のエアポケットに入ったかのように。会社に通う日々の連続なら図書館に行かなかったし、彼女と会っても、それほど気持ちは乱れなかったかもしれない。

楢崎は当時のことを思い出している。喫茶店に行き携帯電話の番号とEメール・アドレスを交換する。何度か食事もした。もう何年も女性と寝ていなかった楢崎は、早く彼女を求めようとした。食事の帰りに手を繋ぐと、彼女の手のひらは異常に汗で濡れていた。男性に慣れてないのかもしれない、とは思ったが、我慢する必要を感じなかった。暗がりで立ち止まりキスしようとすると、彼女は一瞬身体をこわばらせ、受け入れようとし、でも顔をそむけた。「ごめんなさい」と彼女は言った。

「いや、ごめん……、俺も」

　あの時楢崎は反射的にそう言ったが、戸惑っていた。

「そうじゃないの」

「……え?」

「そうじゃないんです。その……、もう少しだけ、時間をください」

　それほど男性に慣れてないのだろうか？　楢崎は混乱した。でもその時、彼女の着ていた長袖のシャツから、線が見えていた。彼女が楢崎のキスを避けようとした咄嗟の動きでずれてしまった長袖のシャツ、それと同じくずれてしまった女性にしては厚い腕時計のベルトの脇から、手首につけられた細い線が。もう一度彼女を抱き寄せようとした楢崎は動きを止めた。彼女は楢崎から目を背けながら、小さく口を開く。

「……すみません。……あの、もう会ってはくれないですか」

　彼女は何かを克服しようとしているのかもしれない。楢崎は笑顔を無理につくる。

「いや、会いたいです。立花さんさえよければ……。もうあんな真似しないですから」

それからも頻繁に会った。何と奇妙な関係だろう？　手は繋ぐのにキスもせず、週に一度会うなんて。彼女は一緒に歩きながら、気がつくと泣いていることがあった。その度に自分は質問したが、彼女はただ黙って首を振り続けた。

二ヶ月が過ぎ、三ヶ月が過ぎた。部屋に来た彼女を、楢崎は抱き寄せようとした。彼女の身体が強張る。楢崎が離れると、彼女は泣いた。

「……何か、辛いことが過去に？」

楢崎は静かにそう言ったが、彼女は首を振った。

「ごめんなさい。私は……」

「いや、うん、……なら、こうやって一緒に寝るのは……、手を繋ぎながら」

楢崎が手を差し伸べる。彼女はその手をずっと見ていた。

「私は……駄目なんです。どうしようもないほど」

「……え？」

「駄目なんです。私は……、もう、死んだ方がいいのかもしれない。私が死ねば、もしかしたら」

「……何を？」

「ううん。違うんです。私は死ねない。きっとまた死ねない。それで私は、私は！」

った。

「……立花さん？」

その間、楢崎は彼女に手を差し出し続けていた。彼女が楢崎をじっと見る。さっき死んだ人間を目に焼き付けるように。捨てた犬を見納めるように。彼女は泣きながら楢崎を見続け、不意に後ろを向き部屋を出て行く。地味な服装で。長過ぎる髪で。楢崎は追いかける気力がなかった。

翌日楢崎は迷いながら電話をかけたが、立花涼子は番号もEメール・アドレスも変えていた。死ぬようなことを言ってなかったか？　楢崎は考える。警察に？　身体の力が抜けていく。そういえば、自分は彼女の住んでる場所を知らない。彼女について何も知らない。警察に言ったらどうなるだろう？　彼女が失踪したんです。ええ、死ぬかもしれないんです。彼女の家ですか？　知りません。彼女の連絡先？　いや、知らないです……。

楢崎は机の引き出しからコインを取り出す。《ｅｘｅ》と彫られたコイン。以前に洗面台で見つけたものだった。ここ数年、自分の部屋に入ったのは小林と立花涼子の二人しかいない。小林に聞いたが知らないと言う。なら彼女のものになる。何となく、聞かない方がいいような気がしていた。聞きそびれたまま彼女は出て行った。ｅｘｅ？　急に気になり始める。何だろうこれは？　何かの記念のコイン？　外国の金にしては作りが貧弱過ぎる。それともバッグとかの装飾のボタンだろうか？

一ヶ月後、小林から立花涼子を見たと聞かされた。生きていたと安堵しながら、でも会いにいく勇気はなかった。楢崎は小林に調べてくれと頼むことになる。執着している自分がいた。何にだろう？　彼女にだろうか？　何にだろう？

教団X。コインはｅｘｅ。いかがわし過ぎる。なぜ彼女は、自分にピンポイントで声をかけたのだろう。その団体は松尾正太郎の元から、高学歴の人間達を多く引き抜いたと言っていた。思えば彼女に会う前から、周囲に人の気配を感じていた。

でも自分は高学歴じゃない。スカウトされる能力もない。

楢崎には意味がわからない。

6

頭痛のせいで文章が入らない。

高原は読んでいた本を机に置き、煙草をくわえ火をつける。

ベッドに置いた携帯電話に視線を向け、また本を手に取ろうとしてやめた。落ち着かない。どのような人生の場面でも、冷静でいると決めたはずなのに。電話を待つだけで本も読めなくなるなんて。高原は椅子から立ち上がり、オーディオのスイッチを入れる。ショスタコーヴィチの弦楽四重奏曲第1番。旋律に身を任せようとしたのに、やはり頭痛がする。もう一度携帯電話を見る。おかしい。約束の時間をもう15分過ぎている。

気味が悪いくらい静かだ、と高原は思う。信者達は、皆ひっそりと生活している。この辺りに建ち並ぶマンションの群れの中の一つが、実は薄暗い宗教施設だと誰が思うだろう？　公安から身を隠した団体だと誰が思うだろう？

高原はぼんやり紙に文字を書き始める。ノックの音がする。高原は驚いた自分に苛つきたがら、小さく返事をし、紙を丸め引き出しに入れる。女が入ってくる。若く茶色い髪の、身体の細い女。二、三回話したことがある。《キュプラ》の女だ。

「あの……、コーヒーを」

「ありがとう」

高原はそう声を出す。自分の言葉は、ちゃんと優しく響いただろうか。

「でもね。そんな真似しなくていいよ。君はお手伝いさんじゃないんだから。コーヒーなら自分でいれる」

「すみません」

「ああ、違うよ。怒ってるんじゃない。ありがとう。嬉しいよ」

女は部屋のテーブルにコーヒーカップを置く。立ち去る気配がない。

「君の分は？」

「いえ、私は」

「ははは、せっかくだから一緒に飲もう。用意するよ」

「そんな」

「いいから」

高原は笑顔をつくる。確か彼女はコーヒーを飲まなかったはずだ。高原は棚から紅茶を取り出す。

「……今日は月曜日だけど、いいの？」

「はい。今日私休みなので」

「そう」

「高原さんも……、いいのですか。月曜日」

「ははは」

高原は笑い声をつくる。

「僕は行かないよ。幹部の僕がいたらみんなやりにくいだろう？」

「……そうですか」

ベッドの上の携帯電話を見る。かかってくる気配がない。もしかかってきたらどうすればいいだろう。彼女を一度外へ出すしかない。

「もしかして、そろそろ？」

高原は紅茶を彼女の前に出しながら言う。どうせその話だろう。

「……はい。あと二ヶ月で」

「良かった。おめでとう」

「……はい。そうなんですけど」

「……どうかしたの？」

「……えっと」

何が『どうかしたの？』だろう。高原は思う。しらじらしいにもほどがある。自分の言葉は全てしらじらしい。自分のこれまでの人生も全て。

「その……怖いんです」

「外の世界に出るのが？」

「その……」

高原は音楽を消す。これで用意はできただろう。早く本題に入ればいい。

「……私、外に出たら、結局繰り返してしまうように思うんです。……また、私は妙な男の人に惹かれてしまう気がする。苦しくなって、お金もなくなって、また……」

「……なるほど」

こういう時、大丈夫だよと言ってはならない。なぜなら、大丈夫ではないから。

「繰り返してしまうんです。ずっとそうでした。頭ではわかってるんです。でも」

「わかってはいないんだよ」

「……え？」

「わかってはいない。ただ君は知ってるだけだよ」

彼女は何かを考える表情をしている。高原は息を吸う。

「それは結局さ、君が求めてるんだよ。そういう苦しみを。……苦しみには引力がある。苦しくて仕方ないのに、そこに居続けていたくなるんだ」

「……そうかもしれません」

高原は思わず彼女を見る。反論してくると思ったのに。

「でも、何ででしょうね」

「……自分のことも相手のことも、憎んでいたいからかもしれないよ。その苦しみの場にいることがしっくりきてしまうから。その構造自体にも引力があるから。何かの癖みたいに」

高原はそこで言葉を止める。セックスのスパイスになるからとは言わない。殺したいほど憎むことで、希薄だった自分の存在が生き生きしてくるからとも言わない。思い通りにならない男に抱かれるのがたまらないからとも、憎悪と愛情と不幸が混ざるセックスがとてもいいからとも言わない。

「だから、怖いんです。……もう少し長く、ここにいることになるかもしれません」

「なら、21階に？」

「いえ……、そうじゃないといけないでしょうか」

「そういうわけじゃないけど、珍しいケースかもしれない」

高原はまた煙草に火をつける。携帯電話は鳴る気配もない。重要な電話だった。これで立てが決まるというほどの……。頭痛がまた始まる。

「教祖様は、もちろん素晴らしい方です。素晴らしい方なのですが、……上手く言えませんが、その」

「いいよ。誰にも言わない。ここだけの話だよ」

「その、自分を失うように思うのです。お側にいると。……それが、怖くて」

思ったより頭がいい、と高原は思う。でもそれはこのスカウトが失敗だったのを意味する。

「なるほど。……でも辛くない？　ここにいたって」

「いえ、皆さんよくしてくださいますし、その、不潔な人もいませんし。一週間に一度なら、それに、……こうやってお休みももらえるし」

「そんなものかな。僕にはわからないけど」

「全然違います。私がこれまでいた場所とは」

「……そう」

ならどんな幸福を望んでる？　と高原は言わない。許せないのに好きでたまらない男と愛憎の快楽にふける幸福がいい？　とも言わない。

そこからさらに進んで薬でもやって、快楽を限界まで突き詰めて灰になる幸福はどう？　それともちょっと妥協してぱっとしない男と結婚する？　高原は頭の中で言葉を出し続ける。それで子供を産んで女は子供よねなどと言いながら暮らす？　年賀状に子供の写真でも貼り付けてわざわざばらまく？　いざ子供が親から離れようとしても離れずに、そうやっていつまでも子供にしがみつき続ける幸福はどうだろう？　仕事を極めて大勢の人間から尊敬され、でも内面の不安に悶えながら雑誌でインタビューでも受けてみる？　いっそ宗教に身を任せるのは？　外界を蔑みながら自分は神に守られてる、死んでも天国にいけると思い込み続けて、実際に死んだあとは宇宙のチリになってももうその頃は死んでるから結局不幸も感じない幸福はどうだろう？　大きなものは求めてはダメだ日常を愛そうという腐るほど溢れたメッセージに乗って日常をただひたすら愛し続ける幸福はどう？　さあどれがいい？　もっと色々あるよ幸福は。この人生が人間に与える幸福のバリエーションは様々だから。他人を押しのけて幸福を手に入れるんだ。幸福というのは他人の不幸を生むものだから。君の不幸も誰かの幸福の結果かもしれないのだから。僕達の幸福は世界中の餓死者を無視した上に成り立つ閉鎖された空間なのだから。それともなんだい？　インドの修行僧にでもなって一切を超越してみる？　高原は微笑む。そんなことは言わない。

「……高原さんは、何にも満足できない人なのだと思います」

不意に彼女が言う。思わず彼女の顔を見ようとした自分に気づき、高原は視線を下げた。やはりそうだ、と高原は思う。思っていたより頭がいい。

「どんな幸福を受け取っても、どんなカウンセリングを受けても、高原さんが救われることはない。……そんな気がします」

微かに鼓動が速くなっている。高原は微笑む。

「はは、失礼だな。僕は幸福だよ」

「すみません……。ただ、そんな気がして……。私は」

彼女が息を吸う。

「私は、高原さんを、少しでも楽にしたいんです。私には、高原さんを救うことなんてできない。それはわかってるんです。失礼ですけど、リナさんだって高原さんを救えない」

でも、急にどうしたのだろう？　高原は彼女を見る。目が潤み、声が大きくなっている。面倒なことになった。結局彼女は外界の泥濘から、こっちの泥濘に移動しただけじゃないか。

「女性なら、……私だったらこの人を救える、変えられる、と思うものじゃないの？」

「そういう人もいるでしょうけど、全ての女性がそうじゃありません。高原さんは、何でもカテゴリーに入れて安心してるような気がします」

頭がいい、と高原は思う。俺に対してあえて嫌なことを言って、印象付けようとすることも含めて。確かにこのスカウトは失敗だった。

「でも、……でも3秒なら、高原さんを救うことができると思うんです」

「は？」

「……高原さんが私の身体を気に入らなくても、少なくとも、私の中に強く強く出している時の3秒だけなら……。高原さん、私は」

高原は彼女を見つめる。彼女の目と唇が濡れている。なるほど、と高原はまた思う。確かに女性は想像を超える。教祖の言う通りだ。女性だけはわからない。胸元の開いた白い服から左の肩が出ている。白くなめらかな肩。スカートからやや内股に足が伸びている。3秒か、と高原は思う。3秒の幸福。

「……気持ちは嬉しいけど、個人的な接触は禁じられてるだろう?」

「でもリナさんは」

「彼女は別だよ。許可も取ってある」

「なら私の許可も」

「……少し落ち着くんだ。君は今外に出ることで不安定になってるんだよ」

だがその3秒も幸福だろうか? と高原は言わない。その3秒の間、射精した後の倦怠をもう想像してる自分のような人間には? 高原は微笑む。できるだけ優しく。

「ちゃんと冷静に考えるんだよ。ほら、今の君の、その状態だよ。その状態が、これまでの君を不幸にしてきた原因だよ。だから」

しらじらしい。やはり自分の言葉はしらじらしい。彼女が冷静になるわけがなかった。なぜなら、冷静になったって人生は面白くないのだから。冷静になってどうなるのだろう? そうだ、どうでもいいじゃないか。目の前の幸福を求めれば。たとえそれが地獄だったとしても関係ない。

高原はもう一度彼女を見つめる。あどけなかった頃の彼女を想像してみる。たとえば、中学生の時の彼女なら、同級生で好きになる男も多かっただろう。彼女に焦がれて仕方なかった同級生も多かっただろう。彼女は勘違いしているが、自分はそれほど多く女性とセックスしてるわけじゃない。禁じられてる個人接触をすれば、自分は結局一時間は夢中だろう。バレてはいけない、絶対に声を出してはいけないと言いながら、彼女の声が出てしまうことばかりしてみようか？　高原は微笑む。でもそれは今後の計画の邪魔になる。この快楽は計画に釣り合わない。

「高原さん、私は……」

彼女が高原の言葉を無視したように立ち上がり、近寄りながら手を差し伸べる。不意に電話が鳴る。高原の鼓動が速くなる。

「……ごめんね、電話だ。……この話はまた今度」

彼女のやり場のない手がだらりと下がる。困惑した彼女を部屋から出す。彼女にはカウンセリングを受けさせなければならない。

高原は電話に出る。これからの計画の全てが決まる電話に。声を出す。できるだけ小さく

7

教祖の奇妙な話　Ⅱ

『皆さん、今日は宇宙についてお話しいたします。宇宙の始まりと、インドの宗教聖典の中で最も古いといわれる「リグ・ヴェーダ」について。私達が住むこの宇宙は、一体どういうものなのでしょうか。そもそも、どうやって誕生したのでしょう?

我々が住んでいる地球は太陽系、と言われる空間にあります。こういう太陽系などの星の群れが無数に集まった星の集団を銀河と言います。ちなみに私達の住む銀河は遠くから見ると円盤のような形に見えまして、その半径は約五万光年。光の速さで飛んでいっても五万年かかるくらい広いのです。そして宇宙には、そんな銀河が現在見えているだけで一〇〇〇億個ぐらいあると言われています。半径五万光年のような銀河が一〇〇〇億個。これは途方もない数、目もくらむほど圧倒的な広さです。

ちなみに、我々の太陽系は、一〇〇〇億個ある銀河の中の一つ、天の川銀河の中心から約二万八〇〇〇光年離れた端の場所にあります。つまり我々が住んでいる太陽系は、天の川銀河の中でさえ田舎ということになります。

では、この宇宙はどうやって生まれたのでしょう？　もちろんこれが真実かどうかはわかりませんが、現在有力とされている説をご紹介します。宇宙は今から約一三七億年前に誕生しました。

まず皆さん、真空というのを想像してください。空気も何もない、ただの空間。でも完全に何もない真空というのはないんです。実は真空をよく見てみると、そこでは原子よりもさらに小さなミクロの素粒子が突然パッと生まれては、次の瞬間にはなくなっているという現象を繰り返しています。……不思議ですね。つまり真空は、単純な無ではないのです。有と無との間をたゆたう、有でもあり無でもある状態。……わかり難いですね（笑い声）。でもここでは私達の脳の常識を一旦外してください。一見何もない空間、真空の中では、ミクロの素粒子がパッと生まれてはパッと消えている。そういうもんだ、と思ってもらえればいいです。この空間は、有と無という本来対立する概念が混在する場所でした。

さらに宇宙は、「この瞬間」という時間的な一点から始まったのではない、と言われています。その頃は、時間、という概念が、現在我々が感じる「過去→未来」という継続したものではなく、いわば過去も未来もない「虚数の時間」だったと言われています。我々の脳では、その時間を想像することはできません。なぜなら、我々の脳は、「過去→未来」という時間の流れを感じるようにつくられているからです。その「虚数の時間」の中で、どこが「始まり」なのかもわからない状態の中で、宇宙は極小の大きさを持った存在として突然ポッと現れることになりました。どうやってポッと現れたか。これを「トンネル効果」と言います。ミクロの物質は、一時的に、どこかからかエネルギーを借りることができるのだそうです。この不思議な「トンネル効果」が発生し、本来パッと生まれてパッと消えていた粒子が、きちんと存在してしまった。この瞬間、「虚数の時間」は現在我々が認識している「この時間」に変化し、その10の34乗分の1秒後という一瞬よりもさらに一瞬の後、ビッグバンが発生し、宇宙は爆発的に膨張しました。宇宙の誕生から〇・〇一秒後、宇宙の温度は一〇〇〇億度です。ビッグバンから三分の間に、ヘリウムなどの原子核ができたといわれています。

　でも、ここで疑問が生まれます。

　なら、その前は？

　でもこれは「虚数の時間」ですから、元々「この一点」「その前」というものがない、と答えることができるかもしれません。しかしながら、この宇宙とは違う「母宇宙」のようなものが存在し、そこと恐らく「トンネル効果」によって繋がった瞬間この宇宙が生まれた、という説もあります。さらにいえば、宇宙の始まりは「特異点」という一点の「無限大」からビッグバンで始まった、という考え方もあります。物理学では「無限大」というのはありませんから、つまり、物理法則が破綻する「特異点」から生まれたけど、その後は物理法則にのっとって膨張した、ということです。この「特異点」の説の方は現在否定されていますが、私はなかなか魅力的な説だと思っています。

さて、ここで「リグ・ヴェーダ」に触れたいと思います。

「リグ・ヴェーダ」は、紀元前一二〇〇年~紀元前一〇〇〇年の間につくられた、インド最古の宗教聖典です。ユダヤ教の聖書成立時期や仏教やキリスト教より遥かに古く、ヒンドゥー教の聖典の中で最古のものになります。今から三〇〇〇年も前の文章なんて、ちょっとドキドキしませんか。そこに宇宙の誕生についての、こんな文章があります。

「そのとき無もなかった、有もなかった。/宇宙の最初においては暗黒は暗黒に覆われていた。一切宇宙は光明なき水波(salila)であった。空虚に覆われ発現しつつあったかの唯一なるものは、熱の威力によって出生した。

最初に意欲はかの唯一なるものに現じた。これは思考の第一の種子であった。聖賢たちは熟慮して心に求め、有の連絡を無のうちに発見した。

かれら(=聖賢)の紐は横に張られた。下方はあったのか、上方はあったのか。はらませるもの(=男性的な力)があった、威力(=女性的な力)があった。/神々は宇宙の展開より後である」

いかがでしょう? 今から約三〇〇〇年も前の文章が、現在の最新物理学と一致しています。

最初は、実は神話を調べようとしてこの「リグ・ヴェーダ」を手に取ったのですが、これを偶然発見した時私は驚いてしまいました。もう小説でも書いてやろうかと思うほど（笑い声）。意欲というのは、その誕生した初めの粒子の、誕生しよう、膨張しようという意欲と読めます。聖賢、というのは謎ですが、これは何かの比喩として考えてもらってもいいし、何かそういう存在が（もしかしたら母宇宙に）いたと考えてもいいと思います。「神々は宇宙の展開より後である」というのも、何だか凄いですね。宇宙の生成は神によるものではない、ということになります。

さらに最新の素粒子理論ではこんなことが言われています。この世界の極小の物質は小さな「粒」、つまり点のようなものではなく、超ミクロの「紐」状だという考えです。この紐は振動していて、その振動の仕方で現在わかっている数十種類の素粒子に変化する。いわゆる「超ひも理論」と呼ばれるものです。

「かれら（＝聖賢）の紐は横に張られた。下方はあったのか、上方はあったのか」

これはさっきも読み上げた「リグ・ヴェーダ」の一節です。ここにも「紐」というのが出てきます。この文章全体でも、実はこの「紐」という言葉は唐突に、何だか不自然にも思えるタイミングで急に出てきています。この「リグ・ヴェーダ」の宇宙生成論は、ことごとく現在の最新宇宙理論を予見させてしまうのです。なぜこんなことが可能だったのでしょう？　偶然と思う人もいるでしょう。今では名前もわからないこの一節の作者は、きっと妄想でも見ていたのだろうと。実は私もそう思っています。ではなぜ彼の妄想が宇宙の真理をついたのでしょうか。なぜ約三〇〇〇年も前の大昔に、たとえば「そのとき無もなかった、有もなかった」という高度過ぎる抽象概念を持つことができたのでしょうか。その疑問に私は、それは彼が宇宙の仕組みを知っていたから、と答えたいと思います。

原子は、原子のことを知っています。我々の考える「知っている」という感覚があてはまらないのなら、「原子は原子のことを、自らで体現している」と言ってもいいでしょう。この作者は恐らく人間だったと思いますので、彼の脳も当然無数の原子の組み合わせで出来ています。原子は原子のことを知っている。原子は原子の秘密も内包している。その無数の原子の組み合わせが、意識である「彼」に、世界の本質を見せたのではないでしょうか。三〇〇〇年前なら、現代のようにくだらない情報の氾濫からは無縁です。我々の脳の仕組みと、彼らの脳の仕組みは全く違っていたでしょう。彼は恐らく瞑想し、「ある境地」に達し、この映像を見た。いわば原子が内包していた真実を。その数百年後、瞑想することでブッダさんが意識の正体について知ってしまったのと同じように。つまり我々の脳の中には既に、この世界の真実があるのではないでしょうか。私はそう思えてならないのです。

さらに話を進めます。宇宙について調べれば調べるほど、不思議な感覚になることについてです。なぜなら、調べれば調べるほど、宇宙というものが、どうも人間・生物に都合よく出来過ぎている、とわかるからです。

そもそもこの三次元の空間でなければ人間など生まれない。あらゆる力学が現在のようでなければ、地球など太陽の周囲を都合よく周れず、どこかに落下してしまうのです。もっとミクロなことで言えば、電磁力の強さを決める電気素量の値や、陽子や中性子を結合して原子核を作る強い力の強さを決める結合常数が、もし今の、この世界の値から僅かでもずれていたら、有機物質を作る元素である炭素が宇宙の中で合成されなくなるのです。当然、炭素がなければ有機物である生物など生まれない。タンパク質がなければＤＮＡがつくれず、ＤＮＡがなければタンパク質がつくれない。生物誕生の時、それらは同時に存在したことになる。こういう例は他にいくらでも挙げることができるのです。まるでこの宇宙の仕組みが、生物をつくるためにあった、とでも言えるかのように。

もちろん、こう反論することもできます。

「それは人間が生まれたから、後になって都合がいいと感じるだけだ。人間が生まれた宇宙だから、その宇宙が人間にとって都合がいいのは当たり前だ」

「この宇宙以外にも無数の宇宙があって、この宇宙はたまたま人間にとって都合がいい状態だったから、人間が生まれた。発生してすぐ消えた失敗宇宙も無数にあった」

なるほど。でも私はそれでもなお、この宇宙が人間にとって都合が良過ぎる、と言いたいのです。ここには何か意味がある。でも物理学者達の多くはどうしても、人間本位な立場を否定します。魂もあの世も神の存在も。でも、本当にそう言い切れるのでしょうか。それを踏まえ、現在の宇宙科学の「不明な点」について話そうと思います。

二〇〇三年、アメリカのＮＡＳＡが、「宇宙の96％は正体不明の物質やエネルギーからできている」という調査結果を発表しました。最新の数値では約95％が正体不明なのだそうです。生命の身体、空気や星といったものを構成する、いわば私達が正体のわかっている物質やエネルギー（原子、素粒子など）は約５％しかないのです。

では残りの95％は何なのでしょう？　そのうちの約23％は「暗黒物質」だと言われています。正体不明なのではっきりしたことはわかりませんが、重さがあり、他の物質と反応せず素通りしてしまう、幽霊みたいな粒子らしいです。宇宙の果てにだけあるのではありませんよ？　実はこれは私達のすぐそこにもあるらしいのです。今、私達の身体をすーっとすり抜けている、いわばそこら中にある存在です。そしてさらに、「暗黒物質」は異次元を運動している粒子ではないか、という説もあります。異次元？　何だか作り話みたいですが、そもそもこの宇宙そのものが、作り話みたいに不思議なんです。

たとえばアインシュタインの「相対性理論」ってあるでしょう? あれによると、空間は曲がる、のです。重力とは、空間の曲がりが引き起こしているのだと。ざっくり言うと、これまで永遠不変の存在だと言われていた「時間」、「空間」は、伸び縮みする「相対」的なものだよ、という意味で「相対性理論」なのです。しかもこれらは実験で確かめられています。ちなみに、重力は異次元に影響を与えることができる、とも考えられています。

そして正体不明の残りの約72%は、「暗黒エネルギー」と言われています。重力とは逆の反発力を周囲にもたらし、現在宇宙は膨張し続けているのですが、その原因に深く関わっていると言われています。さらにこのエネルギーは「宇宙の結末の鍵」を握っています。このエネルギーの正体がわかると、宇宙の「未来」がどうなるかがわかるのです。でもこれはまた後に話すことにしましょう。

宇宙科学の「不明な点」として、もう一つ付け加えましょう。現在最新の宇宙理論は、「ブレーン宇宙論」と呼ばれるものです。

これは、私達の宇宙は十次元空間の中を漂う、薄い膜のようなものではないか、というものです。これは何もSF的なものではなく、現代の世界中の高名な物理学者達が真剣に研究しています。一次元は線、二次元は平面、三次元がこういう我々の空間、では他の次元は? 四次元目が時間だという話がありますが、十次元となると一体何が当てはまるのか。この答えはまだ未知です。

このように、物理学、宇宙科学といっても完璧なものではありません。それどころか、ミクロの世界を研究する量子論（ＳＦなんかでよく出てきますね）とアインシュタインの相対性理論の統合も、まだ行われていないんです。この二つが統合できた時、この世界、宇宙の仕組みの全てがわかる「究極の理論」の完成になると言われてるのですが、まだ道のりは遠いという感じです。

さて、この「究極の理論」がまだできていない、ということを踏まえて、私の想う「世界像」を皆さんにお話ししようと思います』

8

教祖の奇妙な話　Ⅱ　続き

『さて、まずはこの世界を構築している極小の物質について。

以前にもお話ししたことですが、物質を形作っている原子は、陽子、中性子、電子から成り立っていまして、さらにその陽子、中性子も、より小さなクォークから成り立っています。さらにどんどん小さなものがあるとして、「極小の一点」を仮定します。その「極小の一点」の中はどうなってるでしょうか。私は、それは2パターンあるように思っています。

まずパターン1。

世界が閉じていない、つまり別次元がある、とすると、その「中身」は空洞になっていると思います。正確にいえば、我々には空洞にしか見えないだけであって、その先は人間の概念で言うところの「異次元」ということになります。でもその「異次元」は、ここからが異次元、というような「境界」はなくて、グラデーション気味に異次元になっていく、と私は思っています。つまり我々の世界は俗にいう「三次元」ですが、それはグラデーション的に多次元と重なり合っている、というのが私の考えの一つです。この異次元、というのは何も別世界、という意味ではなく、光や電子、もっと言えば時間などではもう判別できない領域、というだけです。その領域は時間すらないかもしれない。何かが生まれては消え、いや、そもそも「存在」という概念もないかもしれない。この世界は様々な領域とグラデーション気味に重なり合っている。そんな風に思います。

そしてパターン2。

世界に異次元などない、という場合。その場合、最小のものの中身を覗ける人間がいたとすると（不可能ですが、まあそういう人間がいたと仮定すると）、彼の目に映るその中身は、黒い世界だと思います。彼がさらに目を凝らすと、どうやら光のようなものが見える。つまり、彼はそこに自分がいる宇宙そのものを見るのではないか、と私は思っています。大分メルヘンですね。極小の世界を覗いたら、そこに自分がいる宇宙があった。その時、彼はどんな反応をするでしょうか。この世界の不思議さに感動するでしょうか。いや、恐らく彼は恐怖に震えるのではないかと私には思えます。

宇宙が人間にとって出来過ぎている理由も、２パターンあるように思っています。

パターン１。

残念ながら、偶然という可能性。

我々の社会を遠くから、原子レベルで見たとすると、この現在の人間社会も、原子が結合しては離れていく情景、全てが単なる原子の化学的な反応の連続に過ぎません。それがたとえ「生命」と呼ばれるものであったとしても、それはただそうなっているだけであって、何の意味もないと言うこともできます。

そしてパターン２。

この原子の結合の発展は、この世界の「ある状態」と接続する可能性を有していた、というパターンです。

　生命も社会も、元の元の元を辿れば原子の化学的反応というのはさっき言ったことと同じです。ただこれには意味があった、ということです。

　我々の「意識」をつくり出す脳は原子の集合で出来ていることは前に言いました。つまりこれは、こういうことを意味すると私は思うのです。

　原子達はある結合の仕方をすると、意識をつくり出すことがある。

　もっと言えば、
　原子達には元々、意識をつくり出す能力が備わっていた。

　実際にこれは真実だと私は考えています。なぜなら、今こうして原子の集合である我々の脳が、意識をつくっているのだから。これは何と不思議なことでしょう！　ではなぜ、原子には結合することで意識をつくり出す能力が備わっていたのでしょうか？

　もちろん、意識というのは「人間」の概念であり、錯覚に過ぎないという説もあります。でもしそうだとしても、こう言いかえることができる。原子には元々、意識という錯覚をつくり出す能力が備わっていたと。同じことです。そもそも「錯覚」というのも、人間の概念に過ぎないのではないでしょうか。

　ここで思い出して欲しいのは、以前にお話しした、人間の「意識」は、「脳」に働きかけることができない、という点です。これは言いかえると、人間の「意識」＝「原子の集合によってつくり出された無形のもの」は、「脳」＝「無数の原子の集合・つまり有形の物体」に働きかけることができない、ということになります。なぜか。もしかしたら、こう言うことが可能かもしれません。「意識」はこの三次元的意味とは異なる領域に属するからと。この三次元的空間の中で、意識は唯一、何かの物体に働きかけることのできない存在と言えます。光は粒子でもあり波でもあると言われています。音も無形ですが波であり、振動で何かに働きかけることができる。同じく無形の重力もそう。でも意識は、以前にお話しした説が正しいとするのなら、何にも働きかけることができない。

つまり、「意識」が属している領域、この世界における領域は、別の「次元」にはみ出しているのではないか、と思っているのです。「暗黒物質」も別の次元を運動している物質かもしれないと最新科学では言われています（暗黒物質の正体が意識だなどと言うつもりは当然ありません）。さきほど、様々な次元がこの世界とグラデーション気味に重なってるのではないかと言いました。つまり、原子は元々その性質から、結合しながら「その領域／別の次元」へ向かう（重なる）性質を持っていたのではないか、ということです。「次元」といっても、どこか遠くにあるわけではなく、明確な境界もなく、この世界の表と裏の多面バージョンのような感じで、重なり合っていると私は考えています。幽霊、という存在も、この次元のグラデーションの中にはまり込んだ「意識の欠片（かけら）」ではないかと私は思っています。

生命は、原子と原子が結びついた分子の多様な結合の中で生まれた。その「たゆたい」のような生物未満の状態から人間、この進化の流れは、「意識」を発生させるためにあったと私は思っているのです。原子達は必然的に他次元に接続しようとし、だから意識をつくり出すように出来ている。つまり「その領域／別の次元」に吸い寄せられていると。進化論的に、自然淘汰的に意識の作成へと進んだ生物の動きも、原子のレベルでみれば、あくまでも「その領域／別の次元」に吸い寄せられていた結果ではないかと。吸い寄せられていたから、そうなったのではないかと。

となると、この「意識」には、つまり我々の存在には意味がある、ということになる。人間的な概念での「意味」とは違うかもしれませんが、少なくともただの偶然ではない。だってそもそも、原子達にはその結合によって意識をつくり出す能力が元々内包されていたのだから。つまり宇宙が生物・人間にとって都合よくつくられている理由にもなります。では、その別次元の領域とは何か。

それはわかりません。天国や地獄の発想は安易でしょう。そことのチャンネルにおいて、意識の高低レベルは恐らく関係ない。原始的な動物の意識も、人間の高度な意識も、その種類が異なるだけで、恐らくその領域では価値としては等しい、もっと言えば、価値という概念もないかもしれない。そこは「思念体」のようなところではないかと思います。この世界を土台として支えていく思念——。

魂はない、と多くの物理学者も、脳科学者も言います。でも、さっきも話した通り、科学はまだ万能ではない。量子論と相対性理論の統合もされていない。異次元はミクロ過ぎて人間には見えない、という説がありますが、私はそれは異次元の「入口」が小さ過ぎて人間には見えないのではないかとも思います。そこら中に「異次元」「暗黒物質」があるというのなら、無数の原子が結合し脳をつくっているその集合体のどこかに、目には見えない入口がないと誰が言いきれるでしょうか。人間が死ねば、その原子の結合は崩壊していきます。でも我々の「意識」は、その「入口」からひゅっとその世界に行く可能性があるかもしれません。その「思念体」の中に入った時、我々は、この世界の全ての真実を知ることができるかもしれない、できたいかもしれない、何かの「養分」として吸い込まれるだけかもしれない。いずれにしろ、それは死ぬ時のお楽しみです。この宇宙と人間についての話は、また後々続けていきたいと思います。

さて最後にちょっとだけ、また宇宙そのものの話に戻りましょう。

銀河が一〇〇〇億個あると言いましたが、この全体を遥か遥か遠くから見ると、どことなくハチの巣のようになっているのがわかっています。

ハチの巣の空洞の部分には、何もないように見えます。要するに、ハチの巣の六角形のような形をつくっている膜のような線、この線の部分が銀河（星の集団）の繋がりとして光っているような感じです。そしてこの構図を見ていると、ある物に似ているように感じるのです。実は脳の神経細胞です。

とても不思議ですね。今日の話を終わります』

DVDを元の位置に戻し、楢崎は部屋を出る。

再び屋敷に来た楢崎を、峰野達は温かく迎えてくれた。吉田は何か言いたそうだったが、立花涼子について話そうとしない楢崎を促すことはなかった。リラックマのエプロンをしていた田中は、今日はヤカンがプリントされたエプロンをしていた。ヤカンには顔があり、「沸かすぜ？」と吹き出しまでついている。オリジナルなんだろうか。何が狙いだろう？　廊下を歩いていると、前から峰野が来る。

「松尾さんの話、どうでしたか。面白いですか」

隣には大柄の男性がいる。彼とは初対面だ。楢崎は笑顔をつくる。

「よくわからないところもありますけど……、あの、毎回こんな話を？」

峰野が微かに笑う。

「いえ、色々です。難解な話も多いですけど、その……、『最後のコレステロール』っていう自作の小説を読み上げていたり」

「……最後のコレステロール？」

「はい。……医者からもうコレステロールは取っちゃ駄目と言われた老人達が、最後に思い思いの卵かけご飯を食べる短編です」

「……シュールですね」

「他にこんなのもあったよ」

隣の大柄の男が笑顔で言う。

「アダルトビデオ革命、という題でね。……松尾さん、アダルトビデオの無駄なアップや下からのアングルが嫌いみたいでさ、いつも作り方に不満を持っててね。女優があんな頑張ってるのに監督は無能だ！　って。……怒るとこ違うと思うんだけど。……でも、対象ではなくて、自分を変革すればいいってことに気づいたそうだ」

「……自分を？」

「……つまり、出ている女優さんを、昔の彼女だ、と思ったり、自分を裏切った女だ、と思い込みながら観ると……」

「……なるほど」

楢崎は曖昧に笑うしかなかった。

「世界に不満があるなら、世界を変えるか、自分の認識を変えるしかない。そのことをアダルトビデオに絡めて話そうとしたんだけど、見事に失敗してたね。客席からのブーイングに松尾さん逆ギレしてたよ。……まあ、ようやく帰ってくることになったから、今度は生で見れる」

「帰ってくる？」

「……ええ、そうなんです。松尾さんが明日退院だそうです」

峰野が言う。なぜ彼女は初めに言わなかったのだろう？　峰野が続ける。切れ長の目が微かに濡れて見える。彼女は今日も美しい。

「楢崎さんのことも、紹介しますね。自分のＤＶＤを観てるって言ったら、きっと松尾さん喜びます」

楢崎は門を出る。

松尾正太郎が退院してくる。楢崎は考えを巡らせていた。自分は彼に会おうとするだろう。実際、自分はあの老人に不可解な興味を抱いている。でも……、と楢崎は思う。それでどうするのだろう？　彼に人生の意義でも学んで感動しながら社会に復帰する？　というか、復帰できるのだろうか？　今現在、少しも復帰したいと思ってないのに？

楢崎は歩き続けている。あの屋敷の中は居心地が良かった。理由はわからないが、峰野の言う通り、あの場所には人を落ち着かせる何かがあるのかもしれない。峰野か……、と楢崎は思う。彼女は美しい。自分は何をしているのだろう。何を求めているのだろう。でもまずは、松尾正太郎に会うことにする。理由は決めない。ただ会う。

「楢崎透さんですね」

背後から声が聞こえる。振り返ると若い女がいる。屋敷の人間ではない。なぜだろう、彼女を見てすぐ、そうじゃないとわかった。鼓動が速くなる。

「……立花涼子さんを探してるのでしょう?」

「……え?」

楢崎は呆然と女を見る。茶色い髪、大きな目、誰かに似ている。誰だろう。思い出せない。

「お連れします」

「……どこに?」

楢崎がそう言うと、女は微笑む。なぜか楢崎には懐かしく感じる笑顔で。すぐ横をいくつもの自動車が通り過ぎていく。風が冷えてくる。女が静かに口を開く。

「私達の教団に」

9

女は微笑むと、楢崎のすぐ前を歩き出した。

どういうことだろう? 楢崎は考えをまとめようとしたが、彼女について歩き始める自分に気づく。鼓動が速くなる。彼女は確かに立花涼子の名前を出した。ということは、彼女が呼んでるのだろうか? 何のために? なぜ自分がこの屋敷にいると知ってるのだろう?

そう思いながらも、楢崎はやはり彼女について歩いている。黒いスカートから、黒いストッキングに包まれた長い足が動いている。彼女は振り向きもしない。これならすぐ自分は逃げ出すことができる。遠くにワゴンがある。脇に男が一人立っている。あれに乗れということだろうか。怪し過ぎる。

なんで俺を選んだんだ、と言おう。なぜ松尾正太郎に詐欺を働いたんだとも。でもいつでも言える。あの車に乗る前に言えばいいだろうか。彼女はこちらの靴音を聞きながら、ついてきてると確認してるのかもしれない。なぜか、そうであって欲しいと楢崎は思っている。彼女が開いたドアからワゴンに乗り込む。待っていた男は運転席に座る。楢崎がワゴンの前で立ち止まると、彼女は楢崎を見て微笑み、車内から手を差し伸べる。ワゴンに乗るのを手伝うために。楢崎の決断を助けるように。

楢崎はその手を呆然と見ていた。この状況を、何度も見たことがある。立花涼子が失踪する直前、ベッドの脇で、自分が差し出した手。これまで、自分は世界に対して手を伸ばし、何もつかむことができなかった。手を伸ばした状態で待っていても、どのような存在もその手をつかむことがなかった。当然手を差し出されたこともない。遠くで何かのサイレンの音が響いている。楢崎はその差し伸べられた手をつかむ。温かい。楢崎は彼女の負担にならないように、足を強く曲げ、ほとんど自分の力でワゴンに乗った。

スライド式のドアが閉まる。音を立てて。もう遅い。

車内には彼女の控えめな香水の匂いが広がっている。

窓にはシートが貼られ、外の様子を見ることはできない。運転席と後部座席もカーテンで仕切られている。たとえすぐそこに峰野や吉田や小林がいたとしても、もう楢崎に見ることはできない。エンジンが鳴る。車が移動していく。見知った場所から離れていく。自分の人生が遠ざかる。

いや、と楢崎はすぐ思い直す。身体の中に、奇妙な高揚があった。車が移動すればするほど、何かから遠ざかるほど、今の自分が本当の人生を歩んでいるかのように。日常から浮き立った今、生きている、という感覚があった。指先に当たる空気の感触、座っている腰の位置、着ている服などを意識していた。時間の流れをはっきり感じている。今が過ぎ、また今が来、すぐ今が来てまた過ぎていく。車の革のシートの表面がはっきり見え過ぎている。人工にしては感触が生々しい。何かの動物の皮膚だろうか？　動物の皮膚が、このような形になって？　車が減速し、すぐ隣を自動車が通過したような気配がした。不意に騒がしいメロディーが聞こえ、すぐ遠ざかっていく。またサイレンの音がしたが、やがてその音もすぐに消えた。

「……これから、どこに」

楢崎はわかりきったことを口にする。彼女がこちらに顔を向ける。そのわずかな動きで、控えめな香水の匂いが車内で動く。口から匂いが入る。体内に。

「……心配はいらないです」

彼女がまた微笑む。柔らかな胸元を見る。ストッキングに包まれた二つの足は、何かを絡めるように組まれている。確かに、心配はない。心配などあるわけがない。自分のこんな人生に、守るものもない。

微かに感じていた外の光がなくなり、車がやがて停止する。どれくらい走っていたかわからない。楢崎は自らスライド式のドアを開ける。彼らに手間を取らせないかのように。媚びるように。

コンクリートのざらつきを靴底に感じる。何かの建物の、地下の駐車場。男が裏口のようなドアを開け、楢崎は彼女に続いて中に入る。男は入らない。薄暗い廊下を、彼女と歩く。彼女が左脇のドアを開ける。微かな光。マスクで顔の見えない女がいる。

楢崎は座らされ、腕をまくられる。消毒液の匂い。注射器を見た時、楢崎は短く声を上げる。

「心配いらないです」

マスクの女は、脅えた楢崎を微笑ましく思っているような、柔らかな声を出す。

「ほら、よく見てください。この注射器は何も入ってません。ほら、よく見て」

確かに何も入ってない。

「血を少し抜きます。あとトイレでおしっこも。……簡単な儀式です」

血に優劣などあるのだろうか。でも何かを体内に入れられるより、随分ましと思う。楢崎は言われるまま血を抜かれ、トイレに入り、紙コップを持つ。

その部屋から出、また彼女と暗がりの廊下を歩く。エレベーターを待つ。静寂の中、カタカタと降りてくる音に続き、控えめなチャイムが鳴る。エレベーターが開く。まるで意志を持つかのように。人を招きいれ、中に乗せ不機嫌に吐き出すように。

彼女は何も言わず、ずっと微笑んでいる。もう自分が逃げ出すことはないとでも？　でも楢崎は考えるのをやめる。そうだ、逃げ出すつもりなどない。彼女は18階のボタンを押す。この建物は静かだ。誰もいないかのように。

エレベーターが開き、また薄暗い廊下を歩く。その広い廊下の左側に、いくつものドアがある。マンションの部屋の並びに似ている。随分長い距離を歩いてるように感じる。彼女が立ち止まりドアを開ける。１８０７号室。彼女に続いて部屋に入る。

「少しだけ、向こうを向いててください」

赤い薄明かりの部屋で、彼女が不意にそう言う。楢崎は背を向け、自分がさっき入ってきた、マンションの部屋の玄関のようなドアを見る。口が渇き、唾を飲む。鼓動が速くなる。空気が湿っている。楢崎の身体に汗が滲む。

「……いいですよ」

振り向くと、彼女が立っている。彼女はバスタオルだけをまとっている。控えめな赤いライトにその身体を照らされ、恥じらいを含むように。背後にベッドがある。巨大なベッド。そこで何でもできるベッド。楢崎は息を飲む。

「……思いつくままのことを、言ってください」

「……え?」

「頭に浮かんだことを」

楢崎は彼女の身体を見続けている。

「……意味が、わからない」

「思いついたことを、そのまま言葉に出すんです。……躊躇することなく。自分に嘘をつくこともなく。……どんな恥ずかしいことも。人に言えないことも」

彼女は言葉を出し続ける。

「自分の暗部も。醜さも。過去も。全部。……今頭に浮かんだことを、すべて」

「……綺麗です」

楢崎はようやくそう言う。喉が渇いてくる。

「それから?」

「君と……、いや、でも僕は。いや、でもじゃない。僕は、もう5年も、誰とも」

彼女が微笑み、楢崎の両腕をつかむ。そして自分の胸にあてる。柔らかな感触が楢崎に伝わる。楢崎は手を動かさないようにするが、躊躇が難しくなる。やがて楢崎はゆっくり手を動かす。柔らかく、温かい。彼女の香水の匂いが体内に入っていく。

「……音楽。音楽が」

「……音楽?」

「そう。音楽」

言葉が意識に浮かぶ。溶けた鉛のように広がっていく。彼女が両腕を楢崎の首に回す。楢崎は彼女を抱きしめる。

「大したことじゃない。……全然大したことじゃない。あれは声を消すものだから。……ほら、人間の怒る声って、ちょっと怖いだろう？」

口から溢れてくる。

「人間の怒りは、恐ろしいだろう？　大したことじゃないんだよ。人に不幸を自慢できるほどじゃないんだよ。……ただ、僕は弱かったから、大人の、親達の、怒鳴る声が」

彼女が楢崎の耳に唇を這わす。

「だから、壁の向こう、狭いリビングから争う声が聞こえたら、音楽をかけた。日本や外国の、色々な、音楽。……音楽は、大人が争う恐ろしい声をかき消して、それを喜びの音に変えてくれた。小説の好きな一節を、思い浮かべることもあった。本が好きだったからね。そうしていると平気だったから」

彼女が頷く、促すように。

「……そこからは、僕は理性によって生きた。自分の人生を、考えを、全部理性でコントロールして生きようとした。いや、意識してそうしたんじゃない。いつの間にかそうなっていた」

なぜ自分はこんなことを話してるのだろう？　身体の力が抜けていく。

「なぜなら、僕は弱かったから。親の争いを真正面から受け止めることができず、音楽や小説に助けられるほど弱かったから。子供はみんな弱い。その弱い時期に、自分の弱さを再確認させられる。ああいう人間の怒鳴る声は、内面の奥を常に不安にさせる。毎日毎日それに曝されると、ちょっとしたことでもビクつくようになってしまう。条件反射みたいに、人が怒鳴ると不安で仕方なくなった。自分の存在そのものが、彼らの重荷になってることにも気がついていた。よちよち歩いて手を伸ばして、それを母親にかわされたのが僕の最初の記憶だよ。目があったんだ。自分を邪魔に思っている目。その目が怒鳴る声と重なって、この世界から消えろと言われ続けてるように思えた。でも親の愛情とか、そんなことはどうでもよかった。ただ自分を否定する声さえなくなってくれればそれでよかった。いつからか、理性で自分の全部を囲うようになった。鎧(よろい)みたいに。物事の全てを、半透明の膜みたいなものを通して、見るようになっていた。弱かったから。人間だから仕方ない、だって人間だからなと思いながら、他人を見てた。……誰にも、どんな人間にも、期待したことがなかった。相手を怒らせないように気を遣い続けた。それで、勉強する気もなくて、地方の大学に行って、就職して、超氷河期と言われた時期だった。ろくな会社はない。でもそれも理性で囲んだ。仕方ないだろうって、元々人間がつくった社会だろくなもんであるわけないって。心底くだらない人間達と一緒にくだらない自分がくだらない仕事をした。そうやって生きていくつもりだった、でも、驚いたんだ。驚いたんだよ。怒鳴る上司の声を聞きながら、僕は脳内で音楽を鳴らしていた。ビル・エヴァンスの『ワルツ・フォー・デビイ』。同時に、ドストエフスキーの『白痴』の、ムイシュキン公爵のあの美しいノストを思い浮かべたりしていた。そうやってれば平気だからね。残業が馬鹿みたいに続いていた。ノイローゼになって来なくなった同僚も何人かいた。上司はずっと僕に怒鳴っていた。怒らせないようにしてたけどその上司は無理だった。でもどうせ相手は能力もなく能力がないゆえにこんな会社に入って、能力がないゆえに部下に八つ当たりしてる馬鹿なんだから、気にすることともない。音楽を鳴らしていた。でもその音楽が不意にやんだ。おかしいと思った。ムイシュキン公爵も消えてしまった。どうしたんだろうって思っていたら、上司の唇がね、唇が、今に気味の悪いものに見えたんだ。唇だ、って思ったんだ、そうだよ、今でもはっきり覚えてる。唇だ、と思ったよ。歯があった。歯だ、と思った。気持ち悪いと思ったんだ。しゃべってる、こいつしゃべってると思った。気持ち悪いな何だこいつ死ねばいいのにって。気持ち悪いな何だこいつ死ねばいいのにって。僕はさ、手の平で、その上司の顔面を思い切り押したんだ。上司は大きく倒れて机に強くぶつかって、物凄い音がした。スカッとしたと思う？　スカッとしていたら、また事態は違っていたかもしれない。困ったことに、というか残酷なことに、上司の顔面を強く押した後、僕は我に返ってしまったんだよ。やばい、どうしようって、いや、正確に言えば、自分の手の平が上司の顔を押す直前にはもう我に返っていた。思いっきり日常の中に自分はいたんだ。ならさ、なら、最初からそんなことしなきゃいいじゃないか。そうだろう？　すぐ我に返るくらいなら、どうして僕はあんなことをしたのだろう？　いや、どうして僕の脳はあんなことをしたんだろう？　しかも、どうして僕の脳はその後すぐ元に戻ってしまったんだろう？　そのまま狂ってしまえば随分楽なのに」

　彼女が楢崎の頭を包み、自分の胸にうずめる。楢崎は息を切らしながら、眠り込みそうになる自分に気づく。でも眠らない。今自分には理性もなく、音楽も鳴っていない。

「……あなたがここに来た理由はなに？」

「え？」

「ここに来た理由」

「僕は、立花……」

　違う。そうじゃない。楢崎は彼女の胸を指でまさぐる。バスタオルが外れ、彼女の胸を目の前に見る。楢崎はその胸に顔をうずめる。乳首を口に含む。吸いつくように。音がする。乳首を舐める音。女がそれを受け入れ、ささやくように声を出す。喘ぐような、息を吐くような。

「僕は、もう嫌になったから。こんなどうでもいい自分も、人生も、嫌になったから」

「うん」

　彼女が楢崎の頭を腕で抱く。楢崎はもう我慢することができない。

「**僕は、自分の人生を侮蔑するためにここに来ました。**……みなが眉をひそめる、わけのわからない団体に入ることで。自分の人生と、綺麗ごとを語る偉そうな連中を全部侮蔑するために……」

彼女は楢崎をベッドに招き入れる。キスをする。楢崎の舌と彼女の舌が絡まる。楢崎はむさぼるように彼女の舌を口に含む。服を脱ぐ。全身で彼女の身体の弾力と温度を感じる。柔らかな胸に顔をうずめる。彼女はもう既に随分と濡れている。

「あ、……あ」

彼女が目を閉じて腰を浮かす。

「指、ん……、恥ずかしいです。そんなに指をしたら」

楢崎の指を体内に受け入れながら、彼女が小刻みに震える。彼女の体内が激しく反応していることが、楢崎の二本の指に伝わる。腰を痙攣させたように動かし、でもそのまま楢崎の性器を撫で、正常位の姿勢で、自分の濡れた性器の中へ導こうとする。

「……ゴムは」

「……心配いらないです。……ここに性病の人間はいません。ん……、さっきの検査、覚えてるでしょう？　あなたもクリアしています」

彼女の中に、楢崎の性器が入っていく。柔らかな弾力で、楢崎の性器が包まれる。吸い付くように、収縮しながら絡みついてくる。楢崎は彼女の中で激しく動く。彼女の性液がまた溢れてくる。

「ピルも飲んでます。……何度も中に出してください。ん、ん……、あなたが飽きるまで、何度も、私の中に」

彼女が長い足を楢崎の腰に絡める。楢崎はもう身体を離すことができない。身体を離すつもりもない。胸や腹部が汗で密着していく。体位を変える余裕もない。彼女は恥ずかしそうな目を楢崎に向け、耳元で息を吐き続ける。楢崎の身体に全身を絡みつけてくる。キスをする。唇が濡れていく。

「……思い出したよ」

楢崎が息を乱しながら言う。

「君は、僕が初めて好きになった女性に似てる。……違う人だけど、どこか似てる。……僕が人生で初めて、他人に興味を持った瞬間の……」

彼女はまた微笑んだろうか？　楢崎に見る余裕はない。

10

目が覚める。赤いぼんやりした灯り。同じ部屋だ。

人の気配がし、彼女の後ろ姿が暗がりに見える。自分がどうやって眠ったか覚えていない。セックスしながら眠ったのだろうか？　そんなになるまで？

一人でいることに不安を感じる。昨日、自分は彼女に失礼な行為をしなかったろうか。ちゃんと丁寧だったろうか。急に気になり始める。いつもの癖だ。「あのさ……」と楢崎は彼女に声をかける。彼女が振り返る。

「……え?」

「昨日の女性は、もう出ました。今日は私です」

彼女が微笑む。バスタオルだけの姿で。今日は私? どういうことだろう? 何だここは?

「ご飯にしようと思ったんですけど……」

彼女はそう言いながら近づいてくる。美しい。昨日あんなにまであの女性を求めたのに。自分はもう、この女性を美しいと思っている。楢崎は絶望的に笑いたくなる。最低だ。そしてこれが自分だ。彼女がバスタオルの前をはだける。楢崎は息を飲む。

「ほら、もうこんなに」

彼女が楢崎の性器にふれる。楢崎は彼女にキスをする。楢崎は彼女の胸に顔をうずめる。乳首を口に含む。昨日と同じように。

「ん……赤ちゃんみたい」

楢崎は舌を動かし始める。吸っていない方の乳首を指先でさわる。

「あ……、赤ちゃんは、ん……、そんなことしないよ」

楢崎は汗ばんだ彼女の身体に舌を這わせていく。彼女がクスクス笑う。こうなった楢崎を受け入れるように。堕ちていく、と思う。でも、何が悪い？　この行為の、何が悪いのだろう？

綺麗だ、と言われるのは悪い気はしない。でもここは暗いし、ブラックライトがついてる。きちんとお化粧すれば、大抵の女なら綺麗に見えるはず。でも、この男は私の目を褒めた。私が密かに自信を持ってるところ。この男はなぜか悲しそう。いや、ここに来る人はみんな……。

私で何人目だろう？　丁寧に胸をさわってくる。他人に最初に触れられる時、不安になる。安心したいから、私は彼の手に自分の手をそえる。3人目だろうか、4人目？　大人しくご飯を食べてると思ったら、この男はもうこんなに立ってる。この食事のせい。乳首を舐めてくる。気持ちいい。急に私は甘えたくなる。

指が入ってくる。中指。彼の指が、中で動いてるのがわかる。もうこんなに濡れてるのが恥ずかしい。「恥ずかしいです」と言ってみる。男は嬉しそうだ。馬鹿みたい。でも気持ちいい。指が執拗に中をかき回してくる。抵抗したくなるのも構わずに、指が二本になる。もっと濡れてしまう。声が出る。今日はもっとエッチになろうと思う。彼はいい。私の好みかもしれない。

男の性器を口に含む。とてもかわいいと思う。こんなにかわいいものが他にあるだろうか？裏のところを舌の先で舐めてみる。男が短く息を出す。かわいい。泣き出しそうなくらい立ってる。少し嬉しくなる。

彼が覆いかぶさって来る。今日はエッチになりたい。「中に出してください」と言ってみる。

耳元で。「中がいいの。たくさん出してください」男はこういうのが好きだ。でもそう言いながら、私は少し興奮する。結局、こういう言葉は私のために言ってるんだ。男の性器が入ってくる。入ってくるのが中でわかる。引き抜かれ、また入れられる。奥に届いてくる。声が出る。神経が全部性器に集中してくみたい。声が出てしまう。気持ちいい。ベッドが軋む。すごく濡れてしまう。シーツが染みになってるかもしれない。男の身体の重さを感じる。潰されてしまう感じ。彼は必死に動いてる。かわいい。気持ちいい。

今日はいきたい。そんな気分だ。私はいくために集中する。いつもの、いくための想像をし始める。

彼には女がいると思い込む。もう何年も、彼はその女に触れていない。でも彼は私を抱いている。無我夢中で。彼は私のことが好きでたまらないから、私が魅力的だから、私がいやらしい身体をしてるから。私は彼をその女から奪っている。こんなに足を大きく広げて、彼を受け入れてる。だって仕方ないじゃない。私が魅力的なんだから、私の身体がいやらしいんだから。ん……、私はその架空の女に話しかける。気持ちいいの。すごく。ねえ、見てる？　ねえ、羨ましい？　どう？　あ……、すごい、すごいの、ねえ、どう？

声が出る。もう無理と思えるほど感じてしまう。私が身体を離そうとしても、彼は私を押さえつける。それでいい。私も彼の動きに合わせて腰を動かす。もっともっと密着させる。彼にこすりつけるみたいに。恥ずかしいのにやめることができない。そのままで、そのままで、いってしまうから。「ダメ」と私は言う。ダメじゃないのに。気持ちいい。もうどうでもいい。何もかも。身体が落ちて――。

彼はまだ動いている。私がいったのを知って嬉しそうだ。なんでだろう。セックスしてるのにまるでオナニーみたい。でも気持ちいい。すごくいい。ずっとベッドが軋んでいる。私の性液がピチャピチャ音を立ててる。ピチャピチャ、ピチャピチャ……。彼が短く声を出す。いってもいい？　と聞いてくる。かわいい。ダメと言ったらどうするつもりなんだろう。「いいよ」と私は彼の耳元でささやく。「出して、大好き……」彼が吐息のような声を出す。彼の性器が私の中で小刻みに動く。私の内部に温度があたる。彼が出している、私の中に。鼓動のように彼の性器が動く。彼の肌が震えている。彼は、まだ出している……。温かい。いつも思う。精液は温かい。私は彼の頭を撫で続ける。

私は他の女よりエッチなんだろうか。わからない。彼がキスをしてくれる。彼の頭を撫でてなかった左手の指が、自分の口元にあったのに気づく。私は自分の親指でもしゃぶるつもりだったんだろうか。なぜだろう。

ドアが開き、髪の長い男が入ってくる。

楢崎は今目が覚めたばかりだ。さっきの女性はどこにいったのだろう。男が入ってきたというのに、羞恥の気持ちがわかない。タオルケットで下半身が隠れてるから？　いや、そうではない。男が微笑んでいるからだ。咎めるつもりが全くない微笑み。いや、というよりも、自分も同類という微笑み。

「教祖様がお会いになります」

髪の長い男が静かに言う。教祖。やはり沢渡という男なのだろうか。松尾正太郎に詐欺を働いた男。

「服を着てください。あなたの服をクリーニングしてありますので。ドアの外で待ってます」

用意された黒のジャージをずっと着ていた。見慣れたはずの自分の服が、他人の抜け殻のように見える。自分はどれくらいここにいるのだろう？　女性が来たのは毎日ではなかった。最初の女性以外は、四日ほど同じ女性が時々来て、二日ほど空いて、また四日いる感じだったろうか。一週間から、微妙にずれていくサイクル。よくもあれほど我を失ったものだ、と楢崎は思う。でも、女性を求めることにおいて、足りることはあるのだろうか。一晩寝てしまえば、また女性を求め始める自分がいる。もう中毒のように、癖のように。

自分は既に洗脳されてるんだろうか？　楢崎にはわからない。でも大サービスじゃないか。いや、ここでは、これが普通なんだろうか。日常では大サービスに見えるこれが、ここでは、この世界では、当たり前のことなんだろうか？

服を着替えドアを開けると、髪の長い男が待っている。彼に続いて廊下を歩く。静かだ。まるで建物が主体で、中の人間達はひっそり生きてるかのように。

ドアを開けると、階段がある。エレベーターはもう使わないらしい。コツコツと靴音が響く。男が振り返る。

「私はこれ以上は行けません。教祖様がお会いになる」

暗がりでもう男の表情は見えない。彼を残し、目の前に見える扉を開く。中も薄暗い。男が座っている。これが教祖だろう。表情はよく見えないが、すぐわかった。他の人間と違う。年齢は重ねているが、身体の骨格や顔が、整い過ぎている。五十代くらいだろうか？　いくつだろう？　これが沢渡だ。間違いない。

「人生を侮蔑するために」

不意に男が呟く。楢崎は男を見上げる。

「……え？」

「んん。そう言ったのだろう？　初めに」

頷くべきだろうか。わからない。

「……上出来だ。それでいい」

男が笑みを浮かべたような気がする。なぜだろう。目が少しも暗がりに慣れない。鼓動が激しくなる。

「どうして、僕を？」

ようやくそう言う。声が掠れている。

「どうして？　どういう意味だ」

「僕は何も優秀ではありません」

この部屋は静か過ぎる。

「優秀？　それは、人間の優劣という意味か？」

「え？」

「お前はまだ、そんなことを気にしてるのか？」

男が椅子から乗り出すように身体を曲げ、首だけを上げ自分を見てくる。無表情だ。何だろうこの男は。喉が渇いてくる。

「……ここは、一体？」

「……気になるか」

男はまた椅子の背もたれに身体を預ける。ゆっくりと。

「……でも、それはおかしい。……人間のほとんどは、自分の生きている世界がどういうものであるのか、運命がどうであるのかも知らずに生きている」

「……そうですね」

何を肯定しているのだろう。だからここのことは何も知らなくていいということにはならない。いや、本当にならないか？　ここのことを、自分は詳しく知る必要が……？

「このアスファルトと排気ガスの国で、……他人の目を気にしながら窒息する日々を選ぶか」

それとも、我々の側にいるか。……どちらを選ぶかはお前の自由、……ではない」

楢崎は男を見上げる。

「なぜなら、お前は私の弟子だからだ。お前が必要だからだ」

父性を利用している。さっきまでの部屋では、母性さえも。人間の欠落に入り込んでくる。こういうやり方か、と楢崎は思う。でもこれには、マニュアル以上の何かが奥にあるような気がする。世界は不可解だ。不可解さでいえば、この教団も変わらない。ひざまずいてる自分に気づく。いつからだろう？　最初から？　この男を見た瞬間から？

「人は祈る」

男が口を開く。

「西洋では指をしっかり組み、東洋では手の平を合わせる。……これは神への意志の違いだ。……指を組むのは、自分の運命を司る存在に対しての、願いの強さの表れだ。東洋は控えめなのだ。できたら自分のこともお願いしますというように。お前は今、手は両膝に乗っている。だがそれでいい。お前は松尾のもとに行け」

「……え？」

「松尾のグループに入り込んでいろ。指示は後から出す」

「……何のために？」

「何のため？」

男の無表情に微かな感情が見えた気がした。でも、楢崎にはそれがどのようなものかわからない。

「人生とはそういうものだ。自分の状況がなんのためかなど、誰も知る由もない。……ただ一つ、お前にとって世界と我々が異なる点がある。それは、我々はお前を必要としている、ということだ」

納得できるわけがない。でも自分は納得しようとしている。立ち上がる。彼の言う通りにするために。

「時々呼ぶから安心するといい」

男が言う。父が子供に、温かな人生訓でも語るように。さっきの女性達が脳裏に浮かぶ。

「たまに退廃もいいだろう」

11

一ヶ月以上が過ぎていた。

楢崎は、改めて携帯電話の画面を見る。いつの間にか回収され、また返された携帯電話。三週間くらいと思っていた。時間の感覚がおかしい。

教団から出る時も、窓や運転席がシートやカーテンで隠れるワゴンに乗せられた。これだと場所もわからない。

あの教団の中は、フィクションのようだった。過度に集中し、狭くなった精神の集合が、空間を歪めるかのように。カルト宗教の内部は、大抵がフィクションのようなものかもしれない。楢崎が高校生の頃にあった、複数の地下鉄車両で毒ガスのサリンが同時に撒かれた、滅茶苦茶なテロリズムを思い出す。犯人はカルト集団だった。隠れていた「フィクション」が、日常の中に出現した瞬間だった。突発的なフィクションの前に、日常は無力だった。でも日常には湿気と広がりがある。やがて日常はフィクションを解体し、死刑を告げ、全てを平均に戻す。多くの犠牲者を置き去りにするように。そしてまた備えるのかもしれない。次のフィクションに。

楢崎は開いていた門から中に入る。沢渡に言われたからだろうか？　自分でもよくわからない。ただ、楢崎には松尾に会うことしか思いつけなかった。本音を言えば、またあの薄暗い教団に戻りたい。あの限られた空間で、女達の中にいたい。情けない、という声がする。暗い、共感できない、という声がする。こういうのを孤独というのかもしれない。

広い庭の先に、峰野の姿が見える。彼女もこちらに気づく。ベージュのロングコートを着ている。最初に自分を発見するのが彼女でよかった、と楢崎は思う。でも峰野の表情に不安を見る。

「……あの、大丈夫ですか？」

峰野が言う。楢崎は上手く言葉が出ない。

「すごく痩せて……」

峰野を見ながら、美しいと思っている。彼女が近づいてくる間、頭の中で峰野を抱いていた。彼女の声まで想像しながら。自分を笑う気力もない。どうしようもない。

「その、インフルエンザに」

「……一ヶ月も？」

「いえ、体調が戻らなくて、ようやく」

楢崎はそう言ったが、峰野に同情の様子はなかった。気づかれてるのかもしれない。というより、最初から、あの教団から来たと思われてるのかもしれない。

「松尾さんがいらっしゃいます。楢崎さんの話をしたら、ぜひ会いたいと仰(おつしや)ってました。……こちらです」

不本意ながら、という素振りだ。楢崎の身体に、幾人もの嫌な女の匂いを感じてるのかもしれない。

屋敷の廊下を歩き、襖の前で立ち止まる。吉田の姿は見えない。

「松尾さん、楢崎さんです」

峰野が襖を開ける。老人が座布団に座っている。ＤＶＤの映像より小さい。かなり痩せている。左腕がだらりと下がっている。一体、いくつなんだろう？　楢崎は混乱する。映像では十代と思っていたが、もっと上なんじゃないか？　黒のセーターに緑のズボンをはき、あぐらをかいている。目と耳がやたら大きい。座りながら、こちらをまじまじと見てくる。

「……私のＤＶＤ、どうだった？」

「……え？」

「ＤＶＤだよ。どう？」

瘦せてるから目が大きく見えるんだろうか。真っ白な髪は長くはないが、何かが溢れ出してるかのように密度が濃い。顎が細く、鼻筋も通り、皺に覆われているが顔は整っている。髭もない。

「その、えっと、素晴らしかったです」

楢崎はようやくそう言う。この老人の声は細いのに通る。

「何見たの？『最後のコレステロール』は？」

「いえ、まだ……」

「なんだ、そうか」

松尾は急に興味をなくしたように、あからさまに無表情になる。木目のついた孫の手を右手につかみ、足の辺りをかき始めた。背もそれほど曲がってない。

「峰ちゃん」

急に声を出した。

「おっぱいさわらせてくれ」

楢崎は驚いて老人を見る。何を言ってるのだろう？

「嫌です」

峰野が冷静に言う。

「代わりに私のチンコさわらせてあげるから」

「無理です」

楢崎は唖然としながら二人を見る。

「なぜ？　それなら平等じゃないか」

「平等じゃないです」

「男女は平等じゃないとでも？」

「はい。女性のが上です」

「楢崎君」

突然呼ばれる。

「はい？」

「君からも頼んでくれないか」

「……何をですか？」

「おっぱいの件だよ」

「は？　本当に？」

「そうだよ。これは修行だよ」

修行？　何を言ってるのだろう？　もうぼけてるのだろうか。

「……無理ですよ」

「修行だって」

「修行……」

楢崎は峰野を見る。峰野は不機嫌だ。

「あの……、教祖様に、おっぱいをさわらせてあげてくれませんか」

「嫌です」

「不合格だ！」

老人も不機嫌になる。何だこれは？　楢崎までとばっちりを受けている。上手くついていけない。

「君は不合格だ。何だっけ、そうだ、幹部にしてやろうと思ったのに。峰ちゃん、おっぱいさわらせてくれないなら、君も不合格。その気になったらまた来なさい」

峰野は出て行く。何だろうこれは。この老人は慕われてるはずだった。

「でもさ、楢崎君、私が峰ちゃんのおっぱいをさわったとして、彼女がその気になったらどうしようね」

「は?」

「その気になったらどうしようって聞いてるの。私、バイアグラ飲まなければならなくなるよね」

「そう……なんですか」

「そうだよ。いや、わからん。いけるかもしれない……」

老人は座布団の上で眉をひそめている。よく見ると、少しまくった手首にドラえもんの腕時計をしてる。ありえない。この教団にとって最悪な事態だ。教祖がぼけるなんて。

「沢渡はどうしてた?」

「……え?」

老人がこちらを見ている。特別に鋭く言ったわけでもない。老人の声は軽いままだ。

「あー、そうか、言えないな。でもまあ、元気なんだろう。うん」

楢崎は息を飲む。考えがまとまらない。

「……あ」

「ん?」

「……どうして?」

楢崎は思わずそう聞く。鼓動が速くなる。

「どうして? ああ、何でわかったかって? だって、君は立花ちゃんを探しにここに来たんでしょう？　なのに一ヶ月消えて、また現れた。要するに、その間彼らに勧誘されて、何か言われて再びここに来た、と見るのが普通じゃないかな。そのやつれた感じも」

「僕は……」

「あ、いい、いい。言わなくて。言うと彼らを裏切ることになるでしょう？　でも私が知っていれば、君も罪悪感なくここにいることができる。一応ここの代表私だから」

楢崎は呆然と老人を見る。何だこの老人は？　何だろう？　鼓動がずっと速い。

「その……」

楢崎は立ったまま言う。思い返せば、自分は自己紹介もしていない。

「もし、いや、僕が、そうだったとして……。それでも、あなたはいいのですか」

「……何で？」

「何で？　いや、だって、僕はあなたの不利益になるかもしれない」

老人は興味深そうに楢崎の顔を覗き込み、急に笑った。

「不利益？　そうなったら仕方ないよ。でもほら、君は私に用があって来たのだろう？　なんでそれを私が追い返す？　もし君が私のことを嫌いでも、私は君のことが気に入ったんだ。それでいいんじゃないかな」

峰野は松尾の食器を洗う。

きちんと食事は摂ってるみたい。相変わらず偏ってるけど。もうすぐお菓子が欲しいと言い出すはず。お饅頭でいいだろうか。あれだけセクハラを言えれば、ちゃんと元気なんだろう。よっちゃんさんがキッチンに入ってくる。ここ数日、よっちゃんさんは私の側にいたがる。でも私は切り出せない。こんなに空気をつくってくれてるのに、私は。

「洗い物はいいよ。私やるから」

「もう終わるので」

いつも思う。よっちゃんさんは、昔とても綺麗だったに違いない。今でも充分綺麗だけど。背が小さくて、背筋が伸びてる。でももう七十は超えてるはず。もっとだろうか。

「お菓子はいいよ、ほっときゃいいんだから」

後ろ髪を気にしてる。強く縛り過ぎたのかもしれない。

「いえ、出しにいきます」

「セクハラ言われるよ」

峰野は少し笑う。

「さわる勇気ないので、大丈夫です」

「そうね、でも不愉快でしょう？　入れ歯取って饅頭詰め込んでやればいいのよ」

よっちゃんさんが、歌いながら冷蔵庫を開けている。タイミングが近づいてる気がする。言われるだろうか？　どうだろう？　でも言われたら私が来なくなると思ってるかもしれない。

臆病な人達。臆病でやさしい。彼女はきっと言わない。なのに私は……。

「妊娠してるわね」

峰野は驚いて芳子を見る。芳子は笑っている。

「あなた、本当に頑固。こんなに言い出す空気つくってるのに。……まだ身体に現れてないみたいだけど、態度と表情でわかるよ。……雰囲気からも」

皺の寄った笑顔。何かを思い出す自分に気づく。いや、思い出したのは、光景じゃなかった。欠落だ。母が一度も、自分に向けたことのない顔。

「……相手は高原君でしょう？　私はそう見てるのだけど」

峰野は言葉が出てこない。涙が出そうになる。芳子の手が視界に入る。驚き、身体に力が入る。その細い手は、峰野の視界を横切る。蛇口をつかみ、ずっと出ていた水が止まる。

「……辛いわね。彼に恋人がいるのも知ってるんでしょう？」

「……はい」

峰野は反射的に返事をした自分に気づく。なぜよっちゃんさんは、高原君の交際相手まで知ってるのだろう？　高原君は、沢渡と共に松尾さんに詐欺を働いた人なのに。詐欺の加害者と被害者という関係だけじゃないのだろうか？　上手く考えがまとまらない。

「高原君の相手、誰か知ってる？」

「……いえ」

「リナさんよ」

峰野は息を飲む。鼓動が速くなっている。

「彼女、私達にはリナと名乗ってたけど、本名は立花涼子というそうね。……あ、彼女が偽名だったのはもう知ってるわよね。……彼が来たから」

身体の力が抜けていく。

「今来てる彼、彼女を探しに来たのでしょう?……複雑ね」

楢崎君から立花涼子という名前を聞いても、ピンとこなかった。その時は、リナさんの写真を私達に見せて、これが立花涼子と言った。でも彼は、彼女は偽名だったのか、と思った程度だった。でも、彼女が高原君の相手とは知らなかった。付き合ってる人がいるとは知ってたけど、まさか彼女がそうだとは思わなかった。彼らは仕事上のパートナーと思っていた。何を考えているのだろう、と峰野は不意に思う。そんなことより、私は謝らなければならない。彼と関係を持ったのが、詐欺事件の後だったことを。自分達を裏切った相手と、私は……。一度だけではない。何度も、何度も、我を忘れるくらいに。

「安心しなさい。正太郎も知ってるから」

「え?」

「全部知ってるのよ、私達。あなたは何も悪くない」

「でも」

峰野は声が大きくなる。

「私は、彼らが松尾さんを裏切った後に」

「いいのよ。何の問題もない。恋愛なんだから。……正太郎はね、そんなことより、やっぱり峰ちゃんは若くて格好いい男が好きなんだと落胆してただけ」

峰野は放心したように芳子を見る。

「それより、今は自分の身体を大切にしなさい。……顔を見ればわかる。あなたは産むわね。これでわだかまりを一つクリアして産むことができる」

彼女の手が、自分の頬にふれる。峰野は自分が泣いていたのに気づく。

「私に子供はいないから、大したアドバイスはできないけど」

「……いえ」

「気を遣わないでいいのよ。私には、子供を持つこと以上の思い出がもうあるから」

「……何ですか」

峰野がそう聞くと、芳子は照れたように笑った。

「内緒」

芳子はまた峰野にはわからない歌を歌いながら、廊下へ歩いていく。峰野はその後ろ姿をずっと見続ける。

でも、と峰野は思う。松尾さんも、よっちゃんさんも知らない。私は高原君との関係を申し訳ないと思ってるけど、後悔はしてないということを。彼らに謝る気持ちは本当だけど、今、たとえば彼から呼び出されたら、私は喜んで会いにいくということを。喜んで身を任せるということを。もし彼に松尾さんから何かを奪えと言われれば、私は泣きながらでもそうすることを。彼に抱かれてる時の私が、どれだけみっともない格好で、どれだけみっともない声を上げてるかということを。

奥歯を強く噛む。死にたい。

でも、さすがよっちゃんさんだ、と峰野は思う。ここ数日で産婦人科に二度行き、二度とも妊娠してないと言われたのを思い出す。妊娠してるに違いないのに。高原君の子を、私は身ごもってるに違いないのに。絶対に、絶対に、そうに違いないのに。

峰野は腹部に手を当てる。普段、滅多に遅れない生理が遅れ出してから、何度もそうしてきたように。

医者にはわからない。妊娠してるに決まってる。この子を守るために、私は毎日を慎重に生きなければならない。

松尾はトイレで座っている。

今、エントロピー増大を防いでます、と呟き、一人で笑う。このギャグは使えるだろうか。

でも、これをするには人前で排泄しなければならない。

楢崎を見ながら、若い、と思っていた。三十をちょっと過ぎたくらいだろうか。若く、ちょっとした地獄にいる。でもそんな地獄も微笑ましい。女に囲まれてきたんだろう。軽く咳き込む。咳はどんどん強くなり、トイレットペーパーで口を塞ぐ。血がついている。わかっとるわ、と呟き、トイレットペーパーを不機嫌に捨てる。わかっとる、ともう一度呟く。でももう少しだけもってくれ。多分もつだろう。自分の身体はわかっている。

痛みがないといい、とぼんやり思う。これほど長く生きた最後が痛みで終わるのなら、人生はどれだけ皮肉だろう？　松尾は少し笑う。どれだけの人間が、痔の手術と信じてくれただろうか。トイレから出る。何事もなかったように。

今日は空気が湿っている。霧になりきれない水分が、身体にしがみついてくるかのように。明日は雨だろう。

12

ホテル『Publikum』のロビー。巨大なシャンデリアが高い天井から降りている。地震が来たら落ちるんじゃないか？　あの無数のガラスはよく割れ、よく刺さりそうだ。危険を不機嫌に溜めこんでいる。

高原はロビーを素通りし、隣接されたカフェに入る。スーツを着、指定された通り新聞を手にしている。椅子に座り、アイスコーヒーを注文する。新聞を広げる、何かの芝居という風に。身体の細いウエイトレスがアイスコーヒーを持ってくる。笑顔で受け取る。ウエイトレスが少し長い視線を高原に送る。美しい、と高原は思う。

高原は席に座る前、目で周囲を確認していた。防犯カメラがない。客達も表情が暗い。誰もが、何か切羽詰まったものでも抱えてる様子だった。自分はただ、ここで新聞を読んでいると言われているだけだ。接触は向こうからくる。高原は煙草に火をつけ、広げた新聞に視線を落とす。政治面のどの記事も、官僚の勝利を報告してるように見える。

隣の客がパスタを口に入れている。パスタは唾液と絡み合いながら細かくちぎられていく。高原は吐き気が込み上げ、気を逸らすためもう一度新聞を見ようとする。

アフリカの飢餓のニュース。どこかの金持ちの食後のデザート代で助かる命。神の名を互いに掲げ殺しあう人間達。それを利用する人間達。

随分離れたテーブルに男が座る。西洋人だ。頭痛がする。鼓動が速くなる。あいつだろうか？　間違いない。でも平静を乱してはならない。こちらから動き出す必要はない。

新聞にまた目を向ける。ここには何が書いてあるのだろう？　頭痛で文字が入らない。単語はわかるが意味が通らない。

どんな時でも冷静でいると決めたはずだった。高原はもう一度煙草に火をつける。手は震えなかっただろうか？　頭痛が酷くなる。視線の先のテーブルの角が霞む。外から内へ、焦点がどこにも合わなくなってくる。微かに揺れる視界の中で、さっきの西洋人がこちらを見てるのに気づく。まるで風景に貼り付いたシールのように、こちらを見ながら動きを止めている。何かの合図だろうか？　読み取らなければならない。外へ？　と声を出さず高原は口を動かす。相手は何の反応もない。次に高原は英語で外へ？　と口を動かす。でも反応はない。彼は髪が長く、目が青い。違うのだろうか、と思った時、彼より遠くに座っていた日本人の男の指が短く動く。外を指している。高原は頭痛の中席を立つ。会計を済ませる。西洋人に動く気配はない。

ホテルから出、しばらく待つと携帯電話が鳴る。高原は慎重に電話に出る。雑踏の音がするが、さっきの店内ではないように思う。

——つけられてます。間違いない。

低い男の声だった。

「……誰に？」

——わからない。あなたの教団の仲間でしょう。

高原は考えを巡らす。ここまではタクシーで来た。一体誰が？

——今回の接触は中止です。

「待ってくれ」

――大丈夫。また連絡を。

電話はそこで切れる。高原は自分の動悸を聞くことしかできない。

どういうことだろう。部下達がつけてきたのか？　高原は思いを巡らす。いや、それはない。部下達はまだ俺が彼らと接触することを知らない。まさか、教祖にばれたのだろうか？　部下達の誰かが、教祖に密告した？　まさか。自分はちゃんと、教祖とまだ直接接触できない者達を部下に選んでいる。あいつらは信頼できる。妄信してるからだ。この教団のことも、教祖のことも、俺のことも。俺が選んだ部下達は、この計画が教祖の指示だと思い込んでいる。自分達は、信者の中で教祖から選ばれた精鋭なのだと。他の信者に漏らせば資格を失うとも信じ込んでいる。ばれるはずがない。自分の計画は上手くいってるはずだった。

犯人探しをしなければならない。高原は思う。犯人探しをしなければならない。

13

教祖の奇妙な話　Ⅲ

『今日は、人間という存在について色々と話したいと思います。

まず皆さん、死んだら我々の身体はどうなると思いますか？　家が仏教なら火葬になりますから、火葬場で焼かれ煙になってしまいますね。残るのは骨。……でも本当は違うのです。

火葬場で人間の身体が焼かれても、実は消滅はしないのです。我々の身体は全て原子でできていると前に話しました。火葬場で焼かれる時、原子同士の結びつきである分子レベルでの解体は行なわれますが、そのことによって我々の身体を構成する原子そのものが壊れることはありません。もちろん消滅もしない。我々の身体をつくっていた原子は煙の中で空中に拡散していきます。つまり、この地球上に常に存在し続けるのです。

そしてその原子達は、再び誰かの身体の構成物に成り得る。空気中で何かの原子と結びつき、何かの分子になり、再び生物に取り込まれ、誰かがその生物を食すことによってまた人間の構成物に成り得る。たとえば、卑弥呼の身体を構成していた原子が、今、あなたの身体の中に入っている可能性だってあります。あなた達の指や手をじっと見てください。その中には、大昔の人間や、つい最近死んでしまった人間達の身体の構成物が、入ってる可能性があるのです。

地球が誕生して以来、そこにあったあらゆる原子は消滅していない、と考えられています。原子の中の原子核を破壊するためには、宇宙空間での何かの特殊な状況においてか、粒子加速器など特殊な機械を使わなければなりません。だからこう言いかえることができる。いわば人間の身体の構成物は、大昔からの使い回しであると。当然人間だけではありません、あらゆる生物、あらゆる物体を構成しているものは、遥か昔からの使い回しなのです。こう見ていくと何だかすごいと思いませんか？　我々の今の身体の中には、かつての様々なものを構成していたものが入っている。何か生物が誕生する時、それは無からここに出現するわけではないのです。元々この宇宙や地球にある材料が組み合わさり、元々ある材料を取り込みながら大きくなっていくだけなのです。

このことを踏まえて、以前にお話しした、人間は一年もすれば身体を構成している原子がすっかり入れ替わっている、というのを思い出してみてください。我々の身体の材料は大昔からの使い回しであり、しかもその身体は現在も入れ替わり続けている。となれば、我々の存在とは一体なんなのでしょう？

この世界において「個」というのは、少なくとも物質の概念で言えば存在しないのかもしれない。常に入れ替わっていくし、その人間が死ねば、その構成物はまた何かの構成物に「リサイクル」されるわけですから。いわば我々は、遥か古代から現代まで、常に流れているものの一部なのです。ここには「個」という概念などない。我々は全てみな一つなんだ！　という言葉がありますが、あれは実は言葉や概念だけのものではなく、物質レベルでみれば実際にそうなのです。

ではなぜ自分が「個（私）」として存在していると思うのか。それは脳の仕業です。

脳が、自分は「個」であると人間自身に思わせているからです。脳は「個（私）」という概念を創り出し、自らの細胞も常に入れ替えていきながら、しかもその「個（私）」はその瞬間

その瞬間引き継がれていく。これは何と不思議なことでしょうか。それを創り出す物体である脳の材料は入れ替わっているのに、「私」はそのまま引き継がれていくなんて。どうしてそんなことが可能なのでしょう。さらに、私「意識」が、脳（原子の集合）に働きかけることができない、という説も思い出してみてください。我々は遥か昔から身体の材料を使い回しながら、現在も常に入れ替えており、しかもその流れの中で「私」というものはその瞬間その瞬間「私」が死ぬまで引き継がれていく。そして瞬間瞬間引き継がれていく「私」は自分であると認識している自分に対して、何も働きかけることができない。さらに、我々の身体などを構成している原子には元々、無数に結合することでそのような「私」を創り出す能力を有していた。

あまりにも不思議です。
一体、これはどういうことなのでしょうか？
一体、我々とはどういう存在なのでしょう？

さて、その問いを考察するために、今日はさらに話を進めたいと思います。人間の運命についてです。
たとえば、ビリヤードの球を突くとします。その突かれた球がその後どうなるかは、その突いた瞬間から、もう結果はわかっているように思うのです。厳密にそれらを計算することは不可能ですが、理屈としては、突いた時の力の入れ具合、角度、ビリヤード台との摩擦、空気抵抗、直後に地震が起こるのなら大地のプレートの緊張具合、というように。球を突いた直後、もうその球がどの球に当たるか、そして当たった球がどの穴に落ちるか落ちないかなども、決まっているように思います。

宇宙がビッグバンによって始まった、と以前に話しました。それはある種の爆発です。ということは、その時のエネルギーの大きさ、勢い、熱、そしてどのような粒子が噴き出したかなどによって、その後の宇宙の展開は全く異なっていたはずです。つまり、その時のエネルギーの値が違えば、違った宇宙ができていたはずなのです。ということは、我々の宇宙が誕生した時、つまりビッグバンが起こった直後には、もうこの宇宙がこのような形に広がっていくことは決まっていた、と言えないでしょうか?

電磁力の強さを決める電気素量の値や、陽子や中性子を結合して原子核を作る強い力の強さを決める結合常数が、もし今の、この世界の値からわずかでもずれていたら人間は誕生していなかった、と前に話しました。それは言いかえれば、この世界は、人間が誕生する可能性に満ち満ちていた、ということになるのではないでしょうか。宇宙は惑星など星が誕生する可能性に満ち満ちていたし、太陽が誕生する可能性にも満ち満ちていた。ということは、もう少し極端に言えば、もしかしたら「決まっていた」とは言えないでしょうか。ビッグバンの時点で、このように人間が誕生することも決まっていたのではないかと。私はそう仮定してみたくなるのです。

さて、この「仮説」をさらに進めるために、今度は生物学の話を挟みます。もっともシンプルな生物、「単細胞生物」について考察してみましょう。このシンプルな生物を見ていくことで、「自由意志」の元を探っていきたいと思います。

たとえば水温25℃で住み慣れた「単細胞生物」ゾウリムシは、当然25℃のところに集まってきます。その時各ゾウリムシはあちこちに移動しながら、徐々に住み慣れた25℃のところに集まって来るのですが、しっかりと「生物」らしく、中には遅れて来る者がいる。もし25℃以外のところに何かのエサが来た場合、その遅れた者は得をするわけです。

25℃のところにいるゾウリムシも、そこに留まりながら25℃のところを行き過ぎては戻って、戻ってはまた行き過ぎる、という行動を繰り返しています。そしてそこにいるゾウリムシの数が多ければ多いほど、彼らの動きには「個体差」が出てくる。そこにいるゾウリムシの数が少なければ、各ゾウリムシの「個体差」も少なくなります。数が多ければ多いほど、ゆっくり動く者や派手に動き回る者など、バラエティに富んでくるのです。

そして不思議なことに、これは遺伝子が全く同じバクテリアの集団においても同じなのです。遺伝子が全く同じ単純な生物であるのに、そこに集まってくる集団の数によって、彼らの動きには個体差が生じてくる。つまり単純な生物は、集まれば集まるほど「自発性」が大きくなる。さらに付け加えれば、「自発性」は住んでいる環境が悪いほど高まるのです。

ではこのゾウリムシの自発性の「元」は何でしょうか。

それは細胞の中に発生する「電気ノイズ」であることがわかっています。この電気が大きく揺れた時に動く方向を変える、ということです。で、この電気ノイズの元は、原子が組み合わさった「分子」の熱揺らぎです。分子が熱運動で揺らいでいる。この熱揺らぎは完全にランダムに見える不規則な動きなのですが、周囲の温度変化やなにやら、様々な要因によって電気が大きく動き、その時ゾウリムシはひょいっと動くのです。つまり、「自発」の根源は、「分子」の熱揺らぎ。化学的なものなのです。

そしてゾウリムシから進化の頂点に来た人間の間に、この自発性の「段階」はあるが「断絶」はない、という大変有力な説があります。私もそう思います。外部刺激→電気ノイズ→身体の反応、という単純なものだけではありません。外部からの刺激がなかったとしても、人間ほど高度な生物になれば、自らの中で電気ノイズを発生させ、身体を動かすことになるでしょう。この自らの中で発生させる電気ノイズ、が意識の元なのでしょうか。

そしてここで、「人間の意識（私）は、脳に働きかけることができない」ということをまた思い出してください。

となると、果たして我々の「自由意志」とは？　我々に「自由意志」などあるのでしょうか。答えは「ない」ということになってしまう。自由意志の発端は分子の熱揺らぎ、つまり全て原子レベルでの化学的反応ということになります。となると、人間が誕生することもビッグバンの時に既に決まっていたともしするならば、さらに我々のこの人間の生活も、各人間が長い長い歴史の中でどう動いていくかも、元の元は分子の熱揺らぎであるのなら、全て原子の化学的な連動であるのなら、全部がビッグバンの時に既に決まっていたのではないか……？　と言えるのではないでしょうか。……いえ、違います。正確に言えば、違うかもしれない。

ここで登場するのが「量子力学」です』

14

教祖の奇妙な話　Ⅲ　続き

『「量子力学」とは、すごくざっくり言ってしまえば、従来の因果律、つまり「古典物理学」では説明のつかないミクロな世界を論じていくものです。ビリヤードの球を突いたら因果的にこうなる、それはそうだろう。しかしながら、原子などのミクロの世界では、「こうなったからこうなる」という因果では説明できないことが多いのです。たとえば例を挙げましょう。

あるエネルギーで陽子とある原子核を衝突させたとします。全てが同じ結果にはならないのです。ある確率ではXという状態になり、ある確率ではZという状態になります。それでは、Xという状態のみが現れるように衝突させる条件を因果的に選べるかというと、出来ないのです。ですから、確率的にしか言うことが出来ません。そしてさらに言えば、大きい確率の方へ動くとも限らないので、量子論を採用すれば、この世の万物には「偶然」「確率」というものが入ってきます。今現在、このようにある宇宙の形態も、様々な偶然が作用している結果だということになります。

物体の動きに「因果性」を見るには、まずその物体そのものを観測しなければならない。でも困ったことに、たとえば電子を正確に観測しようとしても難しいのです。なぜなら、電子を見るとは、当然のことながら電子に光を当てることになるのですが、このようにミクロの世界の物質は、光を当てるだけで動いてしまうのです。光は粒子でもあり波でもあるのですが、つまりその光が電子を「蹴って」しまう。細かい説明は長くなるので省略しますが、その電子の位置を確かめようとすれば速度が不明瞭になり、速度を確かめようとすると位置が不明瞭になる。かなりざっくりした説明になってしまいましたが、こういった感じのものを「不確定性原理」と言います。このように不確かなミクロの世界で因果の予測ができないのは当然です。物理学による「因果律」が崩壊した、と言えます。この世界の万物は確率でしか論じられないのです。

でも、これはあくまで観測に関することであって、万物の真実とは関係ない、と私は思っています。人間が観測できる真実であるのは間違いないのですが、何もこの万物を人間の知覚性質の限界で考える必要はないからです。興味のある方は調べても面白いと思うのですが「シュレーディンガーの猫」という問題が出てくること自体が馬鹿馬鹿しい。

こういった量子論の草分け的存在のボーアとアインシュタインの論争は有名です。アインシュタインはボーア達を批判して、

「神はサイコロを振らない。自然は確率のような蓋然性で糊塗されない、もっと完璧な方法で語らなければならない。ただ、人間の認識が完全性を把握するまでに至っていない今日では、有効な方法として確率あるいは統計的な方法は充分に活用されなければならない」

というようなことを言いました。量子論の記述形式は有効な、あくまでも手段であるのに、それを基礎概念にすりかえるのはおかしい、ということです。自然現象を支配するものは確率などという曖昧なものでなく、その根底に必然的な因果関係が存在すると主張しました。しかし現在では一般的に、この論争はアインシュタインの「判定負け」となっているそうです。

でも、本当はどれが正しいのでしょうか。量子論の概念は広く、理論も膨大です。瞬間移動も可能としてみたり、圧倒的に低い確率ではあるけど人間は壁をすり抜けることができる（そ

の確率は大体、１を１００…………００で割ったくらいです。この０の数は、１センチの十に０を３つ書いたとすると、その長さが数十万光年先にいくくらい、つまり途方もない数字です）など……。まだ未完成の論であることは間違いありません。

　誰か天才が登場してこの辺りの謎を解いてもらいたい。これは物理学の領域に留まらない。脳の理論と組み合わせれば大変面白いものになるはず。脳も元々は原子なのだから、原子の因果性がわかればその全てが解かれる。人類史上最大の発見です。全て決まっている、つまり「運命」の発見になるからです。恋愛も仕事も今のあなたの何気ない仕草も、究極的にはビリヤードの球と同じということになる。

　でも現時点での我々には断言できない。なので、可能性で論じるしかない。

　一つ目は、万物の運命は全て決まっているという説。さっき述べたこれに対する反論、つまり量子の世界での不確定性も、いずれはっきり因果として証明されてしまう未来を思っての説。

　二つ目は、量子論を思い切り採用した説。この世界は確率と偶然。人間の誕生も地球の誕生も全くの偶然という説。運命など存在しない。

　一つ目の説を、さっきまでの私の論を踏まえて文系の言葉で表現し直すとこうなると思います。

　　我々は、完全に定められた人生というショウを見せられている観客である。

二つ目で言えば、

我々は、全くの偶然の連続による人生というショウを見せられている観客である。

いや、この二つ目は正確ではない。なぜなら、ここでいう「偶然」には「範囲」があるからです。宇宙は人間が誕生する可能性に満ち満ちていた、ということを思い出してください。人間の誕生が仮に偶然だったとしても、その可能性はゼロではなかったからです。それとは逆に、今この瞬間、話を聞いている皆さんの背中に突然羽根が生える確率はゼロです。つまりこの世界の可能性は有限で、完全な偶然など存在しない。なので、

我々は、限られた範囲での偶然の連続による人生というショウを見せられている観客である。

と言った方が正確でしょう。さて、どちらが正しいか。私はどちらも正しい、結局は同じことだ、と言いたいと思います。

皆さん、自分の過去を思い出してください。誕生から現在まで、あなたは必ず、一本の道を歩んできたはずです。

量子論に詳しい人はこう言うかもしれない。過去には、あらゆる人生を選んだ自分がいて、今の自分はその中の一つに過ぎない。この世界はその人間の選択によって、その選択の数だけ世界が存在する多世界なのだからと。でも今は、そんなくだらないことはどうでもいいのです。そんなことを言ったって、何の慰めにもなりません。なぜなら、同じことだから。少なくとも、この世界の、今の、ここにいるあなたは一本の道を歩んできたはずなのだから。

それと同じように、あなたのこれからの未来も、一本の道になるはずです。あなたがあの時こう手を動かした、これをし、これをしなかった、あれになり、これにならなかった。その瞬間その瞬間、選び取られた点の連続である一本の道なのです。あなたが死ぬまでその道は続いている。あなたがどのような選択をしようと何をどうしようと、後から振り返ればそれが一本の道であることに変わりない。二本の道を歩くことはできないし、そんな負担はいりません。あなたはただ、一本の道を歩めばいいだけです。

それが決められた道であっても、変えられる道であっても、結局は一本なのです。決まっていた、運命だ、というのは、所詮人間の概念に過ぎません。偶然、という言葉も、人間の概念に過ぎない。しかし一本の道であることは間違いない。ゾウリムシを例に出しましたが、私達はただ、自分にとって心地いい25℃の場所を探りながら生きていけばいいのです。しかしこの道は、人間という存在は悲しい。なぜなら、私達は私達が死ぬことを明確に認識する唯一の「存在」だからです。

つまり人間という存在は、「自分が死ぬことを知っている意識」であり、さらに、過去から現在の膨大な原子の絶え間ない流れの中で、その空間の中で、一本の道の上に存在しては70〜80年ほどでの消滅を繰り返している存在です。意識が脳に働きかけることができない説を採用するなら、その道というショウをただ見せられ、自分が死ぬことを意識させられ続け、いずれは消える存在となります。人間は意識を高度化してしまった。その分喜びも大きいが悲しみも大きい。その振り幅は意識が高度な分だけ全生命の中で最も大きい。しかし最終的には死ぬ。この世界の喜びをこんなにも知っているのに死ぬ。これまでに数兆人の人間が死んでいきました。これからも死ぬでしょう。

しかし、この世界は人間の誕生の可能性に満ち満ちていた世界です。さらに言えば、原子は結合することで意識を創り出す能力を元々備えていました。ここには何か意味がある。以前私が話したように、どこかの「層」のような何かに繋がっているはず。そうでないとおかしい。これを偶然と思うには出来すぎている。我々が歩む道も、その「層」と無関係ではない。そしてその「層」には、無数の「物語」が関係している。

人間は、太古の昔から、高度な意識を有してから、常に物語を求め続けてきました。人々は神を創り出すだけでなく、必ずそこに「神話」をつくりました。今でも皆さんはドラマや漫画を見るでしょう？　芸能人のゴシップだって物語です。人間は、この地球上で唯一、物語を求める生物なのです。自身の人生も物語であり、その物語を歩む過程でさらに物語を求める。人間が一生のうちに知る物語の数はフィクションも含めれば膨大です。つまり我々は、物語の重複の中にいる。この物語の重複性は、その「層」と関係があるように思うのです。つまりその「層」にとって重要なのは、我々の身体の実際の動き、何をしゃべったか何を見たかという実際の動きそのものではない。我々が意識の上に何を思い浮かべたのか、我々の意識がどう動いたのか、の方が重要なのだろうと思うのです。我々の意識はその「層」と重なっている。我々はその「層」からこの「自分」を眺めている。物語を経験している。

つまり「人間」とは、言いかえれば、過去から現在の膨大な原子の絶え間ない流れの中に浮かぶ物語です。そして「私」とは、別の層からその物語を観る観客ではないだろうか。この「私」には熱量もエネルギー量もありませんから、人間による物理学の法則の外にある。つまり違う層にいる。この奇妙なバランスが、この奇妙なバランスそのものが、この世界なのではないでしょうか。どのような意味があるのかはわからない。我々の物語を欲する何者かが存在しているのかもしれない。しかし我々は、もしも意味があった時のために、ちゃんと生きた方がいい。この一本の「物語」の中を、我々は原子の流れの中で身体に力を入れて「通過」しなければなりません。それが「生きる」ということです。

この「物語」は険しい。私は人生というものに対して、無責任に楽天的なことを言うつもりはありません。いかにしてこの「物語」を「通過」するか。ここには大きく分ければ東と西で二つの態度がある。

一つは西洋の、「神の試練」という考え方です。何か困難が発生した時、これは運命であり、神による試練であると考える生き方。乗り越えられるものだからこそ、神は自分に試練を与えたのだと。神という言葉を使わないなら、「運命による試練」と言ってもいいと思います。このように「運命」に挑む人間の姿は美しい。私はそう思います。

二つ目は東洋の、いわば「諸行無常」のような考え方です。一切は無に帰る。全ては消えていくものであるから、この困難な人生にもあたふたしないという考え方。苦しみや悲しみもいつかは消える。苦しみや悲しみも飲み込んで、やすらかに消えていくのを待つ。悲しみや苦しみが消えていくのは美しい。私はそう思います。

どちらが正しいということはありません。私は、真実はこの間にあると感じます。この両方にあると言ってもいい。時には挑み、時には全てもいつか消えるのだ、と考える。それでいいと思います。たとえそれが決められたものであっても、変えられるものであっても、私達は主体性をもって目の前に現れる道を選択し続ける姿勢でいればいい。その姿勢がきっと必要なのです。

皆さんもこれから、一本の道である自分の「物語」を「通過」し続けてください。遥か昔から存在した無数の原子達は、その圧倒的に高度で膨大で複雑なそのシステムは、全て、今のあなたの「物語」のためにあるのだから。そして今のあなたを形作っている原子達は、あなたが死んだ後も残り、またいつかの誰かの「物語」のためにあるのだから。

あなたの「物語」を支えるこの物理法則、無数に流れていくこの原子のシステムは、圧倒的に豊饒で贅沢なものなのです。

あなた達が自分にとって心地いい25℃の場所を見つけることができますように。今日の話を終わります』

15

「教祖様、失礼いたします」

白い服の男は、灰色の台車を引きながら扉の中に入る。

21階の教祖の部屋は、三十畳ほどの空間になっている。全体的に薄暗く、奥には寝室へ続くドアがある。椅子に座った教祖からは、どのような表情も読み取れなかった。ぼんやりとした目で男の台車を見ている。台車には箱が積んであり、その中に縛られた女が入っている。

「以前お話しさせていただいた、カルトの女です」

教祖は無表情に箱の中の女を見ている。女は無造作に、荷造り用のビニール紐で幾重にも縛られている。恐怖で声が出ないのか？　と白い服の男は思う。背が高く、美しい。

「……んん」

教祖が不明瞭に呟く。興味を持ってもらえただろうか？　わからない。白い服の男は緊張し始める。

「この女の宗教では、セックスが禁じられています。人前でむやみに肌を曝すことも」

教祖が椅子から立ち上がり、箱の中を見下ろす。女は白いブラウスに、黒のロングスカートをはいている。

「……ちなみに、自慰行為も禁止されています」

「……なるほど。……カルトだ」

教祖が抑揚のない声で言う。カルト？　白い服の男は自問する。ここだってカルトじゃないか？　ああ、違う。ここはカルトじゃない。ここは……、いや、何だろう？　ここは何だ？　修行が足りないんだ。近頃は、奇妙な考えに取り憑かれる。白い服の男が顔を上げると、教祖がまじまじと自分を見ている。心臓が突かれるように動いた。見られていただろうか？　自分の迷いが？

「……セックスをすると、死ぬのだろう？」

教祖が不意に聞く。男の迷いなど意に介さない目で。男は慌てて口を開く。

「はい。女も、女とセックスをする男の方も」

「……ん」

「しかし……、実際に六名、死んでいます。……どういうことかわかりませんが」

教祖が息を吐く。どういう感情の仕草だろう。ため息のようにも、笑ったようにも見えない。

「簡単だ。彼らの神が殺したんだろう」

教祖が女に近づく。男は慌てて縛られた女を箱の中で立たせる。女が暴れ、倒れる。

「申し訳ございません。眠らせておくべきでした」

「何でだ？」

教祖が聞く。何で？　男は意味がわからない。すぐ側のドアから二人の男が出て来る。こんなところにドアがあっただろうか？　暴れる女を連れて行き、座らせる。歯医者にあるような寝椅子。でも足を広げられるように、不愉快なパイプが伸びている。女は暴れるが、男達は表情一つ変えない。男達はまたドアにゆっくり消えていく。ドアの向こうも暗がりでよく見えない。

「お前達の神の名はなんという？」

教祖が寝椅子に縛られた女に聞く。女は教祖を睨む。でも教祖は表情一つ変えない。

「神の名はなんという？」

女は答えない。代わりに白い服の男が口を開く。

「……名前はありません。ただ、信者達を見守っているのです」

「つまらんな」

教祖が女の長過ぎるスカートに手をかけ、めくっていく。白い服の男は、なぜか頭上に視線を感じる。万が一、と思う。万が一、本当に彼らの神がいるとしたら？……この女はおろか、教祖まで死んでしまうのではないか？　白い服の男は自問する。男は以前、この女と同じカルトにいた。この教団に移り、今では全部迷妄とわかっていたが、身体の奥で、ぬぐい切れない感触が蘇っていた。確かに自分はあの神から離れても、この教団でセックスしても死んでない。でも、まだ信者である彼女はどうなのだろう？　彼女はまだ信者なのだ。六人死んだ。実際に。信者の誓いを立てたのに、神に隠れ淫蕩にふけった馬鹿な六人が。……万が一、と男は思い続けている。万が一……。神など信じていないという人間だって、仏壇を蹴飛ばしたりしないだろう？　女が叫ぶ。泣いている。教祖がスカートの全てをまくり上げる。白い下着が見える。白い服の男は目を背けたくなる。

「いや、いや」

女が教祖を睨みながら叫ぶ。教祖が女のブラウスを脱がしていく。上下の下着に手をかける。肌を見せてはならない女は身体を動かすが、固定されて動けない。上下の下着が取り払われる。高い天井のライトで、汗で濡れた女の身体が照らされる。女の胸は、彼女のカルト内では必要もないはずなのに、弾力に満ち、存在感に溢れている。乳首が少し大きい。こんな身体をしていたのか、と白い服の男は思う。彼女はこんな身体を服の中に……。ずっと見ていた自分に気づく。教祖が女の胸を口に含む。

「やめてください、……私達は、私達は」

「ん?」

「ああ、神様」

女が頭上の光を見上げる。長い髪が淫らに乱れ、細い目は涙で光っている。長い足の間にある性器が、白い服の男の位置からも見える。その性器に、教祖の指が入っていく。優しくかき回している。女の中を。

「……神様、……神様」

「何を喘いでいる?」

「……え?」

女の性液が溢れていく。足を伝う。

「お前は」

「違う」

「違くはない。お前はそういう女だ。久し振りなら余計にそうだろう」

教祖が屈み込み、女の性器に舌を伸ばす。虫がエサでも舐めるように。

「あ、……あ」

「ん?」

「……神様」

「そうだ、神が見ている。死がすぐ側にある」

女の性液が溢れていく。水溜りを撫でるような音が部屋の中に響いている。その音は、女の耳にも聞こえてるだろうと白い服の男は思っている。死が、この部屋に入り込んでいる。教祖は女の性器に口を這わせている。喉が渇き、その辺りのコップの水で喉を潤すみたいに。

「あ、……ああ！」

「いくのか。いけばいい」

「いやです、私は」

「神に見せるといい」

「申し訳ございません、お許しください。あ……、あ……、お許しください」

「ん？」

「神様、神様」

「……神に見られれば、興奮するだろう」

女の腰が上がっていく。女が叫ぶ。

「いや、ああ！」

女の身体がガクガクと震え始める。でも教祖はやめない。女が叫ぶ。

「やだ、やだ」

女の身体がまた痙攣する。性液が吹き出る。みっともないほど遠くに。白い服の男の足元まで、水滴がきている。

「あ、あ、……あ」

女の身体は痙攣し続ける。身体をよじらせ、胸が大きく揺れる。教祖は服を脱ぎ始め、濡れ過ぎている女の中に、まだ痙攣の治まらない女の中に、自分の性器を入れる。

「……いや」

「死は弾力があり、丸いと思うのだが……、どう思う」

教祖の身体が動く。突かれている女は、もう不明瞭な声しか出すことができない。感じてるじゃないか、と白い服の男は思う。得体の知れない涙が、男の目から流れている。苦しかった、と男は思う。これまで、ずっと苦しかった。次々と肉親を失った不幸は、先祖の強欲のせいだと言われた。得体の知れない中年の女のサークルに入り、深い山の中、病院のような小さな建物で何年も暮らした。厳しい戒律の中、禁欲の中で神を感じ続ける日々。女が教祖にしがみついている。これほどまでの快楽を、どうすればいいかわからないというように。あまりにも不器用に足を大きく広げている。しがみつけばいいんだ、と男は思う。しがみつけばいい。みっともない声をあげて、教祖様にしがみつけばいい。僕達には全部許されてるのだから。世間がどう思おうと、そんなことは、どうだっていいことなのだから。男は頭上を意識する。殺すなら殺せ。俺達は人間なのだから。殺すなら殺せ。

教祖は女の柔らかな口に舌を入れながら、身体をずっと動かしている。教祖は液体のようだ、と男はなぜか思う。年齢のわりに、身体が引き締まっている。美しい。美しい液体。

「あ、ああ」

女はもう、教祖と舌を絡め合っている。

「あん、あん、あああ」

女がまたガクガクと震え、教祖の身体も微かに痙攣する。存在が震えている、と男は不意に思う。教祖が出している、女の中に。男は息を飲む。教祖の目に、一瞬何かが掠めたように見えた。何だろうあれは？　と男は思う。快楽にいるはずの教祖の目を、何かがよぎった。何だろうあれは、何だ……。

「……お前は、21階で暮らせ」

性器を抜き取った教祖が小さな声で言う。女が頷いている。頬が紅潮している女の目は涙に濡れ、美しかった。精液を取り込んだ女の表情、と男は思う。身体の中に、精液を飲み込んだ女の――。

「……お前もやれ」

教祖がこちらを見ながら言う。白い服の男は頷く。自分でも驚くくらい自然に。これは善ではない、と男は思っている。自分も彼女も、以前の泥濘から、別の泥濘に来ただけなのだから。でも、と男は思う。悪でもない。教祖はただ、性的に女を抱いただけなのだから。

白い服の男は、足を広げたままの女の前に立つ。女と目が合う。あの施設で、と男は思う。彼女は妹のような存在だった。これほど美しい女性だとは、思ったこともなかった。

「……あの」

女が教祖に呼びかける。

「ん？」

「……見ていてください。見ていて欲しいのです」

「……ん」

まるで挑むように、女が自分を見てくる。真っ直ぐこちらに視線を向けながら、微笑んでくる。唇が濡れている。美しい。彼女は解き放たれている。善や悪などではない。これは、そんなものではない。解き放たれているのだ、僕達は存在を……。男は優しく女の頬にふれる。

16

暗い部屋。今日は時間もない。

高原は集まった信者達を見つめる。十二畳ほどのスペースに、高原を入れて十六人。どれも真っ直ぐな目をしている。やりがいに溢れた目。高原からの言葉を、期待を込めて待っている目。

彼らは幸福だ、と高原は思う。彼らのようになってみたい。でも、裏切っている人間がこの中に？　わからない。教祖なら見破るだろうか。

「現状報告を。……篠原、準備は？」

「はい」

篠原は重々しく言う。早く報告したくなるのを何とか抑えるように。進展があったらしい。

「前回報告したＰＰＳｈ－41の引渡しが、来週の火曜日に決まりました。既に暴力団の構成員の手に渡っていまして、後は彼らから受け取るだけです」

「引渡し場所は？」

「マンションです。ウィークリー契約がされています」

「……危険は？」

「ないとは言えませんが、私達に危害を加えるメリットは、先方にはないと思われます」

高原は考えを巡らす。高原の沈黙に答えるように、篠原は言葉を続ける。

「彼らが取引の現場で私達に危害を加えるメリットがあるとすれば、ＰＰＳｈ－41を私達に渡さず私達の現金だけを得る、もしくは、ＰＰＳｈ－41を元々手に入れておらず、現金だけを奪う、ということだと思います。そのため、私達は五人で、取引の現場に向かうつもりです。彼らからすれば、今回の取引の金額では、五人の死体を処理する労力とは到底釣り合わないと思われます。……もちろん殺害はされず現金のみ奪われるケースもありますが、彼らはその世界ではそれなりに名が通っています。証拠が残る不正はやらないと推測しています」

高原は考え続ける。本当に大丈夫だろうか？　高原が危惧していたのは、そういうことではなかった。これが警察や公安の罠だったら？　ないとは言えない。

「万が一、これが公安の罠だったとしたら」

高原の危惧を想定していたように、篠原が言う。

「我々は、左派の過激派を名乗るつもりです。懲役を受けるでしょうが構いません。他の信者達が私達の後を継いでください」

取引に向かう予定の五人が、高原を真剣な目で見る。取り憑かれた、充実した表情。高原は息を飲む。彼らに応えなければならない。

「……わかった。お前達の気持ちは忘れない」

彼らの目が輝く。ここにいる全ての人間達が小さく声を出す。内側の高揚が漏れ出したように。彼らの身体の微かな動き、息や声がさらに高揚を広げる。一体化していく。体内の奥が騒ぐ。

「我々は精鋭だ」

「はい」

「我々は選ばれている」

「はい」

熱を帯びた空気から、彼らの体温を感じる。全員が高原を見ている。無我夢中の期待、激しい熱。

「ＰＰＳｈ－41を扱うには当然訓練がいるが……、その辺りは任せる」

高原は今度は吉岡を見る。吉岡は重く頷く。彼は昔自衛隊にいた。

「ＰＰＳｈ－41、腕はそれほど必要ではありません。機関銃ですから」


高原は冷えた階段を上がる。

自分の靴音が反響し、誰かに後をつけられてるように感じる。さっきの高揚を体内に残したまま、高原は教祖の扉の前に立つ。彼らの中に、裏切り者がいるとは思えない。あんな純粋な表情の密告者など想定できない。高原は思いを巡らす。考えられるとしたら、密告でなく教祖が気づいたということだ。でもどうやって？

深く息をし、高原は扉をノックする。中から不明瞭な声がする。扉を開けると教祖が寝椅子で横になっている。女の身体を撫でている。憂鬱そうに。

化物め、と高原は思う。

教祖の中には地獄がある。その地獄に抵抗するのではなく、こいつは自分でその内部の地獄に沈み、ゆらゆら揺れている。どうしてこうも、憂鬱に女を抱くことができるのだろう？　あのような暗い目で？　なら抱かなければいいと思うが、習慣のように手を伸ばす。無感動に。ゆらゆら憂鬱そうに。虫が樹液でも舐めるみたいに。

「……お呼びでしょうか」

高原は小さく声を出す。こんな奴なのに、と高原は思う。こんな奴なのに、前に立てば緊張していく自分がいる。相手が化物だからだ。虚脱したように見えるのに、表情は少しもだらけていない。こいつは底が知れない。

「……呼んでいないが」

教祖は高原ではなく、高原と教祖の間の空間を見ている。見ている？　本当にそうだろうか。こいつは何かを見ているのだろうか。

「お邪魔してしまいました。申し訳ございません」

「……ん、大丈夫だ。……そうだ、あの女が」

教祖はそう言いかけ、ゆっくり隣の女に首を伸ばし、女の舌を指でつかむ。女は力を入れずされるままになっている。高原はじっと待つ。相手と話しながらメールする奴がいるが、こいつはセックスをする。高原は笑みを浮かべそうになる。

「あの女が、……キュプラの、……懺悔に来ようとしたらしい。お前と、個人接触をしたと。だから……」

教祖は女の足を開き、その性器を見ている。服についた染みでも見るみたいに。高原は小さく息を吐く。そんな嘘をつくくらい、あの時の女は嫉妬してるのか？　自分が抱かなかったくらいで？

「カウンセリングに入れた。それで……」

「……私を罰しないのですか」

「……ん？」

ピチャピチャとした音が、女の足の間から聞こえる。女は短く息を漏らし始める。教祖がそんなことで、自分を罰するはずがないと高原は知っていた。高原が知りたいのは別のことだ。自分の計画がばれてるのか、ばれてないのか。教祖の目を見る。何も読み取れない。わからない。

「……私が罰するはずがないだろう。……後継者を」

嘘をつけ。高原は内面で声を出す。ならどうして、この教団を宗教法人にしなかった？　その理由は、公安から身を隠すためだけではないのだろう？　何を企んでるんだ。高原は思い続ける。お前こそ何を企んでるんだ。

教祖が面倒くさそうに指を動かしている。ほつれたコートのボタンでもいじるように。控えめに開いた女の足の間から、ピチャピチャと音が鳴り続けている。女はよがりながらちらちら高原を見る。音が恥ずかしいのだろう。

「カウンセリングに入れ、……お前のことを、もっと求めるようにしておく」

「……では21階に？」

「んん」

他人を狂うほど愛してる女を、丁寧に舐めるのだろうと高原は思う。高原さん、高原さんと焦がれる女を、何となく抱くのだろう。やはり樹液でも舐めるように。笑みひとつなく、憂鬱に。

松尾正太郎とはタイプが違う。あの老人には人が寄って来る。確かにこの男にも人が寄って来るように見えるが、実際はそうじゃない。こいつの身体の中から、重い液体のようなものが滲み出ているように思う。その重い液体に、人が寄せられる。自らの暗部をその液体に溶かし込んでいくように。

女は身体をよじれさせている。音が大きくなる。足を懸命に閉じようとしているのは、恥ずかしさのためだろうか、いこうとしているのだろうか。身体を仰け反らせる細い女の姿態を見ながら、高原は頭がぼんやりしてくる。女がシーツをつかむ。女によって濡れたシーツ。長い髪にわずかなライトが白く反射している。

まさか涼子が？　高原は思う。涼子は確かに、何かに気づいている。証拠をつかめてないだけで。……だけど、いや、だからこそ、彼女には抜けろと言ったのだ。この教団から。俺が掛け合えば彼女は抜けられる。恐らく。

彼女は付き合う必要はない。こんな自分の人生に。修復の効かないこんな人生に。

17

松尾の対話会の準備を、楢崎も手伝うことになる。

この団体に名簿はないが、「今度開催する時は教えて欲しい」と連絡先を書き残していく者達も多かった。メールやＦＡＸなら文面を送信するだけで済むが、電話だと手間がかかる。

「文面、これでいいですか？」

峰野が松尾に聞く。ＦＡＸとメール用の文。

「……私の似顔絵は載せないの？」

「載せたいんですか」

「だって、私結構キュンとした顔してるよ？」

松尾はそう言って峰野を真剣に見つめ始める。みかんが飛んできて、松尾は持っていた孫の手でみかんを弾く。投げたのは妻のよっちゃんさんだ。松尾が投げ返すと、よっちゃんさんは受け止めてまた投げる。松尾がまた孫の手でみかんを弾き落とす。吉田が止めに入る。

「どけクソ坊主」

松尾が吉田に言う。今度は吉田が怒る。

「僕は寺の坊主だから、坊主にしてるんです」

「……嘘をつけ。……ハゲ散らかしたんだろう？　んん？　ハゲ散らかしたから坊主にしたんだろう？」

「ほう。それを言いますか。……それを言っちゃうんですね」

吉田が松尾に詰め寄る。

「そうですよ。ハゲ散らかしましたよ……、でも散らかったんだからしょうがないでしょう！」

楢崎は小牧という女性と共に部屋を出ようとする。庭に並べるパイプ椅子の一部が錆びていて、買い換えるための仕分けが必要だった。みかんが楢崎の背中に当たる。

「……何ですか」

「お前、小牧ちゃんとどこに行く？」

松尾が怒っている。もう意味がわからない。

「椅子の選(え)り分けですよ。力仕事ですから」

「ペッティングだろう？」

「は？」

「お前小牧ちゃんとペッティングするんだろう？　倉庫の隅で、あ、ダメ、みんないるのに、みんないるのにって、ちくしょう！」

楢崎は驚く。小牧が口を開く。

「……そうなの？」

「は？　そんなわけないでしょう」

「私のことずっとそんな目で！」

「違いますよ。あの、馬鹿なんですか。ねえ、いい加減にしてくださいよ」

「……なら、真剣に答えてみろ」

松尾が言う。孫の手を真っ直ぐ楢崎に向ける。

「本当に、一度も、小牧ちゃんのことをいやらしい目で見たことはないか？　ほんの一瞬でも？　……嘘をつくとキャンディーの刑だぞ。私の部分入れ歯を、キャンディーのようにお前の口の中に入れる」

「……それは」

「やっぱり！」

小牧が小さく叫び楢崎から離れる。

「いや、おかしいでしょう。そんな風に言われたら、ねえ吉田さん、何とか言ってください」

「うるせえ！」

「うるせえはないでしょう！」

楢崎は咄嗟に声を出す。

「そんな風だから髪の毛が散らかるんですよ。でもまだ地球で言ったらオーストラリアくらい残ってるじゃないですか」

「は？　お前今大陸で言ったな？」

「やめなさいよ。吉田さんの頭の散らかりに楢崎君は関係ない。吉田さんが勝手に散らかしたんでしょう？　あなたが一人で勝手に散らかした。……そのオーストラリアでカンガルーでも飼いなさいよ」

　峰野と吉田が言い争いを始める。楢崎は構わず部屋を出ようとしたが、小牧が警戒の目で楢崎を見ている。面倒くさい。何なんだこいつらは。田中が楢崎の進路を塞ぐように部屋に入ってくる。今日はチェ・ゲバラのエプロンをしている。どこに売ってるんだろう。

「……あの、マスコミの方が来ています」

　田中は神妙な顔で言う。

「追い出そうと思いますけど、どうしたら……。一応、台所にゴキジェットは……」

「いいわね」

　よっちゃんさんが言う。楢崎は口を挟む。

「駄目だと思います」

「そう？」

「いいよ」

松尾が言う。頷いて戻る田中を楢崎が止める。

「そうだ、楢崎君」

松尾が孫の手を楢崎に向ける。

「君が対応しなさい。そして」

孫の手を向け続ける。

「下半身を出してこう言うんだ。え？　歯医者さんですか？　僕のチンコがＣ２です」

「……何のために？」

「は？　君への嫌がらせに決まってるだろう」

「……嫌です」

「じゃあ峰ちゃん」

「嫌です」

訪ねてきたのは週刊誌の記者だった。女性のインタビュアーと、男性のカメラマン。電話で依頼を断られ直接来たと言う。再開する宗教活動についての取材ということだったが、怪しい宗教団体をあげつらう目的なのは明白だった。楢崎は警戒したが、誰も止めない。

「謝礼の方は些少ですが、当社の取り決めの金額をお支払いいたします」

松尾の目が怪しくなる。

「謝礼はいりません。その代わり、おっぱいをつつかせてください」

「は?」

インタビュアーの女性が短く叫ぶ。カメラマンはシャッターを切る手を止めた。

「……あの、ご冗談ですか?　その」

「冗談ではありません。おっぱいをつつかせてください」

松尾が真剣な目でインタビュアーを見る。驚くインタビュアーを置いたまま、峰野達は部屋を出て行く。関心がないんだろうか?　マスコミにこんな態度を取ればどうなるか、わかりそうなはずなのに。何の義理もない楢崎が部屋に残る。インタビュアーは明らかに怒っている。

「あの、失礼ですが、私どもを馬鹿にしてらっしゃるのですか」

「馬鹿にしてません。ただつつかせてくれと言ってるだけです。……だってそうでしょう?　人生はつつくか、つつかれるかです。もしかしたら、つつかれるのは私かもしれない。あなたかもしれない。誰もがつつかれる可能性があるのです……、おわかりですか?」

「……は?」

「モコペンモコペン、だーれがつついたモコペン……。今からこの呪文を唱えるので、目をつぶってください」

「嫌です」

「なんだと?」

松尾が急に声を低くする。

「何でつつかれない？　なぜだ？」

「は？」

「つつかせろこの野郎！」

松尾が立ち上がる。インタビュアーが悲鳴を上げる。カメラマンが彼女を守ろうと間に入る。

楢崎が止める。

「あの、申し訳ございません。今……、憑依してましして」

「憑依？」

「そうです、その、あらゆる人格が教祖様に宿るんです！　今日のところは」

インタビュアーとカメラマンを部屋から出す。楢崎は松尾に向き直る。

「何やってるんですか！」

楢崎が言う。松尾はふてくされている。

「……相手が馬鹿にしにきたのだから、こっちもやり返しただけだろう」

「いや、違う。……何というか、あなたはあわよくば、本当に、その」

「何？」

「その、女性の胸を、つつこうとしたのでしょう？」

松尾が孫の手を、顔の前で左右に振る。

「そんなわけないだろう。あれはね、本当に高尚な仕返しというかね」

「違う、絶対ちょっとはつつこうとしたはずです」

インタビュアー達が帰っていく音を聞きながら、芳子は峰野を見ていた。峰野はプリンーアウトし直したチラシを、お腹に手を当てながら見ている。もしかしたら、と芳子は思っている。もしかしたら、この子は妊娠などしていないのではないだろうか。そう思い込んでいるだけで、ほとんど病的に、そう思い込んでいるだけで、もしかしたら……。

峰野が振り向いたので、芳子は笑顔をつくる。もしそうなら、と芳子はもう一度思う。私が抱きしめなくてはならない。どこか二人で引き籠もって、つきっきりで、この子の回復を手助けしなければならない。高原君のことを、忘れさせなければならない。

峰野がこのグループに入ってきた時、彼女は明らかに、松尾と芳子に家庭を求めていた。子供時代に得られなかったものを、彼女は芳子達に求めていた。芳子達はそれに気づきながら、彼女を受け入れた。芳子は、お腹に手を当てる峰野を見ながら、思いを巡らせていた。そうであるから、と芳子は思う。そうであるから、私達には責任がある。

昨夜、屋敷の中でトカゲを見た。黒く見えたのは、夜のせいだろうか。

何かが起きようとしている。胸騒ぎがする。ここ何年もなかったくらいに。

18

松尾の講演にはまだ時間はあったが、すでに多くの観客達が屋敷の庭に集まってきていた。前もってパイプ椅子を並べておけば楽だったのに、「椅子だけ多くて人が来なかったら格好悪い」という松尾のわがままで、人が来てから椅子を増やしていった。比較的、若い人間が多い。中には熱心にノートを持参する者もいた。この対話会のために準備をし、もう三週間になる。さらに次々と人がやって来る。楢崎はお茶のペットボトルを配った。松尾は何の原稿も用意せず、部屋でテレビを見ていた。先日のインタビュアーとの一件は、まだ記事になっていなかった。もし記事になっていたら野次馬が増えたと予想されたが、講演当日は、幸いにも雑誌の発売日前だった。

楢崎は峰野を探したが、姿が消えていた。おかしい。さっきまで確かに、自分と一緒にお茶を配っていたはずなのに。またペットボトルを取りに戻ろうとし、動きを止める。客席に、男がいた。髪の長い男。あの教団施設で楢崎が沢渡と会った時、楢崎を21階へ案内していった男。なぜだ？　楢崎は男を見つめる。あの教団の男がなぜここに？

「楢崎君」

いつの間にか吉田が後ろにいる。鼓動が速くなる。

「あの髪を後ろで縛った男、見えるか？」

「……はい」

「あれは例の教団の男だよ。以前ここにいて、沢渡が姿を消した時、同じように姿を消した。……間違いない」

楢崎は振り返ったが、吉田の目を見ることができない。

「今はまだ気づかない振りをする。松尾さんの講演の前に騒ぎを起こしたくない。でも終わったら、新山君と加藤君達で彼を取り押さえる。松尾さんに内緒で」

吉田の声はささやくように小さい。

「俺の顔は彼にばれてる。新山君と加藤君は比較的新しくここに来たから彼も知らない。楢崎君のことも彼は知らない。……だから、講演が始まったら、新山君達と一緒に彼のすぐ後ろの席に座って欲しい。彼が門を出たところで押さえる」

楢崎は返事をすることができない。

「もちろん門の外にも人を用意しておく。いや、派手に取り押さえるんじゃないよ。そんなことはしない。松尾さんにも気づかれたくないから、まずは話をして、大人しくしてたら向かいの喫茶店にでも入る。彼らの教団の場所を聞きだそうと思ってる。……尾行しようとも思ったけど、俺達にそんな経験ないから、上手くいかないと思うし……。わかったね？」

楢崎が曖昧にうなずくと、吉田は去っていった。信用されてるんだろうか、と頭に浮かび、すぐ思い直す。逆だった。試されてるに違いなかった。自分は松尾に興味があると言ってこのグループに近づき、すぐ一ヶ月姿を消し、やつれてまた現れている。その間、あの教団から何らかの接触を受けたと思われても不思議じゃなかった。これを聞いた自分が妙な動きをすれば、あの教団に関わってると発覚することになる。髪の長い男と楢崎、その二人から吉田は情報を聞くことができる。今この瞬間から、自分は監視される。恐らく、自分が知らない、松尾のグループの中の人間によって。

楢崎は息を吐く。危険なのは、あの髪の長い男が、自分を見て驚くかもしれないことだ。彼は知ってるんだろうか？　俺が沢渡から言われてここにいることを。

髪の長い男の席、その後ろの三つの椅子にチラシが置かれている。すでに場所が取ってある。楢崎は座るしかない。

人々が次々庭に入ってくる。二百人くらいだろうか。ざわめきが静まり、ふと見ると松尾が縁側に登場した。どうやら司会も何もなく、いきなり始まるらしい。楢崎は急いで席につく。髪の長い男の斜め後ろの席に。

「やー、みなさん、来てくれてありがとうございます」

松尾が言うと、観客は拍手をした。痩せたな、と楢崎は思っていた。ＤＶＤで見た映像とこうやって改めて比べると、彼は随分と痩せた。

「今日はね、言ってなかったけど、私の最後の話になります」

観客達が静かにざわめく。

「私の半生、いや、全人生を話すことになりますかね。……私の罪をです」

19

教祖の奇妙な話　Ⅳ

私は生まれは愛知県になります。母は元々旅館で女中をしていたのですが、父親は財閥とまではいきませんが、やたらに土地ばかり所有していた地主でした。私のようないわゆる隠し子は大抵隠されるものですが、奇妙なことに、私はその父親の屋敷で暮らしていました。母も一緒です。いわゆる本家の家族とはほとんど顔は合わせませんでしたが、屋敷の隅に、私達の部屋が設けられていました。母が病で死んでからは、屋敷にいた乳母に育てられました。

父親の妻に子供が生まれなかった場合、跡取りとして私を取っておかなければならない。そういうことだったようです。私はこの屋敷に新たに子供が誕生した時、追い出され、どこかに売り飛ばされるのだろうと考えていました。屋敷の中にいたいわけではありませんでしたが、まだ子供です。一人で生きていけるわけがない。他人の誕生の、阻止を願う。そのようなねじれた精神の中で、私は幼少時代を過ごしました。

彼らに子供が誕生し、予想通り、私は屋敷を出ることになりました。売り飛ばされたわけでは当然なく、奉公に出る形でした。父親の奥さんの意志で、私は愛知から東京まで出ることになりました。仕方のないことでした。出現した一つの幸福が、邪魔者を弾いたということになります。幸福とは、その性質上、様々なものを排除した上に成り立つ閉鎖された空間であるからです。奥さんの立場にしてみれば、でもそれは仕方のないことでした。奥さんだって悲しみを抱えていた。私は瓦を作る手工の工場で住み込みで働きました。でもそこを所有する夫婦はいい人達でした。学校へはつまり、小学校までになります。

世の中は大きな戦争になっていきました。太平洋戦争、つまり第二次世界大戦です。

私が二十歳の時、召集令状が届きました。私は戦争へ行くことになりました。

私がまず思ったのは、本当はこの令状は、あの屋敷に誕生した子供へ届いたものではないか、ということでした。自分達の子供を戦争に行かせないために、その令状を、私に向けたのだと。そんなわけはありませんね。考え過ぎでした。ただ、当時の私はそれくらいねじくれていたということです。

私は戦争になど全く興味がありませんでした。軍人に憧れることもなかった。日本がどんどんあの戦争の勃発へと傾いていった頃、社会主義者達が地下運動をしていて、私はそこに参加はしていなかったのですが、印刷された檄文（げきぶん）を怪しげな場所へ運んでいく代わりに本を貸してもらうことをしていた。社会主義に興味はありませんでしたが、どうしても本が読みたかった。当時は手に入りにくかった、英米の本も独学でよく読んでいました。「鬼畜米英」なんて言葉が聞かれましたが、あのように見事な文学を生み出す国のどこが鬼畜なのか。いや、何も私は進歩派を気取ってたわけじゃありませんよ。ただ、私は日本、というか日本の名を語る軍人達が嫌いだったのです。なぜなら、それは父親を連想したから。父親は筋金入りの愛国者でした。あの時代のあの年代の人物なら当然です。つまり、当時の私の世界認識は、個人的な好悪に支えられていたものに過ぎなかったのです。

　私が配属されたのは、陸軍第三五七師団、フィリピン北中部の最前線でした。当時の日本兵の大半の死因が、餓死と病死であったことを皆さんご存知ですか。日本兵の多くは、言葉ばかり威勢のいい無能な国家の下で、敵軍と戦うこともなく熱帯のジャングルをさまよい飢えとマラリアで死んだのです。私は三ヶ月の教育の後に合流させられた、いわゆる補充兵と呼ばれた兵隊達の一人でした。我々は沿岸部の警備を任されていましたが、斥候（せっこう）が百近い米軍の艦船が近づいてくるのを確認し、私が属する小隊を含む中隊は山岳部に立て籠もることになります。当時、我々の大半は既にマラリアにかかっていた。

　勝てるわけがない。そう思っていました。中隊長などの幹部はそんなこと一言も口にしませんが、我々のような、特に補充兵の下っ端はほぼ全員、確信していました。敵の艦船、あの南国の海を悠々と渡る銀色の鋼鉄。上空に常に飛び交う同じく銀の戦闘機。重く、固く、ふれるもの全てを弾くような、巨大な銀の鈍い光沢。その圧倒的な機械の存在感の前で、何ができるでしょうか。我々の望みは、このまま焼けるように暑い山間部に立て籠もり、敗戦を待つことでした。敗戦になれば祖国が蹂躙されるなどの軍部の嘘を信じるほど、私は純粋ではありませんでした。

しかし、大隊本部から、援軍の知らせを受けてしまう。百二十名の斬込隊を送るとのことでした。機関銃も数本しかない状況で、今さら百二十名の援軍が来て何になるでしょうか。相手の洗練された遠距離砲撃に対し、単発銃と帯刀と自殺用の手榴弾で戦えと？　死にに来るための援軍。大隊本部の幹部達が、フィリピンの主要地が奪われるのを手をこまねいて見ていたと本土から非難されないためだけに送られる、命ある人間達。そして全員死に、我々は力の限り戦った、国家の名に恥じぬ戦いをしたと本土に報告するために死なされる援軍。死ぬのは当然怖くて抵抗があるから、死んでも靖国で英霊になれると言いくるめ続ける。死にに行く兵士を宗教で焚き付けるのは今も昔も同じです。そしてその知らせは、我々の中隊からも、同じように死にに行く兵士を募ることを意味しました。私はまだマラリアにかかっていませんでしたから、ひとまず援軍を迎えにいく隊に参加させられました。五名からなるその小隊が小屋を離れた時、米軍からの砲撃が始まりました。

それは戦闘ではありませんでした。遥か遠くから来る砲撃に対し、我々は逃げることしかできない。中隊は散り散りになる。私は暗い目をした少尉が率いる小隊と合流しましたが、やがて脱落することになります。マラリアにかかってしまったからです。

高熱の中、二日目に足がもつれるようになり、四日目からは、上手く言葉を発することができなくなりました。舌が自分の思う通りに動かなくなるのです。私は置いていかれました。当然です。それまでに、私も何人もの命を置いていったのだから。杖代わりにつかんでいた太い木の枝、その樹皮によって傷ついた手のひらから血が流れているのも気づかず、糞尿を流しながら倒れるやせこけた盟友に対し、上手くしゃべれない私の吐いた「カタニ」という嘘の言葉。それが嘘であることを知り、嘘を言うしかない同じく杖をついた私を半ば哀れむように微笑み、倒れていった無数の命。自分の意志ではなく糞尿を流す。それはマラリアによる死の前兆だったのです。今度は私の番でした。私は倒れ、仰向けにジャングルの葉の群れを見ていました。「ソウカ」私はそう呟いた記憶があります。青々とした草が頬を撫でるように刺していました。「ソウカ。ソウカ」。何が、「ソウカ」なのか、私にもわかりませんでした。

日が昇れば服を貫通するほど熱が肌を焼きます。森林はどこまでもどこまでも続き、豊饒というよりも無造作に、枝々は幾重にも折り重なり、法則もなく長く長く伸びていました。私は一人、その異国の木々の群れの中にいました。どこで切れたのかも思い出せない腕の長い傷から、ウジが見え隠れしていました。ウジは私が見つけると、姿を隠したように思えました。まるで恥じらうかのように。恥ずかしがっている自分を、なぜか得意げに私に見せつけるかのように。痛みはあったはずなのですが、感じることができませんでした。これは他人の腕であり、その他人の腕を他人であるウジが食しているのだと思いました。でもまだ意識がある。視界は狭くなり、マラリアの熱特有の幻覚からか、無数の小さな手のひらのように感じられ始めた葉が、中央にぼんやり見えるだけでした。自分で死のうと思いました。吐きたくなりますが、嘔吐をしようにも、胃の中には何も入っていない。渇きで喉は焼けるように熱い。苦痛を、早く、終わらせなければ。飢餓により腹部が痛むのですが、なぜか胸や喉まで痛みがある。身体が時々痙攣し、意識を失いかけるところで、どこかが痛みまた意識が戻りました。嘔吐をするが、やはり何も出ない。

九九式と呼ばれる、手榴弾を持っていました。死ぬ時はこれでと思いました。銃で自殺を試み、失敗し歯が砕け、無残にも顎と頬を貫通させたまま一時間ほど生きた同僚を見ていたからです。覆い被さる枝々はねじれ、葉の茂りは風もなく動かない。肌を切るほど生い茂る草の地面に手榴弾を置き、見つめながら、当時は樺色(かばいろ)と呼ばれた、その薄暗いオレンジの六角の鉄の筒を見つめながら、私は自分の死ぬ理由を考えていました。頬に手を当てると一つ一つの歯の位置がわかるほど落ち窪んでいました。人生の、総括です。

私は戦争で死ぬ。無能な国家の無能な作戦の下で死ぬ。それは明らかでした。では、この戦争とはなんだろう？　私は考えていました。私達は、日本の勝利のために戦争をしている。では、勝利とはなんだろう？……勝利にいいい、よりいいいいい、我々はどうなるのいいだろう？

このフィリピンを日本が制圧できれば、燃料などの補給路を確保することができる。そうすれば、日本に燃料を送り続けることができ、アメリカと長く戦うことができる。そういうことでした。それで日本がアメリカに勝ったとしたらどうなるか。アメリカと連合軍が日本に停戦を申し入れ、日本に有利な平和条約を締結できたとしたら、どうなるか。征服していた中国の利権と、東南アジアでの利権が確保される。それだけなのです。それによって喜ぶのは誰か。それぞれに利権を有している財閥、そして財閥と癒着していた軍の上層部、そして政治家です。それによって日本はどうなるか。民衆も、おこぼれで少しだけ裕福になるでしょう。でもそれだけだった。裕福になりたいのなら、働けばいい。ちなみに第二次世界大戦での日本人の死者数は、三百万人を超えています。

私は自分がなぜ死ぬのかわからなくなりました。反対のことを、負けた時のことを考えました。日本に不利な平和条約が締結され、日本は国際社会の中で低位に追いやられる。それだけでした。負ければ祖国が蹂躙され、女は犯され子供は殺される。そんな軍の愚かな宣伝を鵜呑みにするほど私は純粋でなかった。低位に追いやられたのなら働けばいい。そこから盛り返せばいい。日本人は働くのだから。

戦争が終われば、必ず平和条約がある。

どちらが有利に、平和条約を結べるか。

その平和条約の内容と、戦死者の数が釣り合った例は、これまでにあるのでしょうか。繰り返しますが、あの戦争での日本人の死者数は三百万人を超えています。

この戦争を支えてきたのは、気持ちよさ、だった。お国のために死地へ向かう。軍人の敬礼。死して敵を討つ。犠牲の美。これらのナショナリズムには、気持ちよさがある。なぜ気持ちよくなるのか。社会的動物としての性質、群れて盛り上がることで熱くなる生物的性質だけではないでしょう。軽薄な自己が、大義に飲み込まれることで、役割を与えられる。自身の不満の矛先を「敵」を与えられることでそちらに向けることができる。自分達は相手より民族として優れていると錯覚できる。人間は、自らの優位性を信じたくなる生物です。さらに人間は善意を前提とする時、もっとも凶暴になれる。善意・正義を隠れ蓑に、自らの凶暴性を解放するのです。

そして当時の軍国主義者達は、ああだこうだと考えることから解放されていた。正しかろうが間違っていようが関係なかった。思想に飲み込まれ心地良くなっていたかった。思想に飲み込まれることには、快楽があります。自身の卑小な思考回路を、尊大なものにしてくれるように思えるからです。

ドストエフスキーというロシアの文豪が『未成年』という小説の中で書いていることですが、思想は時に、その個人の全存在を拘束してしまうことがある。そういう思想に芯から飲み込まれてしまった人間は、感情で頭が硬化し、反対の思想をいくらぶつけられても、絶対に変わることがないと。彼らを理論で、理性的に変えることはほぼ不可能であると。その個人が変わる場合があるとすれば、それは別の感情によるものだ。強烈に感情が動く別の体験があって初めて、その個人は思想から解放される。ドストエフスキーはそのように書いている。全くその通りだと私は思います。この考え方、つまり思想が硬化してしまうこと。これが人類の歴史の悲劇の底にあるものの一つです。日本万歳と気持ちよくなっていた当時の軍人に、いくら理性的に語りかけても彼らは絶対変わらなかった。全ての別の考え方を頭に深く入れる前に遮断してしまっていた。こういう連中は、現代にも世界中にいる。別の考え方を一度でも自分の中で深く咀嚼（そしゃく）するのを恐れる、弱い精神なのです。硬化した人々、と言ってもいい。幼稚の極み。少なくとも、他人の幸福によって弾かれ、いじけていた私にはそのような「大義」が幼稚に思えた。つまらない。なんとつまらない。

しかしそこで、砲撃があった。

私が地面に置かれた手榴弾を見つめながら倒れていた場所は、生い茂る林が枝を絡め合うように広がり、緩やかな傾斜になっていました。そこを上ると斜面は徐々に急になり、丘のようになっている。その丘の向こうから、砲撃の音が聞こえたのです。しかもそれは、アメリカによる一方的な砲撃ではない。日本の反撃の音も聞こえた。

学歴のない私がまるで左翼のインテリを真似るように戦争批判をしていた後方で、同胞が戦っている。

私は補充兵でしたが、兵士であり、反射的に銃をつかみました。でも自分は動けないから、と思ったことを覚えています。しかしどういうわけか、私の身体は動いたのです。確かに走ることなどできない。でも、銃を持ち、丘を上がり、敵に姿を見せる力は残っていた。

あの時、自分の行動が脳裏に浮かびました。それは何かの啓示のように、私に訪れたのです。丘を上っていけば、自分は同胞よりも、敵軍に近づくことになる。突然丘の裏から現れた日本兵である私は、敵陣目掛け手榴弾を投げ入れる。あとは命が尽きるまで、銃を撃つ。私の潜んでいた傾斜は米兵達からすれば盲点となる位置でした。私のこの行為で少なくとも敵のアメリカ人を何人か殺すことができ、そしてそれは、同胞の逃走を助けることを意味する。アメリカ人を一人でも多く殺すことは、それだけ日本人を一人でも多く救うことになります。

しかも自分はどうせ、遠からず死ぬのです。

私は銃をつかんだまま砲撃を聞いていました。いや、それは聞いていたのではなかった。砲撃の振動は私の耳と同時に私の身体の内部を貫通し、その振動により内部の臓器の位置がここにあると確かに感じられるように思うほど、私を激しく揺らしていました。私は振動の中にいた。脳裏に浮かんだのは、殺したくない、という不意の言葉でした。

アメリカ兵を殺したくない。彼らは、私と同じ本を読んでいるかもしれない。彼らには愛する恋人がいるかもしれない。言語は違うが、時が時なら、笑って酒を飲んだかもしれない。殺したくない。そう思っていると、なぜかほっとしている自分を感じました。何をほっとしてるんだ？　自分は何を考えてる？　でもその時、また啓示のように、一つの映像が浮かんだのです。

殺す必要はない。その映像は物語っていました。私はアメリカ兵の前に姿を現し、手榴弾を原っぱに放り投げる。爆発音と共に、アメリカ兵は私の存在に気づく。アメリカ兵が私に気を取られ、私を銃で撃っている間に、他にも潜んでるのではと警戒し、砲撃の手が少しでも休まる間に、同胞達は逃げることができる。どうせ私はもうすぐマラリアで死ぬのだから。つまり殺さずに、私は目的を果たすことができる。鼓動が速くなりました。なぜ速くなるのかわからないまま、眩暈を感じました。私は銃を地面に置き、手榴弾をつかみました。まるで誰かに見られながら、手榴弾をつかんだ感覚がありました。私は立ち上がろうとしました。同じく、誰かに見られてる感覚の中で。

でも、身体が動かなかった。

皆さん、もうおわかりでしょう。私は恐かったのです。もうすぐ死ぬ人間であったにもかかわらず、私は死ぬのが恐かった。アメリカ兵を殺したくないとか、理由をつけていただけで、実際の私は、恐怖の中にいたのです。激しい振動が体内を揺らし続けている。砲撃は、私の身体を悪意を持った熱でぐちゃぐちゃに吹き飛ばすでしょう。ここにいれば安全だ。声が聞こえたように思いました。ここにいれば。ここで虫のように隠れていれば――。私は砲撃の中、目の前にあった土、その土についた恐らく自分のものである足跡の凹凸を、なぜか必死に見ていました。アメリカ兵が同胞を皆殺しにしている隙に、逃げたらいいんじゃないか？　私は思いを巡らしていました。今が、チャンスなんじゃないか？　そうっとそうっと、この場を、言いつくばって、そろそろと本物の虫のように逃げればいいんじゃないか？　お前は瓦工場の工員だろう？　お前は瓦工場の工員だろう？　そうだ、あの社長夫婦に、生きて帰ってくると約束したじゃないか？　自分のためじゃない。彼らのために逃げるんだから。彼らを悲しませないために、お前は逃げればいいんじゃないか……。

この戦争は間違っている。それは当然でした。でも私は、この戦争に反対する社会主義者達の近くにいたのに、その活動に参加しなかった。逮捕されていった彼らが獄中で虐げられ死んでいったのを横目に見ながら、何もしなかった。社会主義者達と共に獄中で死ななかった私が戦争に行くことになったのはいわば当然なのかもしれない。確かに過酷な運命だ。でもそうであっても、その中でどう生きるかの選択は私に残されていた。

砲弾の振動に身体の内部を揺らされるまま、私は這いつくばっていた。頭の中で善意を振りかざし、左翼のインテリのようにアメリカ兵を殺したくないと感じていたのは嘘だった。殺したくないのは本当だったが、動けなかった理由は恐ろしくて仕方なかったからだった。……もうすぐマラリアで死ぬ命だというのに。

その時言葉が聞こえました。外から聞こえたというより、私の内部から、いや、何か外からの要因が、私に作用し、私に言葉を再生させたような感覚だった。「**熱きにもあらず**」その声は確かにそう聞こえてくるようでした。それは敵の神だった。聖書の黙示録。敵の神の言葉。

「**熱きにもあらず、冷やかにもあらず、唯(ただ)ぬるきがゆえに、われ汝(なんじ)をわが口より吐き出さん**」

私はその時、這いながら、砲撃から遠ざかろうとしていた。「**熱きにもあらず**」虫のように這いつくばった私の背中に、鼓膜の震えを待たず振動で音を伝えられ、まるで耳そのもののようになっていた私の背中に、その言葉は聞こえていました。「**唯ぬるきがゆえに**」私というぬるき存在。何もせずこの戦争の中に入れられ、マラリアで死ぬ命を少しでも長く味わいたく、同胞を見殺しに這う命。「**われ汝をわが口より**」砲撃が不意に止んだ時、私は這いつくばったまま茫然としていた。「終わってしまったじゃないか」と思っていたのです。「自分がまだ逃げていないのに、砲撃が終わってしまったじゃないか」。敵が来る、と思いました。「**熱きにもあらず**」敵が来る。今戦闘を終えたばかりの米兵には死傷者がいるはず。捕虜を殺さない先進国であるとはいえ、戦闘直後の日本兵に温情を与える精神的余裕が彼らにあるだろうか？「**熱きにもあらず**」私は這ったまま動きを止めていた。彼ら英米の文学を通し、彼らの神に親しんでいながら、彼らの神に弾かれたというのに。でも米兵はこちらに来なかった。戦争は、私に銃弾も勇気も与えずマラリアだけを与え、私の頭上を通過していきました。私という存在の醜さの証明だけ残して。砲撃は、もう鳴ることはありませんでした。

私は泣いていました。涙が出ていたかどうかわかりませんが、嗚咽で喉が激しく痛かった。残酷だ。不意にそういう考えが浮かびました。生きるとは、何と残酷なのだろう。私が美しく死ななかったのが原因なのですが、なぜ私という存在は、こんな残酷なまでに卑小な自己を見せつけられなければならないのだろうと。

それから雨が降りました。乾季に入っていた熱帯で雨が降るのはまれです。でも確かにあの時期、島々では何度か雨が降った。私は這いつくばったまま気を失ったのですが、短い時間でした。私がうつ伏せに倒れた地面に雨によって水が溜まり、窒息すればいいものを、私は苦しさで目を覚ましました。私の身体は、醜いまでに頑丈にできていた。儚（はかな）く散る美しさもない。醜くも、私は地面にできた水溜りの水を飲むことで、わずかながら体力を回復していた。私は気がつくと立ち上がっていました。

ここにいたくない。ここは、私が同胞を裏切った場所でした。しかしどこへ行っても「私」がついてくる。「私」は私の脳に住み、どこまでもついてくる。嗚咽で喉が痛かった。同胞を見殺しにし、敵の神に弾かれた私には行く場がない。どこにも留まることができない。私はポケットに入れた手榴弾を意識していました。死ななければ。こんな人間の命には価値はない。でもすぐ、ならなぜあの時死ななかったのかと思いが持ち上がる。死ぬべき時に死なず無駄に死ぬ——。一人ではいられない。そう思っていました。しかし周囲には誰もいない。何かを思い出し、想像にすがろうとしました。でも私には、こういう時に思い浮かべる人が誰もいなかった。

母は私が幼い頃死に、私はその姿を思い浮かべることができませんでした。恋人もいなかった。私が思い浮かべたのは、私を追い出すことになった父の妻の姿でした。一度だけ、幼少の頃に想像したことがあったのです。もしも彼女が実際とは違い自分に優しく、母と呼ぶことを許してくれたらと。私は彼女を優しい母として空想したことがあったのです。私がジャングルを這うように歩いていた時に思い出したのは、過去の、その空想だったのです。私は手を伸ばしていました。ウジが湧いていない方の左手を。ウジが湧いている手だったら、その相手に申し訳ないと思ったから。倒れる。そう思いました。今倒れたら、死ぬ——。視界が狭く、どうしようもないほど、狭くなっていきました。胃の辺りから腸へ、何かの合図のように強い痛みが走りました。私は人生の最後に、何かを言わなければならないと思いました。倒れる前に、何か——。何の言葉だろう？　何も言う言葉が見つからない。私には言葉を発する資格すらない。私は泣きながら、何かに手を伸ばしたまま倒れました。が、私の身体は倒れなかった。

不思議なことに、私は何かに背を預けていたのです。前へ前へと歩いていたはずなのに、私の身体はいつの間にか反転し、何かを背に、もたれかかっていました。支えられている？　違う。これは、受け止められているという感覚に近い。これは——。途切れようとする意識が、背中の感触を知ります。それは木でした。フィリピン北西部、ルソン島にはないはずの、日本のクスの木のような太い幹の大木——。木が、私の身体を、受け止めていた。私の死への動きの前に、この木が、立ち塞がっていた。私は大木を背に、ボロボロと泣き出していました。その時は涙が出ているのがはっきりわかった。雨水を飲んだことで出たのかもしれない。このような卑小な自分を、敵の神に弾かれ、自国の神も拒否した自分を、この大木が受け止めている——。何かは、何かに、ふれることができる。そう思っていました。人生の途中で、何かは、必ず、何かにふれることがある。その頃は物理の知識もありませんでしたが、それは、過去から未来へ動いていく原子の流れの中で、私という原子のたゆたいを、大木である原子のたゆたいが受け止めた——。原子同士であるから。我々は、仲間であるのだから。それは、真っ直ぐ伸びていた。南国の太陽の光を受け、雄大に、私の小さな身体を受け止め、圧倒的な存在感としてそこに立っている。高く高くそびえ立っている。光が、頭上の無数の葉から零(こぼ)れ落ちるように——。

米兵に見つかった時、私は川辺の近くで倒れていたそうです。近くには幹の細いマングローブが生い茂っているだけで、大木などなかったそうです。ではあれは、何だったのでしょうか。卑小な私の身体を確かに受け止めたあれは——。私は米軍の捕虜となりました。敗戦後、日本へ帰国することになります。

20

教祖の奇妙な話 Ⅳ 続き

日本へ戻ってから、私は無為の日々を送りました。卑小な私の自己の中に、戦争で死んだ命が入り込んでいた。彼らがいつまでも、私の中で苦しみ続けているように感じていました。私の内面の大半は過去の中に、そして死者の中にありました。怪しげな酒を飲み外にふらふら出ては、無造作に人を選びその後をつけたりしていた。人をつけていると、なぜか寂しさがすぎれました。生きている相手と繋がっている感覚を覚えた。少なくとも私は、つけているというその行為によって、他者との関わりの中にあるように感じた。相手が無為な生活をしていたり、貧しい家に入っていくと気持ちが楽になることすらあった。でも時折、あの大木を思い出しました。あれは何だったのだろう？　倒れていく私の前を塞(せ)き止めているように思えた、実在感に溢れ、高く雄大にそびえていた大木。

十数年後、私はとある宗教に入信することになります。いや、当時はまだ宗教と呼べなかったかもしれない。鈴木、という師に弟子入りしたのです。

師は非常に変わった人物でした。背が高く、もう老年に差しかかっていましたががっちりした体格で、鼻や口や耳は堂々と大きいのに目だけ奇妙に細かった。あらゆる宗教に精通し、自然科学にも詳しかった。我々のグループは、とある県の山間部で共同生活していました。自給自足です。私は自身の戦争体験を師に告白することになります。そのグループには、戦争で精神や肉体に傷を受けた者が多くいた。師は私に、その大木のことを詳しく話させました。師も見たことがあるというのです。

師は病で死の淵を経験したことがあったのですが、病院のベッドで力尽きようとしたその時、何かが自分を受け止めたことがあったのだそうです。ですがそれは大木ではなく、黒く、汚れた布の束のような何かだった。ひらひらと動きながら、しかし師にまといつくようにその身体を受け止めていた。師はそれが何だったのか今でもわからないと仰っていました。黒の布の束？　当然私にもわかりませんでした。……それがわかったのは、随分後のことになります。

　自給自足のサークルを百名ほどで営んでいましたが、師は時々スーツに着替え、メンバーの一部を順番に引き連れ東京へ出かけました。師の所有する土地の運用、さらに株の取引をしていたのです。初めてその出向に付き添った時私は驚きました。まさか師がこんな俗なことを。

　でもその理由はすぐわかることになります。師はそうやって得た金銭で戦後日本に溢れていた浮浪児のための孤児院をつくり、経験のあるメンバーを日本から出向かせ、アフリカや東南アジアで医療事業を行っていたのです。自分達の得るものは自給自足による食物のみ。「でもみんなでついつい、東京で美味いものを食べて来ちゃうんだよね」師はそう言って笑いました。スナックなどでお酒を飲むこともありました。何というか、徹底されない善が私には心地良かった。私は師の下で修行に励みました。

　修行とは、座禅を組むことでした。山岳の森の中で座禅を組み、内面にイメージを抱き続けること。たとえば目の前の草花を見、その草花を座禅しながら目を閉じた己の内面に心象として浮かべ、その心象が実際の現象のように感じられるまで、さらにその草花と自身の境界をなくす領域までゆくこと。そのようになった時、座禅を組み尻をつけている大地と、近隣の木や草花と自身の境界が曖昧になっていく。そのようにして自身は流れているものの一部だと認識すること。その修行は対人間にも行われました。人と人との間で、個としての概念をなくしていくのです。

私は師の助言で町に出、アパートを借り仕事を持ちました。師の元には週末だけ通うようになった。私は実社会の中で修行をする方があっていると師は仰いました。実社会の中で誰かの役に立て。実社会の中で自身の修行をいかせ。自己の存在の境界のなさを町ほどの大きさに広げられた時、君はもう一段高いところまでいけると。私は工場で働きながら、やがて結婚しました。よっちゃんとです。

当時私は、自分は醜いと思っていた。戦争体験が私の全てだった。自分は醜いとして、でもその自分というものを消滅させ、概念として、行為としてだけで生きていけないか。つまり誰かの役に立とうとする概念としてだけの存在。私の内面や過去の醜さはある意味どうでもいいのではないか。私が幸福を望みさえしなければ。そのような私を変えてくれたのが師と、よっちゃんでした。よっちゃんは私の告白を聞き、意味があると言ってくれた。あなたはその経験を、何かに役立てなければならない。どのような醜い過去も悲しい過去も、全て何かの役に立つことがあると。惨めさも後悔も価値があるのだと。種類はどうあれそれは「経験」であるのだから、役に立たないわけがないのだと。

しかし師は、時々ぼんやりすることが多くなった。進んでいく老いのせいかと思いましたが、どうやらそれだけでなかった。

「この世界には、脳によって、つまり無数の素粒子の組み合わせの結合によって、無数の意識が存在している」

ある時、師は私にそう言いました。

「この世界に存在する無数の意識の中で、できるだけ多くの意識が喜びを感じていた方がいい。それは人類愛的な意味だけでなく、化学的にも。宇宙全体の化学反応という意味でも……そうじゃないか？」

私はあの時頷いたと思います。でもなぜか師は困惑した表情を向けました。

「しかしもし、喜びを感じる意識が増えるほど、悲しみを感じる意識が増えるのだとしたら……？　人間全体の、いや、それが素粒子によってできる意識の総体の、化学的な仕組みであり性質だったとしたら？……恐ろしいことじゃないか。そうだろう？　我々の活動は、喜びをこちらからあちらへ移動させただけということになる。ここで救われた人々のために、遥か遠くで悲しみの意識が発生するというように。それが我々の感知できない、この世界で流転する素粒子全体としての性質であったとしたら……。実際、社会ではそうだろう？　金持ちが増えれば貧乏人が増える。そんな単純ではないが概要として捉えればそうなる。社会とは、個々の人間という存在そのものが集団化して表出したものだ。人間は素粒子でできている。ということは、社会とは、素粒子の性質が表面化したものなのではないだろうか？　ならば素粒子の世界でもそうなのではないか。「喜び」が増えるほど「悲しみ」が、それは数学的に厳密でないだろうが、概要として……。この世界の悪が人間に起因するものでなく、素粒子に起因する化学的なものであったならどうだろう？　というか、人間は素粒子でできているのだから、悪の元の元は素粒子ではないだろうか。素粒子はあらゆる悪を発生させる可能性に満ちていた。もっと正確に言えば、素粒子は自らでつくり上げる人間という存在が悪と捉えるものを発生させる可能性に満ちていたことになる。悪は人間が発生させたものじゃなく、この宇宙の誕生の瞬間から、その存在が期待されていたものということになってしまう。……ならば、我々のこの世界とは？　悪とは？」

　六〇年代当時、学生運動が盛んに行なわれていました。日米安全保障条約に反対する、いわゆる安保闘争というのもそうです。つまり反米運動ですね。我々は一切関係せず山奥に暮らしていたはずですが、師の東京での経済活動が当局に察知され、革命グループの容疑者を匿(かくま)っているだの、資金源であるだの、理不尽としか思えない嫌がらせを受けるようになりました。風通しのよかった我々のサークルは次第に閉鎖的になっていきます。私個人としては、戦争が終わり、本来その責任を負うはずだった連中が、アメリカの手によってまた表舞台に上がる現状に腹立たしさを覚えていた。興味のある方は「逆コース」という言葉をキーワードに調べてみてください。戦後、アメリカは日本を再び右傾化させるほど、ソビエトなどの共産圏に脅威を感じていたのです。つまり日本という島国を、共産圏に対する防波堤のように使おうとしただけど、私はどうでもよかった。大きな歴史に抵抗する存在は貴重です。ですが、それらの流れによって犠牲を強いられる弱者を救う存在も貴重ではないか。たとえば、女性との間に子供をつくっておいて、思想だのなんだの言いながら女性や子供を捨てて運動に走った連中もいましたが、そんな彼らに正義はあるだろうか？　私達は、ただその捨てられた子供を拾い上げていくだけです。

師は次第に、犠牲という言葉を使うようになりました。

「世界には犠牲が必要なのかもしれない。流転する歴史の中で、定期的に、犠牲となる存在を世界は欲するのかもしれない。……選ばれてしまう存在というものが、この世界には……。そのことによって、多くの善を発生させることができるのだとしたら」

しかし、私にはその師の言葉が理解できませんでした。言っていることは何となくわかるのですが、その根拠となるものがわからなかった。聖典があるなら別ですが、私達にそのようなものはなかった。……しかし、恐ろしいと思いませんか。あらゆる宗教の聖典は、それが大昔に書かれたということのみによって信用され、それが大昔に書かれたということのみによって変更不能なのです。聖典は仮にそれが神によるものであったとしても、その神は当然当時の世界情勢を見て言葉を発したはずです。そうであるのに……人類はこれからも、過去によって規定され続けていくでしょう。過去と現代の歪みの中に放置され続けていく。これが今の人類の置かれている状況です。でも我々のサークルも、次第に宗教化していった。閉鎖的になれば当然の帰結です。当時は新興宗教が盛んでした。そのような流れの中で、メンバー達が他所(よそ)を羨ましく思うのは当然ですし、また、なぜか師もその流れを積極的に受け入れるようになっていった。

余談ですが、なぜ当時、新興宗教が盛んだったかというと、高度経済成長期だったからです。新興宗教は現世御利益、つまり日常生活での幸福を求めるものが多いですが、高度経済成長期なら、自然と人々の暮らしは楽になっていく。だから宗教の発信側も現世御利益をアナウンスしやすいし、時代の流れで裕福になった人達も、これは宗教のお陰と思ってくれやすい。現在の日本では既存のもの以外、新しい宗教はそれほど生まれていない。慢性的な不景気の中で、この宗教に入れば幸せになれると発信側も言いにくいのです。なので昨今の宗教家達は占い師のような存在に変化し、金銭を多くもつ個人に近づくようになりました。相手が集団であれば明確な現世御利益がいる。でも相手が一人なら何とでも洗脳できる。効率がいいのです。

それから学生運動は次第に過激になっていきました。革命運動、乱というものは、長引けば長引くほど制御不能になり、激しくなっていくのはあらゆる化学反応に似ているように思えます。ある日、私は師に深夜呼び出されることになります。師はもう、今の私ほどにも高齢になっていた。サークル、いや当時はもう明確に宗教グループとなっていたメンバー達が住んでいたペンションの一室に、私は入りました。そこにもう一人男がいた。皆さんの中にも知っている人がいるでしょう。沢渡という男です。若く優秀な医者であるということ以外、私は彼をよく知りませんでした。

「……江戸時代、農民達の風習の中に、こんなものがある」

師は途切れ途切れに言いました。なぜか脅えているかのように。

「雨が降らず、飢饉になると、地蔵を乱暴に扱い酷く汚すのだ。……神への腹いせではない。そうやって神の使いのような存在を汚せば、天がその汚れを洗うため雨を降らせると信じていた。……いわば神の使いに似た存在を、この地上での人質のように使ったのだ。……ここには興味深い民俗学があるが……私も汚れねばならぬ」

師はその頃、鈴木という姓を捨て、イラヤと名乗るようになっていた。週末だけ師と会っていた私は、師が、そしてこのサークルが、急激に変貌していく流れをつかみきっていなかった。見ない振りをしていたのかもしれない。閉鎖していく空間の中で、師とメンバー達がお互いに呼応するように変化していたからその流れは余計速かった。現実を見なければならなくなった時はもう遅かった。

「……私が惨めに汚れれば、きっと神が姿を現す。……犠牲が必要なのだ。わかるだろう？」

私にはわからなかった。師はこの部屋で聞いたことは誰にも言ってはならないと繰り返しました。帰り際、師の部屋の奥のドアから若い女が入ってきた。師に寄り添うように。

「……見ましたか？」

ペンションから出ながら、沢渡が私にそう言いました。彼は師の命でどこかに行っていて、先日戻ってきたばかりでした。私は頷きます。沢渡は続けました。

「もう勃ちもしないのに、あんな女を横においてるんだ。……もうろくにもほどがある。そう思いませんか」

沢渡はそう笑いました。私は眉をひそめ、心にもないことを言います。

「……師に失礼じゃないか。撤回しろよ」

「撤回しますよ。……でも何を企んでるんでしょうね。……ちょっと僕は楽しみですよ」

いくら医者で優秀であるとはいえ、なぜこんな男がメンバーにいるのか。私は不思議に思いましたが尋ねなかった。師はその後も私と沢渡を呼び出し、奇妙な話を繰り返した。やがて本題に入ることになります。

「……ここにリストがある」

師は私達に分厚い封筒を渡しました。

「来週水曜、午前一時。このリストを持ち東京駅へ行け」

私は意味がわかりませんでした。師はもう声質まで変わっていた。濁ったように。

「いいか。絶対に中を見てはならない。……場所は指定されない。駅の外を歩いていろ。向こうがお前達を見つける」

師の言葉は要領を得なかった。でも沢渡は丁寧に頭を下げ、封筒を手に部屋から出る。なぜか重そうなバッグを持っていた。私も後に続くことになります。

「……しばらく身を隠しましょう」

ペンションから十メートルほど離れた時、沢渡が突然言います。

「そうした方がいい。来週まで一緒にいませんか」

私は状況についていけなかった。

「なぜ？……というか、この封筒は一体何だ？　君はなにか知ってるのか？」

私がそう聞くと、沢渡は笑みを浮かべます。

「奥さんも一緒の方がいいかもしれない。ホテルを取ります。従ってください」

あの時、なぜ不可解なまま従ったのか。私は沢渡を信用してませんでしたが、心の奥でそれ以上に師を信用できなくなっていた。私は沢渡という存在に一目置いていました。底知れぬものを、まだ若かった彼の内面に感じていたのです。

私は言われるままよっちゃんを連れ、沢渡の指定したホテルに行きました。彼は私達の部屋に入ると突然紙の束をテーブルに投げました。師から預かった封筒の中身です。

「思った通り。リストですよ、左翼の元学生達の。危険なグループに属している」

「は？……なぜそれを師が？」

私の質問を無視し、沢渡は続けます。

「もっと言いましょうか。師はね、これを取り戻すために、私達を近日中に殺そうとするでしょう」

私は混乱しました。なぜ師が自分で渡したものを、自分で取り戻しにくるのか。でも、皆さんの中には知ってる人もいるかもしれませんが、沢渡の声には「力」があった。不可解であるのになぜか納得させてしまう。意識の奥の、判断を審査するようなところを素通りし、内面の奥に直接届いてしまう声。でも私も、全てを鵜呑みにするわけにいきませんでした。私は何度も質問しましたが、でも沢渡は答えてくれない。私はその来週の水曜日にリストを持っていく行為を拒みました。不可解なことを遂行するわけにいかなかった。私はリストを取り返そうとしましたが、沢渡はリストを渡そうとしない。このままでは、私は何もわからないまま奇妙な出来事に巻き込まれていくことになる。でも、驚いたことに、いつの間にかよっちゃんが沢渡の背後にいたのです。そしてなんと、包丁を沢渡の首に突きつけていた!

「状況を話してください」

よっちゃんは静かに言いました。よっちゃんは小柄で敏捷な女性でした。でも、まさか包丁を持って他人を脅すとは! 皆さん、妻というものを理解した気になってはいけませんよ。でもよっちゃんは私のためにしてくれたのでした。

「今、正太郎のピンチです。……話さないと刺します」

沢渡はでも、動揺した素振りを見せませんでした。当然です。見ている私や、包丁を持っているよっちゃんの方が既に動揺してるのだから。沢渡は一瞬目を細め私を見た後、薄く笑いました。

「グノーシス主義ですよ」

「は？」

「知ってるでしょう？」

沢渡は包丁などそこにないかのように、話し始めました。

「……一九四五年、エジプトでグノーシス主義にも関わる古文書が発見されたのはご存知でしょう。キリスト教から異端とされ、聖書に編纂されなかった禁書。その禁書の一部が見つかったのです。大発見だ。……今、ヨーロッパや米国で、グノーシス主義研究が大変盛んです。師も近頃、そのことばかり考えている」

説明が必要かもしれません。イエス・キリストは紀元前四年頃この地上に誕生し、様々な奇跡を施し、多くの人々を救ったとされています。しかし弟子の一人、ユダに裏切られてしまう。ユダの裏切りによりイエスは当局に捕まり、十字架に磔にされ死んでしまいます。ユダとは、キリスト教では裏切り者の代名詞です。

キリスト教の聖書は、イエスが書いたものではありません。イエスの教えを内面に受けた者達が、イエスの死後、イエスの言動などを記したものです。その中で、当時の教会によって採用されたものが、「聖書」として編纂されました。中には当然、当時の教会に即さないものもあった。そういった文書は「異端」とされ、「禁書」として処分されました。ですがその一部が残っていて、発見された。大騒ぎになるのは当然です。グノーシス主義とは、当時の教会から排除された、キリスト教の「異端」思想の中の一つです。

一九七八年、まだ世の中には知られていませんでしたが、実は「ユダの福音書」なるものも同じくエジプトで発見されています。キリストのことをユダの視点から描いたものです。これが公表されたのは二〇〇〇年代に入ってからですが、もうずっと昔から、キリスト教の異端、グノーシス主義については様々に論じられていたのです。

グノーシス主義は定義が広く全部語れませんが、一部をご紹介します。

疫病や飢えに苦しむ大地の上で、彼らはこの世界を創った神を崇めるのをやめました。このような不完全な世界を創った神が、善良で万能のはずがない。この世界を創った神は神々の中でもレベルが低い低位の神であると彼らは考えた。そうでないとおかしいと考えた。本当の神は別にいる。この世界の生成に関わっていない本当の神をこそ崇めなければならない。よって、聖書にある、この世界を創った神を呪うようになるのです。

このような考え方ですから、裏切り者のユダに対しても、様々な解釈が誕生します。実はイエスとユダは密約を交わしていたというものです。イエスは自身が犠牲になることでキリスト教をより伝説的で強固なものにすることができると思い、ユダに自分を裏切るようにさせたというものです。つまり、ユダだけがイエスの真意を知っていたことになります。

そもそもグノーシス主義から離れたとしても、ユダほど悲劇的な人物はいないでしょう。なぜなら、イエスは「正統な」聖書の中においても、ユダが自分を裏切ると知っていたのだから。

ユダはいわば利用されたことになる。ユダは首を吊って死んだとも、腹が裂けて死んだとも書かれていますが、この腹が裂けて死んだのは、中から悪魔が出てきたからだとしたらどうでしょう。実際「正統な」聖書の中でも、ユダに悪魔（サタン）が入ったという記述があるのです。もし本当にそうであったとしたら、ユダは悪魔に取り憑かれていたことになる。ということは、ユダが自分の意志でイエスを裏切ったのではなく、悪魔にコントロールされていたことになる。これは悲劇です。ユダのせいではないことになる。神は、イエスが十字架にかけられることも、その死によってキリスト教が爆発的に広がることも当然知っていた。ユダはそのための重要なピースだった。裏切り者が必要であり、悪魔をけしかけ、ユダはイエスを愛していたのに、コントロールして裏切り者にさせた。善として広がるキリスト教の最大の功労者であり犠牲者であるのがユダということになる。それなのにユダは最後無残に死にます。神に利用され、虫けらのように殺された命です。

そのようなグノーシス主義的思想に師はかぶれていたと沢渡は言います。沢渡は続けました。

「師は昔、陸軍第三五七師団の幹部だったんだよ」

私は驚くことになります。その師団には、私も所属していた。

「師がそこで何をしたのかはわからない。でも、相当無残なことをしたんじゃないかと私は推測してる」

「でたらめを言うな」

「師の善が、過去の悪の裏返しであると考えるのは不自然ですか？　善人は最初から善人とでも？　あなたはそれほど純朴ですか」

私は黙ることになります。

「師は裁かれるはずだった。A級戦犯とかそんな大きな罪ではなく、もっとしけた罪で。それなのになぜか、師は釈放されたのです。裏でアメリカが動いていたと私は推測しています。いつか何かで利用するために。その時が来たというわけですよ。日本の左翼の学生運動はアメリカにとっては面倒な現象です。別に脅威ではないが、面倒であるのは間違いない。数年前、公安警察が師に接触しました。師が明確におかしくなり始めたのはあれからです。資金源となり、有力な革命グループ達を集めろと師は言われたに違いない。革命家達を集め、把握したところでまとめて渡せと。そうすれば当局も一気に大勢の革命家連中を逮捕することができる。資金源が裏切ったとなれば連中も疑心暗鬼になる。連中は内部から緩やかに崩壊していく」

沢渡は続けます。

「でもあんなヘナチョコな善人が、そんなことできるはずがないでしょう？　だから彼は自分の行動を正当化しようとしているのです。老いが進む彼の脳が、人格を二分化し始めています。私は医者です。わかるのです。今の師はあきらかに多重人格障害の初期の症状を見せている。つまり、学生達を裏切る人格と、それを知らない人格の二つを緩やかにつくり出そうとしている」

「そんな」

「馬鹿なことがあるとでも？　最近の師の静かな崩壊はあなたも見ているでしょう？　中には十数個の人格が発生する症例もあるのです。……彼の意識は、いや、彼の無意識といった方が正確ですが、今、そのグノーシス主義をやろうとしている。いや、正確に言えば、もうそれはグノーシス主義ですらない」

ちなみに、多重人格障害は、今は解離性同一性障害と呼ばれるようになっています。

「師は、イエスとユダのあの出来事には、神は関わっていないと考えている。つまり、イエスの多重人格障害による症状であると！　イエスは自分が裏切られ正義の徒として死に、自身を伝説化させようとする意識と、長く人々のために働こうとする意識の狭間にいたと考えている。イエスは多重人格障害の症状の時に、ユダに自分を裏切れと囁く。しかし十字架の上で我に返り、呆然として、あの有名な『わが神、わが神、どうしてわたしをお見捨てになったのですか』という言葉を叫ぶ。もっと言いましょうか。イエスが聞いていた神の声が、精神の不調による幻聴であったとしたら？　悲劇ですよ。頭の中で幻聴として神の声が聞こえる。人格も分裂していき、自分の運命も幻聴で聞く。ユダに自分を裏切れと言い、十字架へ向かう。でも十字架の上で完全に我に返る。神の声が聞こえない。死を前にしたショックで残酷にも精神の不調が治ってしまう。その時、イエスは十字架の上からユダの顔を見たかもしれない。イエスはユダに自分を裏切れと囁いたことをもう忘れている。その頭にはもう、ユダが自分を裏切ったという漠然とした意識しか存在していない。彼はユダを憎悪に満ちた目で見たでしょう。その目を見たユダの悲しみといったらどうだろう！　師の無意識は、自分も今その歴史的悲劇を繰り返すのだと思い込もうとしている。これは自分という個人の下劣さでなく、歴史的な、神話的な一つの現象であるのだから仕方ない、ということにしようとしている。お気づきでしょう。今師がやろうとしていることと、キリストのケースとでは意味合いが全然違う。かたや正義の徒、かたやただ公安に利用されただけの裏切り者です。でも悲劇的なことに、師は自分のこのことが、キリストの出来事と似ていると思い込もうとしている。全く違うのに！　師は恐らく、自ら進んで人格を崩壊させているのです。だって、あのようなヘナチョコがこの困難をクリアするには狂うしかないのだから！」

「……だから、取り返しに来るというんだな？　一時的に正常に戻った時の師が」

「そうです。だから私達は身を隠したんです。柳本さんのこと、最近見ないでしょう？」

柳本というのは、私達のグループのナンバー2でした。

「彼は恐らく、殺されていますよ。最初にリストを渡されたのは彼です」

私は愕然とします。

「でも、なぜ我々が……」

「わかっていませんね」

沢渡はまた薄く笑いました。

「今、師に不満を持つグループがいることくらい知ってるでしょう？　彼らが頼りにしていたのが、柳本さんと、俺と、あなただからですよ！　我々にはね、いいですか、人を集める何かがある。薄々気づいてるでしょう？」

私がそうだとは思えませんでしたが、少なくとも、柳本さんと沢渡には、そういうところがありました。

「師はそんな我々が邪魔なのです。だから彼の無意識の中には元々私達への殺意があり、リストを渡したあと、後悔の念の中にその殺意が混ざる可能性は高い。もう、師の精神はそれほどまで複雑に崩壊してるのです」

状況を整理するために、私はそれから30分くらい黙っていたでしょうか。もっとかもしれない。目の前のテーブルには、運動家達のリスト、その分厚い束が載っています。よっちゃんもいつの間にか包丁を持った手を下げ、考え込んでいました。

「いや、それだけじゃない」

私は思わず呟いていました。言うつもりなんてなかったのに。

「師は、崩れていく精神を神話の構図の模倣に任せているだけじゃないかもしれない。……奥には明晰な頭脳が小さくあって……、裏切り者は自分ではなく、私達だということにして、逃げる計算があるのかもしれないよ」

沢渡はしばらく私を見ていましたが、やがて小さく笑みを浮かべました。

「やっぱりね。……あなたはそう思いつくほど人間を斜めに見てる。その通りですよ。全てを私達のせいにしてこの危機を乗り切るつもりかもしれない。……自分はあくまでも裏切られた犠牲者であるかのように。キリストは死んだ。でも自分は無傷で済むと」

「君は、本当にこのリストを公安に渡すのか？　なぜだ？　師の物語に乗る義理はないだろ？」

「……愉快だからですよ」

「そんな理由で？　私達がすることは、師を説得し、師の考え方を改めることじゃないのか？」

「それが可能ですか？」

沢渡は続けます。

「いいですか、これを公安に渡して、そいつらが捕まったとして、それが一体何だというのです？　今の学生運動が、本当に世の中を変えるとでも？　無理に決まってる。彼らの一部が自らの革命ごっこに自ら洗脳され、気持ちよくなってしまい、残忍な行為に走り犠牲者が出て終わりですよ。目が覚めた連中は搾取する側のはずの大企業に就職していくでしょう。彼らの運動は結局、後の革命家予備軍達を失望させ、世間には革命家を許さない空気を広げ、保守の連中にとって都合のいい世論をつくり出すものとして終わるのです。今なら、彼らはむしろ逮捕された方が充実した人生を歩むんじゃないですか？　リストの彼らは過激な思想をもってますが、まだ大して大きなことはしてませんから。見せしめで逮捕され、すぐ釈放されますよ。それで家庭を持ち、貧しい国から搾取する大国の一員であるのに、あの頃は暴れたと、今の若者は情けないなどと語り始める馬鹿の一人になる。彼らにとってはその方がいいでしょう？」

沢渡は笑いました。だけど私は納得できなかった。私には戦争の記憶があった。もう一度日本を右傾化させるわけにいかない。戦争させるわけにいかない。彼らの運動がその足止めに少しでもなるのならという思いを拭えなかった。でも同時に、彼らの一部がいずれ過激派となって自滅し、一方彼らの大多数が普通の生活に戻るだろうことは、私にも予想できていました。

「……でも、私は嫌だ」

それなのに、私はそう言いました。裏切ることも、巻き込まれるのも嫌だった。その時、沢渡が「**熱きにもあらず**」と言いました。

「知ってるでしょう？　黙示録のあれですよあなたは」

「……なぜ？」

「は？」

「いや……何でもない」

沢渡は偶然言ったようでした。いや、偶然というより、私という存在が、あまりにもその通りだったのでしょう。何にも関わらず、大きなことをしようとしない。

私は結局、沢渡を止めることも、協力することもしませんでした。師が、そして周囲が崩落していく中、ただホテルの一室にいた。一部の運動家達が一斉に逮捕されたことを、私はよっちゃんと二人でテレビで観ることになります。まるで部外者のように。

師が革命家グループと関わっていたこと、さらにそれを裏切ったことは、またたく間に噂として広がりました。師は当局から罰せられることはなかった。密約があったのでしょう。キリストは十字架にかけられたというのに。

サークルが崩壊していくのを食い止めようとしたのでしょう。師は信者達を集めました。久しぶりの説法だった。私も沢渡もその場にいます。師はその中で、自分が「崇高な理想」を達成するために革命家達を支援していたことを告げ、そしてそれを、この中にいる信者によって暴かれ、裏切られたと叫びました。師が私達を指差しました。憎悪に満ちた表情で。その表情は、明らかに、私達にした指令を忘れていた。その時の師は本気で、私達を憎悪していたのです。

椅子から立ち上がる信者達。怒号と悲鳴の中、私と沢渡に多くの信者達の手が伸びる。その時、会場に突然大きな声が響いた。まるで神の声とでもいうかのように。

「……ここにリストがある」

会場が、徐々に静かになります。

「来週水曜、午前一時。このリストを持ち東京駅へ行け…………いいか。絶対に中を見ては……」

師の声だった。全員が驚きで声も出なくなっていた。会場のスピーカーからその声は流れていた。沢渡が録音していたのです。今のような小型のレコーダーではありません。彼が大きなバッグを持ち歩いていた理由が、その時わかりました。会場のスピーカーを使うチープで単純な演出。でもああいう時は、そのようなわかりやすい仕掛けが一番効くのでしょう。

「沢渡さんは」

突然長身の男が叫びます。沢渡が用意していた男でした。

「師に忠実に行為を果たしただけです。皆も気づいているでしょう? 師はもう、狂っている」

師は取り乱しました。身体の細い老人が、まるで万引きを発見され無我夢中で抵抗するように、でも絶望のあまりその場からほとんど動くことができないように、手を何度か奇妙に動かした後、茫然と固まりました。硬直したように、師はやがて身体を少しも動かすことができなくなっていた。……皆も茫然と師を見ていた。あの時間は……、本当に長いものでした。

……その後、サークルは分裂していきます。沢渡についていこうとする者、サークルから出る者。私は、師の行っていた孤児達の支援を引き継いだ。沢渡に言われたことがあります。**あなたはこうなることを期待していたのでしょう**と。

その後、一度だけ師に会ったことがあります。師は老人が多く収容されているサナトリウムに入っていた。師は私を見ても、もうそれを私と認識していなかった。全てを忘れていた。左手に、おもちゃの風車を持っていた。子供のように。

ただ私は、何かのけじめをつけるために、なぜ裏切り者に私と沢渡を選んだのかと聞きました。師はずっとぼんやりしていましたが、突然低い声で言いました。さっきまでは、何も明瞭な言葉を発していなかったのに。

「だってお前は、戦争で同胞を見殺しにしたような奴じゃないか」

師はそう言い終え、握っていた風車に視線を移しました。それがくるくる回るのが、不思議でたまらないとでもいうかのように。

昔、病床の師を受け止めた、黒く汚い、布のような束のことを思い出しました。それは、師にこのような自分自身をわざわざ体験させるために、師の命を一度救ったのでしょうか。お前にはまだ、やるべきことがあると。その布にもし人格があるのだとしたら、その布は師にこういうメッセージを伝えたのでしょうか。私の代わりに、お前にはこういうことをやってもらいたいのだと。だからまだ生きていろと。

でも……、何のために？

……その後、沢渡は何度か私に会いにきた。彼は狂信的で危険なメンバー達を連れ、そこから金を吸い上げた後、そのメンバー達も解散させていた。彼は私についてきた者達を、細々と慈善活動を営む我々を見ながら、私にこう囁きました。

「あなたは私という存在を使って、このサークルを元のように健全化しようとしたのですよ。

あなたの無意識が。……つまり、黙って見ていることによって。あなたには私のような存在が必要だった。……そうでしょう？」

やがて私は、そのサークルを人に任せて去り、………父が、密かに私に残していた………。

松尾が倒れる。あまりにも突然に。

21

一人にしないで欲しい。

峰野は高原のうなじを見ながら、肩や背中が冷えてくるのを感じている。

寂しい、と峰野は思う。終わるとすぐ、高原君は眠ってしまった。セックスの後は、ちゃんと抱いていて欲しいのに。すごく怖くなるから。一人で置き去りにされたように感じるから。とても孤独になるから。

背中や足に鳥肌を感じている。でも布団を引けば、高原君が起きてしまうかもしれない。自分が動けば、ベッドマットのスプリングが揺れ、やはり高原君が起きてしまうかもしれない。

峰野は高原を見ながら、寒さを感じ続けている。孤独だと思う。

先々週、生理がきていた。妊娠したはずなのに。妊娠したに決まっていたのに。まだ上手く気持ちの整理ができなかった。誰かが、私から取ったのかもしれない。誰かが、私のお腹から赤ちゃんを……。

寒さに身体が震える。こんなに側にいるのに。揺り起こして、もう一度抱いて欲しいと思う。自分のことを、夢中に求めて欲しいと思う。行為の最中、高原君は三度も避妊具のズレを確認していた。彼は臆病に私を抱く。ずっとそうだった。だから、私が妊娠するはずが——。

性器が濡れてくる。さっきあんなにしたから。さっきあんなにしたことを、性器がまだ覚えているから。だらしない、と思う。もっとして欲しいと思ってしまう。さっき、あんなにしてもらったのに。

頭がぼんやりしてくる。ベッド脇に置いた携帯電話に視線を送る。また録音してしまった。スマートフォンの録音アプリ。私の声、高原君の声、ベッドが揺れる音、いじわるするみたいに、高原君がわざと囁いてくるエッチな言葉、高原君が私に入れている時の、みっともないほど濡れた私の性器が立ててしまう、くちゃくちゃとした音……。性器がまた濡れてくる。目を閉じてこの音を聞けば、高原君がすぐ側にいると感じられる。抱かれている自分に嫉妬しながら、私は家で、自分を慰める。

早く録音をＯＦＦにしなきゃいけない。こんな孤独な時間の記録はいらない。彼を起こしてしまってもいいと思い、峰野は起き上がり下着を身につける。

服を着始めると、なぜか急ぎたくなった。まるでさっきまでの行為が、後ろめたいものであったみたいに。

普段ははかない短いスカート。片方の肩が見えてしまう服。松尾さんの対話会、その最中だというのに。

高原が目を覚ます。機嫌が悪くならなければいい、と峰野は思う。機嫌が悪いのを隠して向けられる、あの笑みを見せられたくなかった。

「……ごめんね、寝ちゃったよ」

「ううん」

峰野は笑顔をつくる。

「急に呼び出したのは俺なのに」

「ううん。……私も」

「……何？」

高原が笑みを向ける。峰野は照れた表情をつくる。

「私も……、したかったから」

峰野はそう言い、寝たままの高原にキスをする。重い女と思われたくない。そう思われたら、高原君は私に会ってくれない。高原の腕が峰野をつかまえる。峰野は笑いながら、胸に顔をうずめる高原の頭を撫でる。高原の腕がスカートの中に入り、下着をずらそうとする。

「……このまま？」

「んん」

服を着たままなんて嫌だ。ちゃんと丁寧に脱がせて欲しい。でも、峰野は受け入れようとする。気軽に会える大人の女と思われたい。何て馬鹿なんだろう。高原の舌が峰野の口の中に入る。でも、私はこの男が好きでたまらない。殺したいくらい、好きでたまらない。高原の右手が避妊具を探している。峰野はそれを腕で軽く押さえる。

「……そのままでいいよ。今日は大丈夫だから」

自分の声は気軽に響いただろうか。大丈夫な日じゃない。今朝、トイレで検査をした。ラインが濃く出ていた。排卵日の直前。

「ん……」

耳元で声を出す。

「……私の中に出すと、……気持ちいいよ」

高原は笑みを浮かべたまま、でもまた避妊具に手を伸ばす。安全な快楽ばかり求める男。

「臆病者」と耳元で囁こうか。身体が熱くなる。この男は、どういう反応をするだろう。

不意に高原が動きを止め、時計を凝視する。峰野はキスをするが、高原は何かのショックを受けたように動きを止めている。

「……どうしたの？」

「……寝過ぎた」

高原はなおも時計を見ている。

「電話しないと。……教祖に」

「え？　じゃあ、早くしなきゃ」

峰野は思ってもいないことを言い、身体を離す。高原の様子を見ながら、嘘だと思う。沢渡に電話するんじゃない。きっとリナ……いや、立花涼子にだ。

「悪いけど、ちょっと外してくれないか。……教祖との会話は、外部に聞かれたら駄目なんだ。そういう決まりが。……いや、俺が部屋から出れば」

「いいよ。服着てるの私だし」

峰野は言いながらドアの外へ出ようとする。ベッド脇の携帯電話を見る。まだ録音を切ってない。彼と立花涼子の会話なんて後で聞きたくない。いや、そうだろうか。私はそれを聞きたいんじゃないだろうか。嫉妬に狂うとわかってるのに、私はきっと聞かずにいられない。

部屋から出る。こんな卑猥なホテルで、一人で女が廊下にいるなんて。


午後4時に電話すると伝えたのに、もう5分過ぎてる。大丈夫だろうか。高原は思い続ける。《彼ら》は時間に厳しい。

コール音を聞く。出ない。遅れたからだ。まずいことになった。彼らの信用を失えば、もう自分に未来はない。短い未来さえも。

――遅い。

男の声だ。頭痛がする。

「……申し訳ない。一人になるのに時間が」

――言い訳はいい。お前の尾行者は。

男の声は低く、掠れて聞こえる。高原は口を開く。緊張を隠しながら。

「……わからないが、あなた達の思い過ごしだ。私達に裏切り者はいない。気づいた者もいない。教祖だって気づいてない」

相手が息を短く吐くのがわかった。どこにいるのだろう。男の声の背後から、雑踏の音がする。なぜだかわからないが、高原はそれを懐かしく感じていた。また頭痛がする。峰野とセックスをしている時にも感じていた、絞められるような痛み。

――物事は細心の注意を要する。わかってるだろうが、しくじればお前は――。

「わかってる。……PPSh……機関銃は手に入れた。十五丁ある。そちらの準備が整い次第、自分達は動ける」

――早いな。問題は。

「ない。取引は完璧に行われた。私の部下達が完璧に。……爆薬の手配もしてある。八台のトレーラー、そのトレーラーの中身全てが火薬。つまりそれ自体が爆薬となっている……後は私達が動くだけだ」

——見事だと言っておく。

「……当然だ」

高原の声に力が入る。短く息を吸う。

「私達は破滅もいとわない」


ドアが中からノックされ、峰野はまた部屋に入る。思ったより短かった。何の会話だったのだろう。立花涼子につまらない愛の言葉でも囁いたのだろうか？　録音したのを後で聞かないと。もしそうだったら、私の喘ぐ声を彼女に聞かせてやろう。私の中で喜んでいる、彼の気持ちよさそうな声も。

「……ごめんね。こんなとこで部屋の外に」

「いいの。……本当に教祖なの？」

「え？」

高原の声が上ずる。峰野は高原をじっと見る。やっぱり、立花涼子だったんだ。

「立花さんだったりして」

峰野は冗談ぽく言ったつもりだったが、微かに声が震えた。気づかれただろうか？　私の動揺が。

「……どうして涼子だと？」

「え？　ああ、聞いたの、よっちゃんさんから。あなたの付き合ってる人が、実は彼女だって」

「でも、なぜ名前まで？」

そうか、と峰野は思う。彼女は偽名で自分達に近づいた。私達が彼女の本名を知ってるのはおかしい。楢崎君のことは彼らも知らないはず。

「……知らない。よっちゃんさんが知ってただけで」

「……彼女とは終わったんだよ」

「嘘」

峰野は笑顔をつくる。精一杯自然に。でも、精一杯やることで、既にもう自然ではない。

「……まあ、どっちでもいいだろ？　君にとっては。からかうなら別の日にしてくれ。……今日は頭が」

「ごめんなさい」

「ん？　ああ、ごめん。そういうことじゃなくて、……そうだ。これからしばらく、連絡が取れなくなる」

思わず峰野は高原の顔を正面に見る。鼓動が速くなっている。

「……教団の方針でね、幹部達の修行期間なんだ。全ての番号を着信拒否にしないと」

なら携帯電話の電源を切ればいい。なぜわざわざ着信拒否に？　本当は、携帯の電源を切るわけにいかないから。立花涼子からかかってくるから。本当は、私だけを着信拒否にするから。彼女と旅行に行くのだから。

「教祖からの連絡は取らなきゃいけない。だから電源は切らず、でもその他の連絡を絶たないとね」

　嘘ばかりだ。嘘ばかり。峰野は身体が熱くなる。

「だからまあ……、お前も彼氏と会えよその間」

「うん……仕方ないか」

　峰野は笑う。顔は引きつってるが気にする余裕がない。彼氏なんていない。私にはあなたしかいない。でも、そう言わないと、あなたは会ってくれない。あなたは本当に臆病で冷たくて間違ったまま奇妙に優しいから。ちゃんとパートナーのいる女じゃないと、こう扱うのが申し訳ないとか、馬鹿なことを考える人だから。子供、と不意に思う。子供をつくってしまえば。そうだ、子供を。

「……ねえ、さっきの続きを」

　峰野が高原に手を伸ばす。でも高原はその手をつかまない。その手をつかみ、ベッドに倒すことをしない。

「……ごめん、もう出ないと」

「え？」

峰野は立ち尽くす。

「ん？」

「ううん、そう、……もう、しょうがない。この埋め合わせはして」

峰野は言い、携帯電話をバッグにしまう。録音したこれを家で聞き、私は嫉妬に震えるのだ。

不意にバッグの中で音が鳴り、峰野は驚く。電話の着信。相手は吉田。

「ごめんなさい、ちょっと電話が……」

通話ボタンを押す。吉田の言葉が頭に入らない。いや、入ってくるのに、多すぎて、判断ができない。病院。松尾さん。彼は何を言ってるのだろう。彼は……。目の前が暗くなる。気がつくと誰かにつかまれている。高原君だ。高原君に身体を支えられている。

「行かなきゃ」

峰野は言う。泣いている自分に気づく。

「行かないと。松尾さんが死んじゃう」

22

松尾が倒れた瞬間、楢崎は駆け出していた。

吉田が呼んだ救急車が到着するまで、グループの古株達に混ざって松尾を見守っていた。客達も立ち上がりざわついていたが、救急車が到着するとすぐ道をあけ、混乱もなく松尾は病院へ運ばれた。

集中治療室に入り、命は取り留めたが重体だった。初めに診た医師の話では、この身体の状態で今生きていること自体が不思議であり、これから意識が戻ることもあるかもしれないが、あと数日ももつことはないということだった。

妻の芳子でさえ面会はできなかった。芳子は自分が冷静であるのに驚いていたが、考えてみれば、ずっと覚悟していたことだった。自分も正太郎も、もう長く生き過ぎている。松尾の年齢を考えれば、大往生といってよかった。

芳子の脳裏に、松尾正太郎との出会いが浮かぶ。戦争で親を亡くし、戦後の混乱の中で親類の元から追い出された芳子は、身体を売って生計を立てていた。今でもそうだが、当時もそうやって生きる女達は珍しくなかった。料亭でもあり、売春宿でもある大きな屋敷だった。

小さな身体であるのに、もう随分と屋敷の着物と派手な化粧が馴染んでいた。当時の芳子は元々セックスが好きでなかったから、この仕事ができているのだと考えることもあった。あの頃、私は何を考えて生きていただろう、と芳子は思う。もうほとんどぼんやりとしか思い出せない。でもそれは、松尾のおかげだった。

戦地から戻り奇妙な宗教に入っている、近くの工場に勤める男。客として来た松尾を見た瞬間に、芳子は鼓動が速くなっていた。松尾は芳子をぼんやり見るだけで、自分のことをボソボソ話した後は何も言わず、芳子を抱くこともせず帰った。その夜、芳子はまだ人生というものが、自分を動揺させるものであることを知った。芳子は松尾を憎んだ。余計なことをしに来た男だと。内面が揺さ振られてしまえば、もう明日からの毎日に耐えられない。松尾の服に染み付いていた工場の油の匂いが、狭い部屋の中に微かに残っていた。

だから翌日に松尾がまた来た時は驚いた。しかも突然、「あなたに惚れました」と言うのだった。

「僕と、結婚を前提にお付き合いしてください」

この男は何を言ってるのだろう？　私は騙されてるのだろうか？　しかし目の前の男は緊張しているようだったのだ。まるで、どこかの上流の娘に告白でもするかのように。松尾はずっと頭をかいていた。汗すらかいている。

「……あの、私は、こういうお店の女です」

そう言うと目の前の男は不思議そうに自分を見るのだった。

「……それで、何がですか？」

「……え？」

「他に、好きな人が……？」

話が嚙み合っていなかった。芳子はもう一度言うしかなかった。

「ですから、私はこういうお店の女です」

「……えーっと？」

「ですから、気にならないのですか」

「……気になる？　ああ、そうか、言い忘れてました。僕とお付き合いすることになったら、この店は辞めてください。僕が養います」

まだ話は嚙み合っていない。狭い部屋が静かになる。簡素な布団と、酒を飲むためのちゃぶ台だけがある畳の部屋。隣からは、どこかの役人と騒ぐ酔った女の声が聞こえた。鼓動が速くて、苦しくて仕方なかった。

「いえ、その、私はこういう女です。私の過去も……」

「……過去？　えーっと、関係ないのです」

松尾が芳子を見て言う。

「あなたが、どんな生活をしていても、過去に、何があっても、関係ないのです。……あなたが最後に選んだのが、僕だったら」

芳子は茫然と松尾を見た。

「つらい記憶が、あったとして……。でも、記憶は、他の記憶が増えれば、薄れていくので。僕との思い出を増やして、あなたのつらい記憶を消してしまえばいい」

松尾は言葉を続ける。

「身体は、入れ替わっていきますので。……細胞って、常に新しくなっていきますので。記憶は実体がないから、あなたも変わることができる」

その後芳子に子供ができにくいとわかった時も、松尾に落胆する素振りはなかった。「僕は、あなたと結婚したんだから」松尾はそう言ったのだった。「あなたが好きなんだから。子供なんていりません」

様々に思い出しながら、芳子は泣いていた。なんていい人生だったのだろう。涙が出て止まらなかった。松尾の言った言葉は正しかった。年齢を重ねれば重ねるほど、松尾と出会う前の記憶は薄れていく。松尾との思い出ばかりが増えてくる。

その後の何十年、大喧嘩をして家出したり、死んでしまえと思ったり、仲直りをしたりしながら共に暮らしてきた。この長い長い年月。何物にも代えられない。また涙が出る。なんていい人生だったのだろう。この年になると、大喧嘩の思い出さえ微笑ましい。

芳子は気がつくと、自分と同じように病院の椅子に座っている古株のメンバー達に、自分と松尾との出会いを話していた。私が昔遊郭にいたことを知らないのは、この中では楢崎君ぐらいだろうか。でも、このグループに興味を持って来たくらいだから、さすがに彼に、少しも驚いた様子はない。

「男子諸君」

芳子は笑顔で言った。

「女の我がままかもしれないけど、……男はそうあるべきなんじゃないかな。できれば、本当にできればでいいけれど……、正太郎みたいに」

駆けて来る足音で、芳子はそれが峰野であるとわかった。峰野は芳子を見た瞬間、薄暗い病院の廊下で、皆が見てる前で泣き崩れた。身体に男の気配が残っている。どうして、と芳子は思う。どうしてこの子は、こんなにも自分を責めなければならない状況に、いつもいてしまうのだろう。

芳子は峰野に何度も頷き、抱きしめる。温もり、と思う。この子はまだ三十ちょっとだ。本当の人生がまだ始まったばかりだ。この子はいい匂いがする、と芳子は思った。峰野を慰めるつもりが、その温もりに救われている自分を意識した。私はこの子を守ろうとすることで、逆に救われているのかもしれない。

「……皆ももう帰りなさい」

芳子は言ったが、古株のメンバー達は帰ろうとしない。本当は松尾の元に集まってきている全ての人間が、この病院に来ようとしていた。でもそれを何とか止めたのだ。

「……家に残ってるみんなも心配するでしょう？……楢崎君」

芳子は微笑む。

「このままじゃ峰ちゃん倒れちゃうから、楢崎君連れて帰って。……待ってるみんなには、正直に伝えて。もう松尾は長くないって」

楢崎が涙ぐんでいる。芳子はつられてまた泣きそうになる。この子も、と芳子は楢崎を目ながら思う。この子も問題を抱えている。

「楢崎君」

上手く歩けない峰野を連れて行こうとしていた楢崎を、芳子が呼び止める。近づき、小声で言う。

「もし私に何かあったら、……この子をお願い」

23

——つまり、失敗を。

あまりにも静かな部屋だった。自分の唾を飲み込むことさえ慎重になるほどに。髪の長い男は、教祖の前で直立している。暗がりの中、足の痛みを感じている。教祖様はこちらを見てくれない、と髪の長い男は思っている。教祖様はベッドで仰向けのまま動かない。何を見ているのだろう。何も見ていないのかもしれない。

「……倒れてしまいましたので、……私どもといたしましては」

それ以上言葉を続けることができない。言い訳になってしまうからだ。教祖様が望んでいるのは、成功した事実だけだ。理由や過程などに、興味は持ってもらえない。

松尾正太郎を連れてくる。それが使命だった。待ち合わせ場所と、教祖様の名を書いた小さなメモを渡しさえすれば、松尾正太郎は一人で来るという判断だった。そこから車に乗せ、連れてこればよかった。プランは間違ってないはずだった。髪の長い男も松尾をよく知っていた。以前は師と仰いでいたから。でも倒れた。何の前触れもなく。あれでは連れてきようがない。

――死ぬのか？

「……え？」

――死ぬのかあの男は。

慎重に唾を飲む。

「先ほど楢崎と連絡を取りました。……わからないと」

――んん。なら死ぬんだろう。

楢崎は松尾に心が傾いている、と髪の長い男は思う。いや、ここにいる間、ずっとあいつの内面には松尾がいたはず。教祖様がすぐ側にいたというのに。こちらからの電話を取った時、楢崎は明らかに不快そうだった。

「教祖様」

返事がない。でも髪の長い男は身体に力を入れる。秘密の話がしたい。教祖様と自分だけの隠し事を。一つでも。

「……松尾正太郎をここに連れてきて、……何を」

途中で声が震える。急に部屋が冷える。髪の長い男は発作的にひざまずく。

「……申し訳ございません！　申し訳ございません！」

身体が震えてくる。恐ろしい。恐ろしくて仕方ない。ここを出されたら自分はどこにも行く場所がない。教祖様に見捨てられればこんな卑小な自分は生きていても価値はない。駄目だ絶対に駄目だ。もう外界に戻りたくない。誰からも認められず俺の良さや可能性に誰も気づかない外界などクズばかりだ。あのクズ達に囲まれて生きるなんてもう耐えられない。

なぜだ、なぜさっきあんな出しゃばった真似を？　そうだ。松尾から、昔の教祖様の話を聞いたからだ。昔の、今とは別人のように若々しい教祖様の話を聞いたからだ。お姿が目に浮かぶ。若々しいお姿が。……ん？　でも何だろうこの感覚は。何だろう。ひざまずいたままなら言えるんじゃないか？　何を？　何を言うつもりだ？

「教祖様」

俺は何を言うんだろう？

「一体教祖様は、……何をしたのですか？」

息が止まる。でも言葉は頭の中で溢れてくる。松尾と別れてからその後、あなたはどこで、何をしたのですか？　どこで何をしたら、今のあなたのようになるのですか？　いえ、もっとはっきり言わなければなりません。何をしたら、そんな風になってしまえるのですか？

視界が狭くなっていく。俺は何をしてるのだろう？　俺は何を？　抵抗しているのか？　服従する虫が、ビクビクしながら舌を出そうと？　いじけた笑みの中で舌を？　教祖様の怒りを受けたら死んでしまう。混乱している。どうすればいいだろう、どうすれば。

「申し訳ございません！　申し訳……」

額を床にこすりつける。沈黙はやめてください。沈黙は。額で床を押す。床は固い。でも額で押すしかない。

――大丈夫だ。

優しい声。目から涙が溢れる。

――いつか教えよう。お前だけに。……お前は特別な弟子だから。

涙が流れる。涙が。

「……ありがとうございます。ああ、私は」

――んん。もう下がれ。

扉をゆっくり開け、部屋を出る。さっきまでの混乱は、松尾のせいに違いない。あの男があんな話をするから、おかしくなってしまったんだ。鉄の意志。これが必要だ。どんな意見も聞くことのない鉄の意志。それが固ければ固いほど美しい。教祖様は、以前にそう言ったことがあった。俺は自分を教祖様に捧げた。自分の苦しみも悲しみも迷いも全て。だから、もう自分は何も考えなくていい、いい、いい、いい、い、い、い、い、い。何も悩まなくていい。自分のことは全て教祖様が考え、全て教祖様が決めてくれるから。教祖様が自分を導いてくれるから。ただ教祖様の命令を、日々遂行していけばいい。何と美しい日々だろう。何と――。

近づいてくる人影がある。こんな時間に。髪の長い男は微かに驚く。

「……リナさん?」

髪の長い男の目の前に、リナが立っている。しかし彼は、それが偽名とは知らない。立花涼子が本名とは知らない。

「今までどこへ……? ああ、そうだ、私は」

男は右手を自身の胸に当てる。

「もしかしたら、私、幹部になれるかもしれません。幹部に! あなたや杉本さん、高原さんや前田さんのように、あのコインを所有する幹部に……」

「そう。教祖……様はいらっしゃる? 会わなければいけないの」

「え? ああ、はい。いらっしゃいます」

立花涼子の表情がどうなってるか、男は暗くてよく見えない。だが、彼女の声は震えている。

「……至急、伝えなければならないことが」

24

松尾は目を覚ますと、病室を移すように芳子に言った。

このような器具に繋がれていたくない。家で死にたいと。松尾の口元に耳を近づけて芳子は聞いたが、松尾の意識が戻ったとしたら、そう言うとはわかっていた。

聞いた医師もその通りにした。この医師と松尾は以前から付き合いが長く、松尾の最後についてもよくよく話し合っていた。松尾の意識が戻ったと聞きメンバーの古株達は病院に集まろうとしたが、明日には帰るからと芳子が止めた。古株達だけでなく、他の大勢のメンバーが駆けつけ、病院が混雑するのは目に見えていた。

芳子は退院の準備を始めたが、松尾はどこかをぼんやり眺めながら、やはり今日だけはここに残ると突然言った。かぼそかったが、部屋のドアの前にいた芳子にもその声は確かに聞こえた。「どうして?」芳子は聞いたが、松尾は「色んなことがわかるようになってきた」と不可解なことを言った。その上で、今日は一人でこの部屋に泊まるとまで言うのだった。

通常なら、妻として許すはずがなかった。いつ死ぬかわからない夫を、病室に置いていくなど。でも芳子は頷いていた。松尾には松尾の考えがある。

「でもね、……よっちゃん。……約束する」

松尾は時間をかけ、そう言った。

「今日は、死なない。……わかるんだよ。心配ない」


その夜、雨が降り始める。

雨音に混ざり微かに音が聞こえる。様子をうかがうような、慎重な足音だった。松尾はベッドの上でその音を聞いていたが、その足音が病院の玄関を通過したあたりから、ずっと感じていたような気がしていた。

足音の男も、なぜか自分の足音をずっと松尾が聞いていると思っていた。自分の立てる音の一つ一つが察知されている。動いているのは、近づいているのは自分であるはずなのに、まるで支配されているかのように。

松尾の病室のドアの前で足音が止まる。松尾は目を開けたまま待っていた。ドアが開く。高原が立っている。

高原は松尾が起きているのを見、一瞬身体を固くした。やはりこの老人は自分を待っていた。鼓動が速くなる。

暗く狭い部屋だった。ベッドの上で、松尾は布団をかけられたままやや身体を起こし、背後の壁に頭をつけ、もたれるようにしていた。この部屋は酷く冷えている、と高原は思う。もうこの老人は、温度を感じないのだろうか。

「……もうすぐ死ぬそうですね」

高原は持っていた粗末な花束を、乱暴に窓の脇の棚に置いた。カーテンから、夜でも消えない街の光が漏れている。

「これで僕達を弾劾することもできなくなった。……詐欺で金を取られて警察にも言わないなんて、お人好し過ぎますね。もうセクハラも言えませんよ」

高原は花束をじっと見る。

「あなたの講義はね、でもなかなか良かったですよ。退屈に感じる人間の方が多そうだけど、少なくとも僕はね」

高原は身体が緊張していく。松尾が口を開く。

「……なぜ泣いてる?」

高原は指で頬を払う。ドアの前に来た時からだ。

「……さあね、僕にも人間の血が通ってるのかもしれませんよ」

壁の向こうから、振動する何かのモーター音が聞こえてくる。

「……悪夢はまだ見るか」

高原は松尾を見ることができない。

「余計なお世話ですよ。余計な」

「多分、だけども」

松尾が言う。高原はまた身体が固くなっていく。この老人は、なぜ死にかけてるのにこんなに声が出るのだ？

「……君の今抱えてる問題は、……実体がない」

不意に頭痛を感じる。眩暈までも。吐きそうになり、その場に屈もうとする。

「……あなたに何がわかる」

「さあ。……私が今、動くことができたら」

「……どうするのです？　殺しますか？」

「……肩を揺さ振ってやるんだが。どこかに、君と二人で籠もって、……ずっと肩を揺さ振ってやるんだが」

高原は松尾をようやく見る。身体が微かに震えてくる。こんな死にかけた老人に、なぜ気後れするのだろう。沢渡より威圧感を受ける。この世代は、と高原は思い続ける。この世代はすさまじい。潜り抜けてきた時代が違う。

「……もう遅いんです」

軽く床が揺れる。小さな地震だった。でも高原も、松尾もその揺れを気にする素振りがない。

松尾が口を開く。

「色々なことが、わかるように、なってきた気がするんだよ。……ぼんやりとだけども、……線が」

「……線？」

「細かな、無数の線が延びている。……複雑に、絡まりあって。……世界を動かす権力者の線も、家から出ようとしない人間の線も、……驚くべきことに、等しい」

高原は立ったまま動かない。

「線が絡まり、無数の出来事を発生させ続ける。……物語だ。物語は重複し続けていく。……何が起こるのか、そこまではわからないが、……これから、大きな悲劇がある。……そしてね、その大きな悲劇を、今の私には止められないことも、わかってしまったんだ。……君達にも、止められないかもしれないことも。君達の意識……、君達は、その渦中にいる登場人物達であるのに、同時に観客として、ただその現象を見せられていく。……今、粒子達が騒いでいるんだ。騒ぎ続けている。……でも」

松尾が真っ直ぐ高原を見る。

「私は頼むしかない。……一つ一つ、身近なところから」

「……聞くかどうかわかりませんがね」

松尾が小さく息を吸う。呼吸を整えるように。

「……まず、峰ちゃんを、返してやってくれ」

「……は？」

「峰ちゃんを、峰ちゃんに返してやってくれ」

高原は松尾を凝視する。口元に笑みを浮かべようとした。

「彼女は、好きで僕に。……それにそんな深刻な女性じゃない。……彼女にはちゃんと、別に男が」

「嘘であることくらい、わかってるだろう」

松尾は息を吐く。

「嘘であるとわかっていて、君は、峰ちゃんと共にいる。……もう離してやってくれ。そして」

松尾は続ける。

「立花涼子ちゃんを、幸福に」

「彼女とは」

「君が破滅するから、彼女を巻き込みたくない。……どうせそんなことを思ってるんだろう。……君達は兄妹で他人だから」

高原の父親と立花の母親が再婚という形で結婚し、共に住むようになった。戸籍上は兄妹だが、血の繋がりはない。高原と立花は十三歳からセックスをしていた。狭い部屋の中で、誰にも気づかれることなく。互いの親が離婚してからも、関係は続いた。

「涼子ちゃんに別れようと言っても、聞かないし信じない。だから峰ちゃんと付き合う自分を見せて、涼子ちゃんから離れていくようにした。……何と単純な手だろう。峰ちゃんが本気であるのも知らない振りをしながら。……君は愚かだ。男の愚かさの全てを集めたくらいの」

松尾の声が、急に低くなっていく。

「でも、……君が、そうしたとしても、仮に、何かの誤差が、発生したとしても、……それは細部を変えるかもしれないが、大きな流れは、結局それらも飲み込んで動く。……だから、私達は無力かもしれない。これから起こる、大きな悲劇を前に。……しかし、これだけは、覚えておいてくれ」

松尾がじっと高原の目を見てくる。高原は不意に恐怖に囚われる。自分は何かを期待して、松尾の元に来ている。何か希望めいた言葉を、内面の奥で求めていた気がする。でもこの老人の言葉は、その全てを否定していた。まるで宣告のように。松尾が何をしても、俺が何をしても、大きな流れは結局、それらも飲み込んで動く？　松尾の目がぼんやりしてくる。松尾の表情や上半身が硬直していく。

「……背筋を伸ばし、身体に力を入れておけ」

高原は茫然と立っている。恐怖がさらに大きくなっていく。松尾がまた何かを言おうと口を開く。高原は不意に松尾を理解できなくなる。いや、あそこにいるのは本当に松尾だろうか？　松尾の姿をしてるだけじゃないのか？　では誰だ？　いや、あれは何だ？　松尾の言葉は終わらない。

「いや、……一つだけ、方法が」

鼓動がずっと速い。高原には、それが松尾の鼓動でもあるように感じられた。松尾が、いや、松尾の姿をしたものが、興奮していくのがわかる。松尾が口を開く。切り替わるスイッチ。なぜか不意に思う。何かがスイッチに手を伸ばそうとしている。手を伸ばしてはならないものに。松尾の口は震え続け、もう今にも、こぼれるように何かを言おうとしている。数秒が経ち、数分が経ったようにも感じる。松尾はなおも口を開け続けている。遠くで何かのサイレンの音がする。不意に耳鳴りがし、腕や肩が軽くなる感触を覚え、部屋の空気が緩み、自分の呼吸の音が聞こえ始める。高原は何が起こったのか理解できない。松尾の身体の力が抜けている。松尾が、松尾に戻る——。高原は、ただ立っていることしかできなかった。

「……でもそれは、誰にも頼むことはできない。言うことはできない。……もしかしたら、もっと悲劇を大きくするかもしれない。……君は助かるかもしれないが、他の大勢の人間が死に絶えるから。……沢渡は、私の理解を超えたようだ。私はどうしたらいい」

高原はドアノブを回し、粗末な花束をつかみ部屋を出ようとする。なぜ自分が部屋を出ていくのかわからないまま。高原は廊下を歩いていく。歩く自分をただ見せられているかのように。

廊下も冷えている。さっきの部屋と同じくらいに。

鼓動がずっと速かった。さっきまでの時間は何だったのだろう？　右手には、なぜか置いたはずの見舞いの花を持っていた。いつ自分は、これをまたつかんだのだろう。

高原はなおも歩き続けている。恐らく松尾は明日死ぬ。そう思っていた。

25

狭い部屋で男が倒れている。

名前のない教団施設の16階、１６０３号室。ベッドと、簡素な黒い机、小さなテーブルと二つの椅子があるだけの部屋。男は床の絨毯の上に倒れている。男が座っていたのか、ベッド側の椅子も倒れ、側にはグラスも落ちている。

この死体に、まだ誰も気づいていない。死体は吉岡という男だ。高原が密かに集めていたメンバーの一人、元自衛隊員の男。

倒れていない方の椅子は、クッション部分が緩やかにへこみ、まだ微かに温かい。ついさっきまで誰かがそこにいた跡のように。

吉岡の死体の首には、無数の赤い傷が縦に走っている。彼が自分でかきむしったのかもしれない。その赤い線の一つ一つは、男の恐怖と絶望を現すかのように、吐き出せないものを吐き出そうと激しく抵抗した痕跡のように、あまりにもくっきりし過ぎている。落ちて倒れているグラスには、まだ透明な液体が残っている。

その1603号室の前を、談笑しながら歩いていく二人の信者がいる。当然、彼らもまだこの死体の存在を知らない。彼らは1603号室の前を通り過ぎ、それぞれの部屋に入っていく。微かにへこんでいた、倒れていない方の椅子のクッションが、少しずつ、目でわからないほどの繊細さで、ひとりでに元に戻っていく。

*

松尾が帰ってくると聞き、屋敷のメンバー達は庭の椅子を片付け始めた。

松尾が倒れた瞬間から、全てが放置されていた。屋敷に残り続けている者、一旦は家に帰り、明日また来ると言い沈みながら帰っていった者、それぞれだった。今屋敷の中には、三十人ほどの人間がいる。

峰野は屋敷の二階の部屋で、布団をしかれ寝かされていた。夢を見ていた。まだ峰野が小さかった頃の夢。

――そこに座りなさい。

母はそう言い、汚れたランドセルを背負い帰ってきた峰野を、座布団の上に座らせた。母は、いつも峰野を睨むように見た。目を逸らしても、その視線を避けることはできなかった。峰野は首に力を入れ、下を向く。悪いのは峰野じゃないのに。

——私の話を、聞いてくれる人は誰もいない。あなたしかいない。……わかるわね？　昨日、あなたのお父さんは、とうとう帰ってきませんでした。

この夢と同じように、峰野の母は毎日、父の悪事を事細かく峰野に教えたのだった。それは母の日課だった。父がいかに人間として卑劣で、不潔で、母を不幸にし、母の未来を台無しにしたかを教えるのだった。それは恐らく、親が子に、最もしてはならないことの一つだった。希望がなくなってしまうから。大人になることへの、そして誰かと愛し合い、家庭を築くことへの。

——あの女はね、いやらしいだけの女なの。そんな女の元へ、あなたのお父さんは通い続けているの。何をしているかわかるだろうか？　子供のあなたにも、きちんとわかるように言わなければいけない。あなたのお父さんは、その女の服を脱がせて、裸にするの。そして、身体中を舐めるのよ。あの剃っても残る、濃い髭がまわりについている口から、赤いベロを伸ばして。あのいやらしい女の身体を。……醜いでしょう？　汚いでしょう？　あなたのお父さんは。

母はいつも、「あなたのお父さんは」という言い方をした。そのことで、小さかった峰野は、自分が責められてるような気持ちになるのだった。母はしゃべりながら、自分の頬をかいた。母の癖だった。母はいつも片方の頬をかきむしった。そこに何かが宿り、それを長く伸ばした爪でほじくり出そうとでもするかのように。

でもそれは、母だけが悪いのではなかった。母の両親は、母に冷たかった。母の実家に行っなければならない。

た時、峰野は敏感に感じ取っていた。母は昔から虐げられ孤独なのだ。だから、自分が側にい

でも次第に峰野は、母を邪魔に思うようになった。母の話を聞いていると、苛々して、苛々して、母と同じように、頬をかきむしりたくなった。高校生になった時、優秀だった峰野の成績は急に落ちた。男と共にいるようになったから。峰野は母から離れようとした。でも母は峰野にしがみついた。「あなたしかいないのだ」母は言い続けた。「私が産んだのだからあなたを。私が産んだのだからあなたを。あなたを産んだことで私の未来はなくなったのだから。私には何もない。だから、あなたは私を捨てることはできない」

峰野は母から逃げ続けた。父はもう家に帰ってくることさえなくなっていた。峰野が男の元で四日間過ごした時、持たされていた携帯電話が鳴った。

「……今日、家に帰ってきなさい。お母さんは邪魔なのよね。それなら、望み通りにしてあげるから」

峰野が家に帰ると、母は睡眠薬を飲んで倒れていた。救急車を呼んだ。母は病院で目を覚ました。

母は、わざと死なない程度の量の睡眠薬を飲んでいたのかもしれない。目が覚めると、峰野を見てしくしく泣くのだった。「あなたが助けてくれたのね」母は泣き続けた。「嬉しい。やっぱりあなたは、私を助けてくれる」

峰野がその時感じたのは、恐怖だった。母はその後不意に体調を崩し、数年後、すい臓の癌で死んだ。入院中、見舞いに行き、母も喜んだが、本当は峰野が母にもう愛情を感じていないことを母は気づいていて、母が気づいてることに、峰野も気づいていた。

「……あなたはあなたのお父さんの子だからね」

母は、病の苦しみの仕返しを峰野にするように、静かに言った。

「私が産んだのにね。……なんて冷たい子だろう。……私の人生は不幸だった。神様も何もない」

母が死んだ時、峰野が感じたのは解放ではなく、罪悪感だった。この罪悪感は根深く、いくら頬をかきむしり、奥歯を噛んでも取ることができない。

峰野は布団の中で目を覚ました。目から涙が流れている。これは夢のための涙なのか、松尾に対する涙なのか、わからなかった。

記憶が途切れていた。病院から楢崎君に連れられ、それからどうしたのだろう？　私は泣きながら、誰かに大きな声を出したような気がする。それと……、そうだ、……あの録音。

眠る前、峰野はぼんやりする意識の中で、高原との行為の録音を聞こうとしていたのだった。なぜこのタイミングで聞こうとしたのかわからない。でもいくら聞いても、理解することができなかった。いや、理解はできていた。でも、頭に入ってくることがなかった。

イヤフォンを取り付け、もう一度再生する。意識を集中することができないのに、鼓動だけが全てを理解したように速かった。

機関銃？　爆薬のトレーラー？……これは何だろう？　教祖にも気づかれていないとは、どういうことだろう？……『私達は破滅もいとわない』。何を言ってるのだろう？　いや、それだけじゃない。この電話は……。

咄嗟に身体を起こす。鼓動がどんどん速くなる。高原君が、おかしい。高原君は……。寝ている場合じゃない。高原に電話するが繋がらない。峰野は愕然とする。そうだ、もう彼とは連絡が……。メールも繋がらない。

どうしたらいいのだろう？　このままではいけない。どちらにしろ、私が何かを言ったところで、彼は変わるだろうか？　頭が痛い。どうしたらいいのだろう。……そうだ、私はもうすぐ排卵日が……。

峰野は座り込みながら、茫然としている。子供？　そうだ、私は妊娠していたのだ。いや、違う、妊娠していなかったのだ。妊娠していなかった？　そうだ。確か、そうだったのだ。……頭が痛い。子供がいれば、高原君は、私の元に来るんじゃないか？　そうよ、そうに違いない。私の母は、そうやって、私の父と結婚したんだから。

でも、高原君は慎重にセックスをする。彼は臆病に……。でも、避妊具は完璧じゃない。私を、いつも見ている男がいた。私をいつも、物欲しそうに見ている男が。

ドアがノックされ、峰野は声を上げそうになるほど驚く。楢崎が入ってくる。楢崎は何か気遣うような言葉を言っているが峰野には聞こえない。意識が遠のき、また微かに戻ってくる。そうだ、この男は、私をいつも物欲しそうに見ていた。……この男なら、高原君の子供をつくれるんじゃないか？　そうだ、この男は――。

楢崎は峰野を見、息を飲む。彼女は、こんな目をしていただろうか？　正気だろうか？　実際、この部屋に連れて来るまで、彼女は正気じゃなかった。なぜか小牧さんに大声で詰め寄り、その後すぐ、泣きながら小牧さんに謝っていた。

楢崎はもってきたお茶を峰野の前に差し出した。峰野がブラウスのボタンに手をかけ、一つ外す。楢崎は驚いたまま、ただ峰野を見ていた。

峰野は微笑みながら、ぼんやりした目で、楢崎を見つめる。布団の上で座ったまま足を動かし、スカートがはだける。峰野はぼんやり口を開けたまま、さらにボタンを外していく。はだけたブラウスから、白い肩が見え、黒い下着が見えていく。下着に包まれた胸も。

「楢崎君……」

峰野が小さく言う。楢崎は息を飲む。

「私を抱いて」

＊　＊

病室で最後のＤＶＤを撮り終わった頃には、もう外は夜になっていた。

病院のスタッフに荷物を持ってもらい、松尾と芳子は病室を後にした。芳子が腕を支えてはいるが、確かな足取りで歩いている松尾が不思議だった。

タクシーの運転手に荷物をトランクへ入れてもらい、後部座席に座る。行き先を聞いた運転手に対し、芳子は一瞬言葉を詰まらせた。松尾が不意に口を開いた。

「練馬の……、豊玉の……」

松尾の声は、比較的はっきりしていた。

「……よっちゃん、僕達が、昔にずっと住んでたところを、見ようよ」

タクシーが進み始める。三十年前、松尾の実父が、松尾にかなりの遺産を残していたのが明らかになった。向こうの家族達が隠していたことで、松尾は知らされてなかったが、その子孫の誠実な一人が、ある日突然松尾の元を訪ね、財産を分けた。その中には、現在の屋敷も含まれていた。

全部寄付しようとも思ったが、運用することで、定期的にもっと大きな寄付ができると知った。そうであるから、松尾が資産家になったのは、もう随分年を取ってからだった。

タクシーが高速道路に入る。芳子の右手に、松尾の左手がふれた。芳子はその手を握ったが、奇妙なことに気づく。松尾の左手は動かないはずだった。松尾が、微かな力で芳子の手を握り返している。

それは本当に小さな力だったが、手が動いてることにかわりなかった。芳子は驚いたが、口にはしなかった。口にすれば、何かが壊れてしまうと思った。

「ああ、……月が」

松尾の言葉に窓の外を見ると、巨大な満月が夜の街の上に昇っていた。その月の色は深く、どこかに吸い込まれていくようで、見ている者の目を通過し、さらに内面へ光を届けにくるようで、あまりにも強い輝きに思えた。まるで鼓動のように、その光は微かな強弱を含んでいる。

「……運転手さん」

松尾が言う。

「月が、奇麗ですねえ」

運転手もちらりと窓の外を見て、何かを言った。

「……このまま見ていたいから、やっぱり……、高速道路を、最後まで、行ってもらえますか」

運転手はうなずき、静かにスピードを緩めた。松尾達を乗せたタクシーは、高速道路を真っ直ぐに進んでいく。

「自然は、平等だ。……私のような人間の最後も、月はこうやって照らしてくれる」

芳子が強く松尾の左手を握る。松尾の匂いがする。

「私は」

そう言った時、芳子は泣いた。

「あなたと一緒で、幸せでした」

芳子は泣き続ける。松尾の手から伝わる温度は、あまりにも温かかった。

「……女房に、こう言わせたら、……その男は勝利者だね」

松尾は小さく笑った。

「私も、幸せだった。……本当にありがとう」

芳子は微笑む。

「……二晩ほど、怪しい夜がありましたけどね」

「ん？　何のことだろう？」

「ふふふ」

芳子は松尾の肩にもたれかかる。弱っていたはずの松尾は、でもしっかりと芳子の身体を支えていた。潜り抜けた時代が違った。松尾の肩に肉はないが、芯が強かった。

「あ、見える。……見えるよ。……自然は、すごいねえ」

松尾が窓の外を見ながら言う。

「無数の、素粒子が、ゆらゆら、揺らめいて、……物語をつくっていくんだよ。……世界は、すごいねえ」

芳子はうなずく。大きな月が彼らを照らしている。

「僕と、よっちゃんの物語も、この偉大な世界の上に、あったんだよ」

「……はい。ありました」

窓の外の月が、強く輝いている。

「よろしく頼んだよ。屋敷の彼らを」

「……はい」

「彼らにはまだ、助けが」

「……はい」

「よっちゃん、……いや、芳子」

松尾が言う。芳子の鼓動が速くなる。

「キスして、くれないか？」

芳子は松尾の肩に腕を伸ばし、松尾にキスをする。

「……ありがとう。僕は、君が好きだ」

「……私も、あなたが好きです」

もう一度キスをする。今度は長いキスだった。

いつまでもキスをしたまま、松尾が微笑んでいく。松尾の命が消えたことを、芳子はその唇の感触で知った。

第二部

I

教祖様が、暗がりの中で薄く目を開けた気がした。

さっきまで、眠った様子だったのに。身体を微かに反応させていた。まるで喉に小さな何かがつっかえ、それに気づいたみたいに。私はそのお顔をじっと見つめる。教祖様はどこかを見ていたけど、やがて見るべきものを見れなかった感じで、また目を閉じてしまった。さっき、なんで突然目を開けたのだろう？　でも今はもう動かない。さっきの違和感など忘れたみたいに。そんなこと、初めからなかったみたいに。

教祖様は目を閉じ続けている。目の前に、大勢の裸の男達と、バスタオルだけを巻いた大勢の女達がいるというのに。

——今日は月曜日だ。

男女の群れを前に、前田君が話している。よく通る声。ちゃんとした姿勢。彼は優しい。彼だけじゃない。ここにいる人はみんな……。

——何も考える必要はない。

前田君が続ける。

——君達の苦しみも悲しみも悩みも全て、教祖様が引き受けてくださる。……君達は自由だ。君達は人生のしがらみから解き放たれた自由な存在だ。無になれ。今日は月曜日だ。教祖様がお許しになった月曜日だ。

前田君とした時のことを思い出す。彼は私の身体がいくまで、ゆっくり、静かに、丁寧に私を抱いてくれた。彼の性器が、何度も何度も私の性器に押し入って、私は感触をむさぼるみたいに……、濡れてしまう。思い出しただけなのに。

——さあ。解放すればいい。君達の狂気を。君達の優しさを。我々は一つだ。我々は全てで一つの存在だ。ここには境界など存在しない。ここには人生における躊躇など何一つ存在しない。

前田君の声が少しだけ大きくなる。

——西洋の神が初めに人間をつくった時、そのアダムとイヴは裸で幸福だった。彼らは禁じられた智恵の実を食べたことで理性を持ち、裸である自分達を恥ずかしく思い、罰として楽園から追放された。神は男女が裸でいることを望んでいたということだ。だからキリスト教が性に厳格なのは根本的に矛盾している。ならば、そんな智恵の実は口から吐き出してしまえ！　さあ我を忘れよう！

その言葉を合図に、暗がりの中で男女が激しく群がっていく。目の前の男女がキスをし始める。くちゃくちゃ、くちゃくちゃ、いやらしい音を立てて。教祖様、と呼びかけたくなる。教祖様、私を抱いてください。皆は始めてしまいました。私も、私達も、教祖様。無数の男女が動いている。お互いの性器を、むさぼるように舐めている男女がいる。くねるように動く男の指を、性器に受け入れている女がいる。彼女が恥ずかしそうによがり、喘ぐ。すぐ目の前には、たくましい男の筋肉に、優しく抱きしめられた女が……。羨ましい。教祖様、教祖様……。静かに教祖様の指が動く。私の胸をまさぐっている。起きてくれた、教祖様が。目の前の素粒子達の、活性化された騒ぎの中で。……私の胸は、そんなに大きくない。大きいと思われたい。胸をまさぐられながら、私は気づかれないように、脇を少しだけしめた。

「あ……」

声が出てしまう。私の右手の中指を、教祖様が口に含んでいる。

「教祖様……」

なぜだろう。急に恥ずかしくなる。性器が濡れてくる。なぜ教祖様は、私の右手の、しかも中指だけを……？　教祖様の口が濡れながら収縮し、締めつけるように、私の中指を引き入れていく。この感触は……、私の性器に似ている。一人でしてる時、私の中指が、いつもそう感じているような……。身体が急に熱くなる。恥ずかしい。昨日、私は、月曜日が待てずに……。

「あ、あ……」

感じてしまう。中指を吸われてるだけなのに。ジュルジュル音がする。教祖様が、よく知っている私の中の、その感触を真似してる。今度は薬指も引き入れていく。恥ずかしい。身体が……。

「……いけ」

「……え?」

「……あの男達とやれ」

無数の手が私の身体に伸びる。教祖様から引き離されていく。バスタオルが剝ぎ取られ、教祖様の目の前で裸にされる。無数の手が伸び、私の身体をまさぐる。弄ぶ。おもちゃみたいに。彼らは誰だろう? 奇麗な顔の男達。キスされる。甘い匂い。男の舌が私の口の中で動く。私も受け入れる。キスをしてくる男の首に腕を回す。私は彼とキスをしているのに、誰かが、私の乳首を夢中になって舐めている。みんなが私の身体に夢中になっている。声が出てしまう。性器に指が入ってくる。誰の指だろう? 何でこんなに上手なんだろう。かき回してくる。優しく、執拗に。

「……あ、あ」

「……もう濡れてるよ。……どうしたの?」

私の性器を楽しんでいる男が、耳元で囁いてくる。

「だめ」

「だめなの? 本当に?」

「ん……、ん……」

男の指が、私の中で動き続ける。まるで私の中にある何かを探るように。だめ、だめ、私は声を出し続ける。そんなに指でかき回されたら、教祖様の目の前でおもらしをしてしまう。おもらしするところを、教祖様に見られてしまう。身体が痙攣してしまう。たくさんの男達にも見られてしまう。くちゃくちゃ、くちゃくちゃ、音が恥ずかしい。あ、あ……、私の性器は、こんなにもだらしない。

「……出ちゃう、……出ちゃうよ」

「出しちゃっていいよ、ほら」

「……あ、ああ」

「いいよ、大丈夫だよ。ほら」

「いや、ああ！」

私の性器から性液が飛び散る。止められない、恥ずかしい。恥ずかしくて仕方ないのに、もっとかき回してと思ってしまう。そこを刺激され続けたら、私の性液は漏れ続けてしまう。私の性液が飛び散っているのを、近くの女達まで見ている。女達が私を見ながら声を上げる。「すごーい」「うわー」女達の細い声。嫌だ、女達には見られたくない。女達には私のみっともない性器を見られたくない。でも、そう思えば思うほど、もっと見られたいと思ってしまう。ああ、ああ、私は感じ過ぎている。教祖様も私を見ている。これは、全て、あなたへの捧げものなのです。私は、生け贄として、あなたに、捧げられているのです。この快楽も、私の性液が立てる、くちゃくちゃとした音も、全てが、あなたに捧げられているのです。ああ、ああ、もどかしい、もっと恥ずかしくなりたい。もっと感じたい。私は私の乳首を優しく舐め始めた男に囁く。

「……して」

「ん？」

「……おまんこして」

男の性器が私の中に入ってくる。性液がまた溢れてくる。男が激しく私の中で動く。もう何も考えられない。

「あん、ああ、ああ！」

「……すごい濡れてるよ」

「ああ、そんなにされたら、そんなにしちゃいや」

「すごい、中が……」

「……私のおまんこ、……いい？　ねえ、私のおまんこ」

「ああ、もう」

私の上で動く男が目を閉じる。私は感じている男に愛しさを感じ、キスをする。さっきまで、あんなに威勢が良かったのに、もういきそうになってるなんて。かわいい。私は思う。何てこの男はかわいいんだろう。

「……いいよ、出して？　出したいでしょう？　私のおまんこの中がいいんでしょう？」

「……ああ」

男が私の中に出す。思わず出してしまったみたいに。こんなにもたくましいのに、男の身体が震えている。私のおまんこのせいで……。教祖様、これも全てあなたへ捧げているのです。この快楽が、私から教祖様へ繋がっていくのです。教祖様の神経を、震わせていくのです。私達が、私達の快楽が。虚脱した男が身体を離すと、また次の男の性器が私の中に入ってくる。待って、だめ。私は言う。だめじゃないのに。私は笑みを浮かべている。すぐにしてくれて嬉しい。私はまだいっていないから。私を後ろ向きにして、執拗に突いてくる。別の男の性器が目の前にある。愛しさを覚えながら口に含む。ジュポジュポと、わざとらしく音を立ててあげる。後ろから突かれ続ける。気持ちいい。声が大きく出てしまう。彼の性器の形が、中でわかってしまう。それくらい、私の性器が彼に絡みついているから。足が痺れていく。この男なら、私をいかせてくれるだろう。ああ、おかしくなる。何も考えられなくなる。昔から私は性的な女だった。小学生の頃、のぼり棒を上っている時に気持ちよくなって以来、家具にこすりつけたりして自慰をしていた。昔は自慰でしかいけなかったのに。男の前でいくのが恐かったのに。ん、んん、私は教祖様の性器、教祖様が何かを感じる、全ての神経の一部に……。ああ、ああ、こうやって突かれて、大声で喘いでいる私の感度は、この激しい感度は、教祖様に捧げられ、一つになって、大いなる者に、大いなる者に、私の性が、私の性が捧げられて、ああ、来る、「私」が消えていく――。


「ねえ、また出すの？」

私は、私の上で動いている男にそう言う。

「ねえ、本気なの？」

さっき、性液を飛び散らせていた女を見ながら、私は感じてしまった。私には少しだけ、レズビアンの気があるのかもしれない。かわいかった、あの子。もっとだらしなくさせてあげたかった。でも今は、この目の前の男に愛しさを感じる。正常位で動いている必死そうな顔を、下から見上げる。

「あ……、ねえ、また出すつもり？」

「……すみません」

「……会社も家族も捨てて、この宗教に入ったんでしょう？」

「……はい」

「……それで、二十歳くらいも違う、ん……、こんな若い女の中に、……ん、……二回も、……出すつもりなの？」

「……すみません、すみません」

男が私の上で動き続ける。なぜだろう、ふとあの女のことを思い出す。私が彼女の男を取ったことで、自殺した女。彼女のお葬式に、私は何気ない顔をしながら出たのだ。自分のしたことを棚に上げて、まるで私が悪いかのように、私を責め、自分の罪悪感を消そうとしていたあの男のくだらなさにうんざりしながら。私はあの男などどうでもよかった。ただ彼女が憎かったのだ。奪ってしまえば、もうあんな男に興味などなかった。

私が本当に興味があったのは、彼女の方だったかもしれない。私は彼女のことが好きだったのかもしれない。だからあんな真似をしたのかもしれない。でもならなぜ、悲しくなかったんだろう？　彼女に捧げられていた線香の火で、私は煙草に火をつけたんだ。彼女の死を、軽蔑するみたいに。私は何を求めていたのだろう？　好きな相手を無残に殺すこと？　その繰り返しを？　もしそうであるなら、私は……。

「……出しちゃうわけ？　こんな年下の女の中に？」

「……ああ、すごく、中が、……中が、こんなに濡れて」

「あなたがしちゃってるのよ？　んん、あなたがこんなに、濡らせちゃったんだよ？　こんな若い女のおまんこを……。あん、んん、また出すの？　ねえ？　あん、このおまんこの中に出すつもりなの？」

「……はい、ああ、僕は」

遠くの教祖様と目が合う。彼を初めに見た時、私は驚いた。心の底から、身体が根底から変わるほどの衝撃だった。彼に比べたら。お顔を見た瞬間、私は反応していた。私の悪など取るに足らない。そんなものは彼のごく一部に過ぎない。ここでは誰も私を非難しない。私の処女を奪ったくせに、私にまっとうに学校に行けと言い続けた叔父みたいな人間はいない。孤児の私を育てたのだから、妻子はいても、私を抱くのを当然と思っていたのだろうか？　彼の悪は卑小だった。彼が私に口うるさかったのは、私の堕落が、自分の罪によると思いたくなかったから。彼の悪が卑小なものでなかったら、私は彼を殺さなかっただろう。自分の人生に傷をつけた男があまりにも卑小だったから、私は怒りを覚えたんだ。

でも、と私は思う。ここでなら、私は否定されない。私の殺人など、教祖様の悪がかき消してしまう。風俗の仕事をしていた時、信者からスカウトされ、ここに連れられた。また教祖様と目が合う。その瞬間、私はいきそうになる。セックスが嫌いだった私を変えてくれた人。身体が落ちていきそうになり、また元に戻ろうとする。身体が震えてくる。

「ん、ん、あん、そんなに激しくするの？　そんなに出したいの？」

私は顔に笑みを浮かべ始める。私の悪徳を教祖様が飲み込んでいく。私の悪徳が快楽と溶け合って教祖様に捧げられて、教祖様の一部になっていく。気持ちいい。もっと下品になりたい。何も考えたくない。何も考えたくない。私は大いなる者の一部に——。

「ねえ、出ちゃう？　出ちゃうの？」

ああ、いってしまう。身体が痙攣していく。私は感触だけになる。感触だけを、むさぼるみたいに、ああ、ああ、身体が落ちて――。ぼんやりしている。私の上に何かが乗っている。暗い、周りに人がいる。ああ、している。性器がじんじんして私は喘いでいる。私はまだしている。男の腰の動きが激しくなっている。気持ちいい。気持ちいい。私はいったばかりなのに、男はやめようとしない。男が私の乳首をなめ回して、腰を動かしながら激しくキスをしてくる。男に身体をむさぼられ、私はまたいきそうになる。男の匂い。男の匂いがする。いくまでの間隔が短くなっていく。終わりがない。男がまだ突いてくる。私の身体をきつく抱きしめながら、激しく腰を動かして奥に当て続けてくる。何度も、何度も、何度も、何度も。頭の方までじんじんした熱が上ってくる。気持ちいい。ああ、また来る。おかしくなる、自分が消えて――。

「ああ、ああ！　ああ！」

「僕は、もう」

「だめ、だめ、おまんこが、あん、おまんこがもう」

「ああ、ああ」

死んでしまう。気持ちいい。おまんこが、私のおまんこが、喜んでる。またいってしまう。ああ、私はいやらしい。私はいやらしい、私は、私は――。

「あん、あああああ」

「ああ」

「出ちゃったの？　ねえ、んん」

「……ああ、ああ！」

「まだ出してるの？　あん、まだ出てる、すごい、まだ出てる……、んん、またいっちゃう……、あ、あ……」

誰かが私の上で倒れている。汗で濡れた身体が、呼吸で上下している。ぼんやりしている。私の身体は、まだ小刻みに震えている。

「……気持ち良かった？」

彼の精液の温度を中で感じながら、私はそう言って微笑む。彼が性器を抜いた時、また強い快楽が走り私の身体が震えてしまう。

「ん、……いいんだよ？　ここでは何をしても」

男の髪の毛を撫で、優しくキスをしてあげる。私が舌を入れると、男もゆっくり舌を動かしてくる。柔らかく、温かい。なぜだろう。悪徳の中なのに、悪徳の中だからこそ……、私は誰かに、優しくしたくなる。

「少し休憩したら……、またしてもいいよ。何回もしよう？……私はあなたのことが、大好きだから」

＊

……どういうことだ？

高原は吉岡の死体を見下ろす。死体の喉には、無数の赤い筋が縦に走っている。喉をかきむしったのだろう、彼の両方の手の爪の先に、血や皮膚が付着している。

「……自殺、でしたら、このグラスはおかしいですね。誰かもう一人、この部屋にいたことになります」

テーブルに残されたグラスを見ながら、篠原が小さく言う。死んでいる吉岡は、今回の計画で銃器を担当していた。彼が使っていたと思われる方のグラスは、床に落ちている。

「でも、もしかしたら、自殺を他殺のように、見せかけたのかもしれません。……言うまでもなく、自殺は我々の教団で禁止されています。だから、誰かに殺されたと思わせて……。いや、でも……」

篠原は不意に言葉を切った。立っているのがやっとなのだろう、と高原は思う。実際、さっきまでこの部屋にいた阿達は、今トイレで吐いている。自殺？　プレッシャーだったのか？　高原は思う。彼は今回の計画で重要な任務を受け持っていた。しかし、だからと言って……。篠原が、怪訝な目を自分に向けているのがわかる。恐らく自分が、死体を前に冷静でいるように見えているのだろう。見慣れているからだ、と高原は言わない。もっと無残な死体を、自分は数多く見てきているとは。それを言えば、あの体験も話さなければならなくなる。頭痛がする。いつもより酷く。

「……このことを、他に知ってる者は？」

「いないと思います。今日は月曜日で、他の者達は皆ホールに……。私と阿達は、吉岡と例のトレーラーについて打ち合わせの必要がありました。あんな場所に、いつまでも置いておけませんので……。でも我々の中で、大型免許を持っているのは彼だけでしたから」

「この部屋の鍵は？」

「……開いてました」

「そうか……」

灰皿に目をやった時、高原は心臓が重く脈打ち始めるのを感じた。意識で確認するよりも早く、身体が反応していた。篠原が口を開く。

「……この吸殻は、吉岡のですね。彼がいつも吸ってる……」

違う、と高原は頭の中で呟く。もちろん、これは彼のいつも吸ってる銘柄だ。でも、残されている吸殻の数に比べ、灰が多過ぎる。

高原は、吉岡が自分の灰皿を掃除する様子を思い出していた。几帳面な男だった。彼はいつも、中の吸殻をきちんと水で濡らしてから、ゴミとして捨てている。吸殻だけを指でつまんで捨てることはしない。この灰皿に残された灰の量は、誰かが自分の吸殻だけを持っていったことを意味する。この灰の量からすれば、恐らく一人ではない侵入者達が。しかし……、ではなぜ、グラスをテーブルに残していく？　しかも一人分だけ？

頭痛がする。はっきりしていることは、やはり彼は殺されたということだ。でもなぜ？　誰が？　この計画に気づいたものの仕業だろうか？　しかし、そうだとしてもなぜ？

「……教祖様への報告は、俺に任せてくれ」

高原は震える声で言う。

「当然のことながら、この死体は内密に処理されなければならない。お前は、……阿達も、他言は無用だ」

「でもこのままでは、死体が」

「……俺達で運ぶしかないだろう。地下に、……何かないか。これを入れられるものが」

「……これ、ですか？」

「ああ、すまない。気が動転してるんだ。……吉岡を入れられる何か」

死体は厄介だ、と思う。生きている人間も面倒だが、死体も同じように面倒だった。人間の死体ほど、厄介なものが他にあるだろうか。

「……外に運び出すのは危険でしょうか」

「無理だ。俺達の存在まで行き着いたらどうする。我々は公安から身を隠している」

「では……、プランターがあります。あれなら、入るでしょう。土を被せて、……でも」

「うん、長時間は無理だ。とにかく急ごう。あの宴が終わるまでもう三時間もない」

「……教祖様へは」

不意に突き上げてくるものがあった。

「俺が報告すると言っただろう！」

高原は思わず声を荒げる。突き上げてきたものを放出するように。どんな時も、冷静でいると決めたはずなのに。

もうこれで、と高原は思い続けている。もうこれで、ぐずぐずしてる暇はなくなってしまった。教祖に、この死体の存在を知られるわけにいかない。他のメンバーにも、知られるわけにいかない。もう計画を実行しなければならない。強引にでも、実行しなければならない。

2

「呼吸だよ、楢崎君」

屋敷の縁側で煙草を吸いながら、楢崎は松尾の言葉を思い出していた。

松尾の最後となった対話会の準備中、二人きりになった時、松尾が突然言ったのだった。座布団にあぐらをかき、なぜか孫の手で楢崎の肩をつつきながら。

「仏教の、禅の考え方なんだけどね。禅では呼吸というものが非常に重要な役割を果たす。人生の不安や邪念が浮かぶ時、ゆっくり深呼吸をし続けて、その『呼吸』だけに意識を集中する。自分はただ空気を吸って吐く入れ物に過ぎないと思いながら、ただひたすら呼吸だけに意識を向ける」

楢崎は曖昧にうなずいた。肩をついてくる孫の手を邪魔に思いながら。

「ポイントはね、不安や邪念が浮かぶのを抑えつけるのではなく、ただ浮かぶにまかせること、流れるにまかせること。抑えつけるということは、つまりそれにこだわっているということになる。だから、流れるにまかせるんだよ。そのような不安や邪念を意識で追いかけない。ただ流しておく。そしてひたすら呼吸に、呼吸という静かな行為だけに集中し続ける。そうしていると、やがてそれらの不快な思念は消えていくことがある。意識しなくなる」

松尾は不意に肩をつつくのをやめる。

「これは禅の初歩。禅はそこから悟りの境地へ向かう。……ほら、禅って足を組むでしょう？座禅。あの姿勢、よく意識してみると、右足と左足が組み合わされて、左右がそれぞれ、一本なのに二本の足という形になっている。あれは悟りの第一歩なんだよ。君も、私がブッダさんについて話したＤＶＤを見ただろう？『ありのままに想う者でもなく、誤って想う者でもなく、想いなき者でもなく、想いを消滅した者でもない。——このように理解した者の形態は消滅する』これはブッダさんの言葉。この言葉は、言葉の法則、論理の、つまり人間の思考回路の法則では理解できない。『想いなき者でもなく、想いを消滅した者でもない』なんて。１は１であり、２は２であるという思考回路では理解できない。１は１であると同時に２でもあるというものだから。ちょうど座禅の時の足のように。そこでさらに、宇宙の始まりの、真空での、素粒子が生まれてはパッと消える状態、『無でもなく、有でもない』という物理学の現象を当てはめてみて欲しい。加えて、光というものが、粒子であると同時に波でもあるということも。……ミクロの世界に分け入れば分け入るほど、それは化学的でありながら言葉の論理から逸脱していく。宇宙の真実とは恐らくそういった領域なんだ。……人間は禅を通して、言葉の論理から逸脱していくことで宇宙の真の姿に溶けるように一体となっていく。悟り、つまり『ニルヴァーナ』とは、恐らくその時の『安らぎ』のことなんだよ」

そう言うと、松尾はしばらく不思議そうに楢崎の顔を見つめた。

「……何で私、今この話を君にしたの？」

「ええ？」

楢崎は驚く。

「知らないですよ。僕に聞かないでください」

あの時なぜ松尾がその話をしたのかわからないように、峰野が目の前で服を脱ぎ始めた時、どうして自分の脳裏にその話が浮かんだのかわからなかった。楢崎は、峰野のことを美しいと思っていた。恋愛感情というより、もっと原始的な、セックスがしたいという直接的な思い。楢崎は峰野を見る度に、性的な気分に襲われた。気づかれないように、峰野の姿を時折盗むように見ることもあった。

その峰野が服を脱ぎ始めた時、楢崎は気がつくと、深い呼吸を続けていた。自分はなぜ深呼吸を？　と思った時、奇妙なことだが、その呼吸の中に松尾がいたように思ったのだった。

「峰野さん……」

そう口に出した時、この女性を抱かないと決めている自分を感じた。彼女が正常な状態でないことにも、改めて気づく。女性があとで後悔するセックスを、男はするべきじゃない。

「峰野さんは魅力的だし、とても奇麗だし、正直すごくしたいけど」

楢崎は、峰野の身体を弱々しく抱き寄せた。服を脱いでいく女性を、離れた場所で、そのまま拒否することはできなかった。

「今、どうかしてるでしょう？……きっとあとで後悔するよ。よく眠った方がいい」

言っている途中で、峰野は布団の上に崩れた。楢崎は驚いたが、彼女が眠っているのに気づく。楢崎は彼女の服のボタンを留めた方がいいか迷い、結局そのまま布団をかけた。彼女の身体にこれ以上近づけば、我慢が難しい。

楢崎は縁側で煙草を吸いながら、高原とは誰だろうと思っていた。楢崎が峰野の寝ている部屋から出ようとした時、不意に彼女の口から出た言葉。「高原君」。寝言であるとすぐわかったが、しばらくその場で彼女を見ていた。確かに彼女は、高原の後に「君」をつけた。立花涼子は一時期、高原という名字だったことがある。小林が調べた資料で、楢崎はそのことを知っていた。高原君？　誰だろう？　よくある名字だ。偶然だろうか？

楢崎は峰野ともししていたらと想像し、すぐ打ち消す。自分はどうしてしまったのだろう。もちろん性欲など普通のことだ。しかし、ここまでだったろうか？　ここまで、女性のことばかり考える人間だったろうか？　これは洗脳だろうか？　あの名もない教団での。性欲という人をコントロールしやすい領域を過度に助長させることで、人を洗脳しやすくしてるのだろうか？　不意に性器が勃起し始めていた。峰野としていたらと想像したから。彼女と舌をからませ、身体をさわりながら服を脱がせ、布団へ押し倒す。途中で峰野が我に返り、やめてと言っても楢崎はやめない。「……君が悪いんだろう？」楢崎は言う。「もうここまでしちゃってるよ？　もうこんなことまで」楢崎はそう言いながら、また峰野の唇をむさぼる。彼女の身体を弄ぶ。嫌がり戸惑う女を楽しむように。悪魔的な想像だ。でも、人間の内面などそんなものじゃないか？　表面的には、生活面では紳士であっても、その程度のことは誰だって想像する。こんなことに、罪悪感など感じない。しかし——。

目の前に女が立っている。小牧さんだ。何か言おうとした瞬間、キスをされていた。小牧の舌が入ってくる。楢崎は驚き、目を開けたままでいる。小牧が唇を離し、楢崎に向かって微笑む。

「……え？」

楢崎はようやくそう言う。

「……小牧さん？」

「……帰りましょう。沢渡様の元に」

楢崎は茫然と小牧を見る。

「君は……」

「あなたと一緒。ここに潜入していただけ。呼ばれています。引き返しましょう」

対話会の準備を、楽しそうにしていた彼女が脳裏によぎる。

彼女が沢渡の教団に？　ここに潜入？　自分と同じように？　そんな態度は少しも見えなかった。考えがまとまらない。

「沢渡様が……教祖様が、あなたを呼び戻すようにと。なぜもっと早く呼び戻さなかったのかと。あなたのことを、とても心配した様子で……」

心配など嘘だ、と思う。そうであるのに、嬉しさを感じている自分がいた。これまでの人生で、誰にも心配されたことなどない。いや、この屋敷の人々がと思った瞬間、また小牧がキスをしてくる。優しく、濃密に。小牧の指が、楢崎の耳を撫でている。首筋に口をはわせてくる。その状態のまま、上目遣いで楢崎を見てくる。小牧が教団の人間だったことに、まだ意識がついていけない。でも状況だけが次々と進んでいく。

「……帰りましょう。私達の場所に」

小牧に差し伸べられた手を、楢崎はつかむ。戸惑っている自分を置いていくように、手がひとりでに動いていた。小牧と歩いていく身体を感じながら、自分を納得させようとしていた。

この教団の正体を暴き、この屋敷の助けをする。頭の中でそう言い聞かせながら。小牧のやわらかそうな腰も、あの女達も目的じゃない。沢渡から褒められたい願望などない。破滅など一時期だけだ。自分はすぐ戻れる。そう言い聞かせながら。

あの教団で女達といた時、自分は理性の外側にいた。論理的思考の外側にいた。理性が生まれる前の場所に。我を忘れる場所に。性に性が重なり上昇していく先に、人の理を超えた一瞬があるのではないだろうか。安らかだった、と思う。あの場所は安らかだった。まるで誰かの悟りの中に、身体の全てで浸っているかのように。智恵の実を食べる前の、裸の男女のように。

峰野は布団の中で目を覚ました。目から涙が流れている。

自分は今日、泣きながら目を覚ますのは二度目だと思った。何かの循環。ブラウスがはだけているのに気づき、ぼんやり記憶を辿る。酷く酔った時の自分の記憶を、翌日に何とか思い出そうとするのに似ていた。

私は楢崎君に何か妙なことを言ったのではないだろうか。恥ずかしいと思えないのは、なぜだろう。私が彼に、少しも興味がないからだ。自分が彼に何を言おうと、どうでもいいことのように。でも、もし抱こうとされたら、どうするつもりだったんだろう。私は何をしていたんだろう。楢崎君は私に布団をかけて帰っていった。そんな優しさにふれたのに。それなのに私は、彼のことをどうだっていいだなんて。

最悪な女。自分で思う。高原君、高原君と言い続ける馬鹿な女。でも、やめることができなかった。私の脳は……。

録音のことを思い出し、布団から起き上がる。録音の記録を、スマートフォンからＵＳＢメモリに移す。これは習慣だ。この小さいＵＳＢメモリに入れると、しっかり保管できたように思えるから……、でも、保管して、どうするつもりなのだろう？　こんな恐ろしい録音を。高原君を止めなければならない。でもどうやって？　もう彼とは連絡もつかない。彼のいる場所も知らない。

急に暑さを感じ、峰野は窓へ向かう。窓を開けながら、気がつくと峰野は下の庭を見ていた。下を見ている自分に、意識が遅れてついていく。楢崎君に、小牧さんが手を差し伸べている。どういうことだろう？　楢崎君がその手をつかむ——。

鼓動が速くなる。吉田さんが、楢崎君と小牧さんを怪しんでいた。小牧さんは以前から、沢渡の元にいたのではないかと。そして楢崎君は、ここに来た後、彼らに勧誘されたのではないかと。彼らの場所にいたのではないかと。もしそうなら、と峰野は思う。もしそうなら……。

身支度も整えぬまま、峰野は急いで部屋を出る。財布と携帯電話とＵＳＢメモリだけを持って。彼らの後をつければ、と峰野は思い続けている。彼らの後をつければ、私はあの教団へ行ける。高原君に会える。

3

考えてみれば、彼らが車で移動するのは当然だった。峰野はタクシーの後部座席で、前のワゴン車をみつめる。

このまま彼らの居所を知っても、高原君はそこにいないかもしれない。もう既に、立花涼子と旅行に行ってるかもしれない。でもいい、と思ってる自分に気づく。彼らに私が監禁されればいい。そうすれば、高原君はきっと戻ってきてくれる。迷惑そうな顔をされてもいい。面倒と思われてもいい。もう私の思いを全部伝えたい。これ以上は苦しい。

ワゴンが減速し、不意に停まる。峰野はあわててタクシーを停めさせる。彼らが降りてくる。楢崎君、小牧さん、そして知らない男。彼らが歩き始める。ここからは徒歩だろうか？　峰野は料金を払いタクシーを降りる。

外灯の少ない細い路地に彼らは入っていく。でも、こんなところに彼らのアジトが？　普通の住宅地なのに？　タクシーを降りた峰野は、徐々に心細くなる。本当に、自分はこれから監禁されるのだろうか。そんな勇気が、自分にあるだろうか。

彼らがブロックの壁を正面にしたT字路を左に曲がり、植え込みの目立つ民家の前を通り過ぎ、電信柱の立つ角を右に曲がる。峰野も距離を保ちながらついていく。本当に、このまま私は行くのだろうか。峰野は考え続ける。やめよう。彼らの場所だけ確認して、あとはそっと引き返そう。細くなる暗がりの路地を歩きながら、段々と怖くなってくる。私は何をしてるんだろう。ここ数日は本当におかしい。でも彼らの場所は知りたい。吉田さんだって、彼らの居場所をずっと知ろうとしていた。彼らに続いて角をまた曲がると、楢崎君と小牧さんが並んで歩いている。唇が乾いていく。考えが上手くまとまらない。ここまで来れたなら、もういいんじゃないだろうか。後は明日にでも、吉田さん達と来ればいい。大勢の信者が生活する場所なら、この辺りを探せば見つかるはず。でも、せっかくここまで来たなら……。私は混乱している。なのに身体が状況に流されるように動いていく。こういうのは危ない。きちんとした覚悟もないのに、迷っているのに流されていくのは。

子供の頃、身体の大きな知らない男に声をかけられた。広告のチラシを見せられた。言葉が上手く出てこない彼は、自分は言葉に障害があること、この商品を買いたいこと、でもそれを上手く店員に伝えられないこと、恥ずかしいこと、だから僕と一緒にお店に行って、僕の代わりに僕の買いたい物を店員に伝えて欲しいこと、そのような意味の言葉を、途切れながらゆっくり私に言った。あの時もそうだった。知らない男についていってはいけないのに、可哀想になって私はついていった。でもこの男が嘘をついていたら？　迷いながら、でも状況だけが先に進んでいった。男がこれで行くと言い、その小さな青い車を目の前にした時、そこは未知だと思った。ドアが閉まれば、後戻りできない場所。世界から閉ざされる場所。今思えばその場所は、私にだけ用意された、私を誘う、特別な罠の空間だった。男が私に手を差し伸べる。ゴツゴツした大きな手。袖が擦り切れて爪が汚かった。この手に触れた瞬間、状況は急に動いてしまう気がした。私は何かが弾けたみたいに走って逃げた。この男が車を運転できるなら、さっき言ったことも嘘だと思ったから。でも考えてみればおかしい。言語の障害と運転は全く関係ない。でも子供だった自分は何だかわからないけど、何かが違うと思った。それは正しかった。数ヶ月後、その男が、バス停の前で誰かと言い争いをしていたのを見たから。普通の言葉で。

鼓動がずっと速くて、意識的に大きく息を吸う。路地の外灯が点滅している。状況だけが進んでいく。でも私は彼らが曲がった路地を曲がってしまう。覚悟もないのに。勇気もないのに。何だかおかしい、と私は思い始める。緊張のせいで混乱しているけど、何かを、自分は見落としている。

背後からつかまれていた。口にタオルを当てられる。消毒液の臭い。男の手。何でこんなことを見落としていたんだろう。さっき角を曲がった時、男の姿がなかったんだ。今、背後にいるこの男が。

「……ここまで来てしまったら、もう帰すわけにはね」

男が静かに言う。男の力は強い。これは消毒液じゃない。何かが揺れている。男から逃れようとしてもできない。とうとう捕まえた、と誰かが言ったような気がした。あの男とこの男は、全くの別人なのに。

「……安心してください。……目が覚めた時は」

男が耳元で呟く。

「あなたはもう、偉大な教祖様の女になっています」

「なぜ歩いて？」

楢崎は隣を歩く小牧に言う。いつの間にか一緒にいた男が消えていた。意味がわからない。

「……今日は駐車場が使えないのです」

「それだけじゃない。俺が乗ったワゴンにも今回はカーテンがなかった。これじゃあ俺に教団の場所が大体わかってしまう。……つまり」

そう言いながら、楢崎は微かな緊張を覚えた。

「俺をもう、帰すつもりがないんだろう？」

楢崎の言葉に、小牧はただ微笑む。肯定も、否定もすることなく。

逃げるなら今だ、と楢崎は思っている。ここで帰らなければ、自分はもう戻れない。男が消えているから、今なら自分は逃げることができる。駆け出せば、小牧さんは俺をどうすることもできない。

細い路地を抜けると、広い通りに出た。なぜわざわざあんな細い道を通ったのだろう。

「ここです」

小牧が言う。夜の暗い空を背後に高層マンションが立っている。ここだったのか、と思う。まさか、こんな住宅地に、こんなマンションの群れの中の一つに、教団施設があったなんて。でももう関係ない。逃げるなら今しかない。

さっきの男がいる。女性を抱えている。楢崎の鼓動が速くなっていく。あの服は、峰野さんじゃないか？　なぜ彼女がここに？　なぜあの男に抱えられている？

「峰野さん！」

楢崎は声を上げ、男に向かって走る。でも男は声に気づくことなく、開けられたマンションの裏口に入っていく。楢崎は走り続け、続いて中に入るがそこには数人の男達がいた。身体をつかまれる。

「どうしたのですか。どうしたのですか」

男達が慌てたように楢崎を押さえる。楢崎はもがくが、それ以上進めない。男と峰野がもうどこにいるかわからない。

「待ってくれ。彼女は関係ない。彼女は帰してくれ」

「……彼女？　ああ、さっき抱えられてた女性ですか？」

「どけよ、ほら！」

「えっと、何があったのです？　仲間よ。一体何が……」

「ごめんなさい。私達のミス」

小牧がゆっくりドアから入ってくる。彼女の息は切れてない。慌てた様子もない。

「尾行されて、仕方なく女を一人連れてきました。……でも大丈夫。あの女はこの教団にゆかりがある。教祖様も興味をもたれる。私の好みじゃないけど……、美人だしね」

「離してくれ！」

「どうしましょうか。彼は興奮しています。でも他の男達は今ホールに」

「仕方ない。……眠らせましょう」

やがて楢崎の口にタオルが当てられる。息を吸い込んではならない。息を吸い込めば身体が動かなくなる。

「でも……、不思議」

もがく楢崎の耳元で、小牧がそっと囁く。

「あなたは土壇場で怖気づいて、逃げようとした。側に私しかいなかったからチャンスだった。でも……、結局、あなたはここに来ることになった。来ざるを得なくなった。……言語の論理から逸脱したみたいな現象。……峰野さんが後をつけてきたから逃げるチャンスを得たのに、峰野さんが後をつけてきたから逃げることができなくなった」

楢崎はもがき続ける。意識が遠のいていく。

「これも恐らく沢渡様の力なのです。……興味深い。……何が起こるのでしょうね」

＊

頭が痛い。背中にも痛みを感じる。

何もないコンクリートの床。ざらざらした感触。こんなところに寝ていたら、服が傷んでしまう。

峰野は段々鼓動が速くなる。私は路上で眠らされたのだ。ここは？　彼らの場所？　峰野は慌てて自分の服を確認する。脱がされてはいない。下着もつけている。

突然ドアが開き、男が入ってくる。峰野は何とか起き上がろうとするが、まだ身体に力が入らない。

「もう目が覚めたのですか」

身体の大きな男を見上げ、峰野は恐怖する。奇麗な顔をした男だった。でも、嫌だ。この男に抱かれたくない。私は、私は。

「……身体検査をしなければなりません」

峰野は男から、少しでも遠ざかろうとする。でも峰野は立ち上がることすらできない。スカートの裾を押さえる。

「誰か……」

峰野は声を上げる。でも喉が掠れたように、上手く声が出ない。狭い部屋。逃げる場所もない。峰野は手を伸ばそうとする。でも何もつかむことができない。助けてくれる存在もない。何かをつかもうと手を伸ばし続けるが、そこには微かな空気の感触しかない。

天井が低い。僅かな明かりが、男と峰野の身体の影を壁に映している。

服の生地がコンクリートの床をこする音がする。峰野のうめき声も。

峰野の目に涙が滲む。二人の身体の影が、壁に映り続けている。

「ああ、……ああ」

男が言う。快楽で、思わず声を漏らしてしまったように。

「勘違いしてますね……。私達は、女性を無理やり襲う存在ではありません」

峰野はなおも離れようともがきながら、立ったままの男を見上げる。男の顔が困惑している。

「僕……、そんな風に見えますか？……ショックだなあ」

男は、本当に傷ついた様子で言う。

「でも、身体検査は、しなきゃいけなくて、あ、違くて。……あと少し待ってください。今、女性呼んでますんで」

男が笑顔をつくろうとする。不器用に。でも峰野はまだ男から離れようとしている。

「えっと、怖がらないでください。ああ、わかってます。ここから一歩も動きませんので」

戸惑っていると、やがて女性が入ってくる。その影も壁に大きく映る。髪の長い女。峰野は彼女のことを知らない。彼女が以前高原の部屋に入り、誘惑しようとし、失敗した女だとは知らない。

「あの、外で待ってますんで。えっと、……頼んだよ？」

男が女にそう言い、ドアから出て行く。女が峰野を眺めている。品定めするように。

「ふうん……。あなたが」

「……え？」

「小牧さんから聞いたの。本当に高原様の女なの？」

峰野は女を見る。高原様、という言葉の響き、自分に向けられたその目を見ながら、この女が高原を求めているとすぐに気づく。

女が近づいてくる。いきなり胸をさわられる。

「……やめて」

「ふうん、あなたが」

スカートの中に、女が手を入れてくる。峰野の性器に、下着の上からふれてくる。峰野はもがくが、まだ身体が上手く動かない。女が、峰野の身体を見ている。峰野の胸の膨らみや、腰の膨らみを憎むように見ている。

「……こんな女がいいんだ。……へえ」

女が峰野の身体をさわり、上着から財布や携帯電話を取り出す。そして、ふと気づいたように、USBメモリを手にする。

「……それは」

「何か大事なもの？」

女がUSBメモリをじっと見つめる。

「……大したものじゃないの。返して」

「……面白そう。私がもらう」

峰野の喉が渇いていく。USBメモリには、高原君のあの電話が記録されている。高原君は、教祖には秘密だと言っていた。教祖に知られないように、自分達は動いていると。これが知れたら？　峰野は愕然とする。高原君は、殺されるんじゃないか？　以前、この教団で何人もの信者が殺されたと聞いたことがある。

「待って」

峰野は声を上げる。

「待って、お願いだから！」

でも峰野の身体は上手く動かない。女が微笑みながらドアを出ていく。

4

「……心配しないで」

目が覚めた楢崎に小牧が言う。

「思ったより、早く目が覚めたんだね」

「……待ってくれ」

「え?」

「……峰野さんは関係ない」

楢崎はようやくそう言う。起き上がろうとした自分の動きで、ベッドで寝かされていたのに気づく。頭痛がするが、耐えられないほどではない。動くこともできる。

「……心配しないでって。……さっき言ったでしょ?」

小牧が後ろを向き、服を脱ぎ始める。ブラウスのボタンを外していく。

「彼女、高原様の女なの」

「……高原?」

「そう。ここの幹部。実質的にはナンバー2」

楢崎は茫然と小牧を見る。

「なら……、彼女もこの教団に？」

「ああ、それは違う。……ただ、高原様の女ってだけ。信者じゃない。でも高原様の女だから、別にここにいたって不思議じゃない」

「でも」

「……うん、教祖様には会わなければいけない。教祖様の女になってしまうかも」

部屋を出ようとする楢崎の腕を、小牧が押さえる。ブラウスがはだけ、ブラジャーが見えている。

「あなた、リナ様を探してたんでしょう？」

「リナ？」

「立花涼子様のこと」

小牧が微笑んでいる。

「彼女はここの幹部。そして、高原様の元兄妹で恋人」

「……は？」

「彼らの親同士が再婚して、彼らは兄妹になった。血の繋がりはない。だからずっと恋人だったの。ずっとずっと。……とても不思議な二人ね」

立花涼子との日々を思い出す。ではなぜ、彼女は自分に近づいた？　そんな相手がいるならなぜ？　幹部？　何が狙いだったんだ？　思考が混乱している。そんな楢崎には構わず、小牧は服を脱ぎ続ける。微笑みながらスカートのホックを外す。

「つまり、心配ないの。峰野さんがどうなろうと。人の女なんだよ？　峰野さんとリナ様、そして高原様。……あなたは蚊帳（かや）の外」

「でも」

楢崎はようやく言う。

「峰野さんは、教祖の女になるかもしれないとさっき」

「大丈夫。教祖様は自分に夢中になる女以外抱かない。抱かれたとしたら結局それは彼女の意志。高原様を忘れるだけ」

「でもそれは洗脳だろ？」

楢崎の言葉に、小牧が微笑む。

「面白いこと言うんだね」

小牧が身体をよせてくる。

「洗脳と恋愛……、何がどう違うの？」

首元から甘い匂いがする。細いのに、肉感のある身体。楢崎の背中に腕を絡めてくる。

「人の女なんてどうでもいいでしょう？」

楢崎にキスをし、ベッドに倒す。

「私を好きなようにしていいんだよ？　知ってるんだから。あの屋敷で、私を時々いやらしい目で見てたこと。……その時の想像を、今して。私に何をしてもいいんだよ？　何をしても」

＊

立花涼子は部屋の椅子に座っている。

どうしたらいいだろう。はっきりつかめたわけじゃないけど、もう時間がないように思う。立花は椅子から立ち上がり、ベッドに横になる。さっきから、彼女はその同じ動きを繰り返している。もう私の手に負えない、と彼女は思う。彼のことも、自分のことも、もう私の手に負えない。

今日は月曜日。落ち着かない。耳を澄ませば、女達の声が聞こえてくるかもしれない。月曜日はいつも、この建物自体が不安定に揺れてるみたいに感じる。空気が騒いで、動いて、あらゆるものへ彼らの行為が感染していくように。ここは教祖の場所。この世界に出現した教祖の空間。

好きでもない男に、あんな場所で抱かれるなんて無理だ。立花は思う。解放感なんだろうか？　取り返しのつかない気持ちにならないのだろうか。想像ならあった。想像でなら、知らない男にいきなり抱かれたこともある。だけど、現実にそれはできない。

でも……、現実とはなんだろう？

意識が、ふれたくない場所に届く。自分のその気持ちは、一般的な貞操観念とは別のものでは？　怖いんでしょう？　他の男に抱かれるのが。立花は目を閉じる。これは報いだ。彼とあれほどまでに繋がったことへの報い。性的な目覚めよりも前に、彼と繋がったことへの報い。「気持ちいいね」「気持ちいいね」ずっとお互いにそう囁きあってきた。お互いの性器をこすりつけるだけでは足りずに、十三歳の時、高原の性器を自分の中に入れた。高原と立花は閉ざされた幸福の中にい続けた。それは早過ぎる幸福であり、恐らくその幸福は、体験してはならない種類のものだった。彼女達は、世界への憎悪の中で繋がっていたから。してはならないことをすることで、自分達が世界から外れていることを確認し合っていたかったから。憎悪と快楽が強く結びついていたから。

快楽を感じれば感じるほど、舌を絡ませれば絡ませるほど、何かに届くように思えた。小さな自分達を見つめる、黒く大きな何かに。

でもその黒く大きな何かは、私達を先導していくけど、何の責任も取らないような気がしていた。ただ私達を使い切り、捨てていくように。

ドアがノックされ、返事をすると女が入ってくる。彼女は確か……、キュプラの女。今日は月曜日なのに。休みを取ったのだろうか。

「リナ様。お話が」

リナか、と立花は思う。彼がそうしろと言った。いつでも抜けられるようにと。偽名でいろと。

「……高原様のことで」

立花は女を見つめる。そうだ、彼女は彼を欲しがっていた。確かカウンセリングルームへ行かされたから、今は21階にいるはずなのに。妙な空気を持つ女。手にレコーダーを持っている。

「……今日は月曜日。いいの？」

「はい。休ませてもらいました」

「21階には……」

立花が言うと、女が睨む。

「教祖様は、もう私を抱きませんでした。私はただ部屋にずっといただけで。……ですから私は、高原様をお慕いするのを許されたのだと思います」

「……どうでしょうね」

「……これを聴いてください」

女がレコーダーのスイッチを入れる。峰野のUSBメモリから取り込んだ音源。高原の声が響き渡る。テロの計画。教祖を騙し、信者達を煽動（せんどう）していく計画。鼓動が速くなる。

「……これは」

「高原様が、リナ様とお付き合いしているのは知っています。個人接触を認められていることも」

女がそう言う。でもそれどころでなかった。これは証拠だ。ずっと探していた証拠。これで、と立花は思う。これで彼を止めることができる。でも彼はもうここまで……。

「でも私思うんです。高原様はもうリナ様をお好きではないと。でもリナ様が彼を求めるから高原様はあなたの元へ」

「……何を言おうとしてるの？」

「高原様のことを諦めてください。そうすれば、私はこれを処分します。教祖様へも知らせません」

立花は女を見る。女には少しの動揺もない。

「これが教祖様に知れれば、高原様は殺されてしまうかもしれません。わかりますね？　あなたが身を引けば、彼は助かるのです。ですから、……もう一歩も近づかないでください」

恋愛でのぼせ上がっている、と立花は思う。冷静な判断ができていない。彼は女を気に入ると、すぐ優しくする癖がある。だからこんな面倒を引き起こす。

「……落ち着いて。何か飲む？」

「いりません」

「少し考えさせて。あまりにも急だから」

立花は立ち上がり、ポットのスイッチを入れ紅茶をつくる。紅茶はいい。気分を落ち着けてくれる。女のためにも用意する。彼女のペースに巻き込まれてはならない。動揺していない素振りをして、日常的に振舞う自分をわざとのように見せなければならない。

女は立花を睨んでいたが、やがて紅茶を飲むと小さく息を吐いた。表情や声に出してなかったが、女が緊張していたのに立花は気づく。なかなか気が強そうだけど、と立花は思う。この女は馬鹿だ。こういう馬鹿な女は好きになれない。

「いい？　落ち着いてよく聞いて。あなたは今、幻聴を聞いてるの」

「え？」

「私には何も聞こえなかった。ここから流れてたのは、ただ列車の音だけ」

「何を言ってるのです？」

「……自殺願望が？　またカウンセリングを受ける必要が」

「もういいです」

女が立花からレコーダーを奪い、立ち上がる。彼女は背が高い。争えば負ける。

「私はこれを高原様に聞かせましょう。高原様の命は私が握っていると彼も知るでしょう。もう彼は私のものです。私がこれを持っている限り……」

女が不意に倒れる。絨毯に横になった彼女の脇のレコーダーを、立花はそっと拾う。この薬は……。カップを見ながら思う。期待してたより、効き目が遅い。

倒れている女の脇で、立花は部屋着を脱ぎ、身支度を整える。脱いだ服が女の身体の側に落ち、嫌な気分になって拾った。女の側にＵＳＢメモリが落ちている。もしかしたらこれが音源だろうか？　立花は拾う。

　こんな馬鹿な女を。倒れて無防備になった女の胸の肉の影や、腰の膨らみを見ながら立花は思う。こんな馬鹿な女を、彼は抱いたのだろうか。

「リナ様！」

突然部屋のドアが開く。男達が入ってくる。彼らは泣いている。立花の部屋に入ってくる。

「なに？　え？」

「リナ様！　私達はあなたを捕らえなければなりません」

「は？」

「申し訳ございません！」

男達に身体を押さえられる。立花はもがくが、彼らの力は強い。

「どうしたの！　何があったの！」

「言えないのです。申し訳ございません」

立花はとっさにレコーダーとUSBメモリをポケットにしまう。男達は泣きながら、しかし立花を捕えることをやめない。すぐ側で倒れている女に注意すら払わない。

「待って、ちょっと落ち着いて。……そう、今ちょうど紅茶を」

「申し訳ございません！」

「誰の命令なの！　それだけは言って！」

「言えないのです！　言えないのです！」

立花は腕をつかまれ、部屋を出される。男達はただ泣くばかりで何も答えない。行き先は、近くなら恐らくダウンルーム。パニックを起こした信者を入れる部屋。案の定、長い廊下を歩かされ、そのドアが開かれる。立花は強い力で中に入れられる。

「一時的ですので！　ひとまずここに！」

男達が出て行く。意味がわからない。まるで月曜日の、この人が少なくなる時間を待っていたような行為。幹部にこんな処遇ができるのは、教祖以外では幹部会の決定以外にない。でもなぜ？　誰が？　立花は息を切らせながら何とか起き上がろうとする。

部屋の中の女と目が合う。峰野が茫然と座っている。

5

松尾の遺体をタクシーに乗せたまま、芳子は屋敷に戻ってきた。

古株のメンバー達が迎え、松尾の遺体を布団に寝かせる。深夜だったが、他にも松尾の死を知った者達が屋敷に駆けつけてきた。彼らは静かに涙を流しながら、松尾の、改めて随分小さくなったと感じる松尾の遺体をただ見ていた。

ったことだ。

思わず漏らしてしまったような、小さな笑い声が起こる。誰もが、薄々気づいていたことだ

「でも何だか……、松尾さん、妙な顔してますね」

メンバーの一人が静かに言う。

「でも……」

「何かニヤニヤして、……エッチなこと考えてる途中に死んだんじゃ……」

笑い声が起こる。彼らは泣きながら笑っていた。芳子も笑っていたが、頬に温度を感じた。

正太郎が死ぬ時、私とキスしてたなんて誰にも言えない。これは私だけの、大切な記憶だ。

松尾は生前、葬儀はしなくていいと言っていた。死とは、無と一体になることだと。生とは、その大いなる無から「疎外」された存在であるのだと。死とは元の場所へ帰っていくことで、あまりにも自然なことであると。

「自分が生まれる前のことを考えるといいよ」

松尾からその話を聞いたのは、もう随分前のことだ。

「そこには何もないだろう？　何となく安らかな感覚すらある。さらに眠っている時のことも考えるといい。眠ったまま死ぬことがあれば、それはもう自分が死んだ自覚すらない。……死とは自然なことなんだ。生きているというのは、その安らかさから疎外された状態であって、生きていることの方が特殊な状態なんだよ」

恐らく禅の考え方なのだろうと芳子は思う。でも遺体は埋葬しなければならない。

「吉田君……」

呼んだ芳子の脇に、なぜかすでに吉田がいた。芳子はいつも吉田のことを君付けで呼んだ。吉田は四十四だったが、芳子から見ればまだ青年のようなものだった。

「峰野がいません」

吉田が意を決したように言う。彼は目を濡らしているが、今やらなければならないことに、何とか意識を向けようとしていた。

「それだけでなく、楢崎君もいません。小牧さんも」

芳子は息を飲む。

「僕はこう思ってます。楢崎君と小牧さんがあの教団に呼ばれた。それに気づいた峰野が後をつけた、もしくは気づかれて連れていかれた。……彼らの携帯電話が全部繋がらないんです」

芳子は意識が遠のくのを感じ、ふと我に返る。ショックを受けている場合でない。芳子はその場に立った。まだすっと動く自分の足に頼もしさを感じた。

「みんな聞いて。峰ちゃんがいません。さらに楢崎君も小牧さんも。沢渡さんの教団に連れていかれた可能性があります」

場がどよめく。

「私は今から警察に行きます。みなさんは手分けして探してください。探しようがないのはわかります。でも、このままじっとしてられない」

沢渡の教団について、その存在は皆が知っていた。メンバー達はそれぞれ、どのように探せばいいかをお互いに話し合い始める。

「これから起こることは、誰にも止められないかもしれない」

松尾は以前そう言っていた。でも、と芳子は思う。もしそうであったとしても、私達は抵抗しなければならない。芳子は松尾の遺体を見ながら頭の中で呟く。そうでしょう？　私達は、抗わなければならない。正太郎だって、生きていたらそうしたはず。

「吉田君、正太郎の埋葬お願いね。あなたのお寺で」

「ええ」

吉田がうなずく。

「松尾さんはあの世の存在……、一般的な宗教の、そういったものに少し否定的だったけど」

表情に不安は残っているが、吉田は何とか笑みを浮かべようとした。松尾の方に視線を向ける。

「でも万が一あの世があったりして、今頃、ごめんなさい、私が間違ってたとか言って道に迷ってるかもしれないので……、念のため、お経くらい唱えておきますよ」

＊

峰野は、突然ドアから入ってきた立花涼子に酷く驚いた。

相手も自分を驚きの目で見ているから、この出会いを予期してなかったことに気づく。峰野は自分の状況を忘れ、嫉妬に襲われる。なんでこんな女が。峰野は思う。確かに顔は整ってるけど、女の魅力は感じられない。髪も長過ぎる。化粧もぱっとしない。

あなたが私に勝っているのは、高原君と昔兄妹だったことだけ。私より先に彼と出会ったことだけ。

でも峰野は何も言わない。内面に起こる苛立ちを、相手に言うことをしない。峰野の激しさはいつも、彼女の内面の中だけに留まっていた。人と争うことに、いつも躊躇してきた。嫌いな相手に自分の気持ちを隠し、後から自己嫌悪に襲われることもあった。

「……どうして？」

立花涼子が先に言葉を出す。峰野は自分の言葉に慎重になる。あとで後悔する言葉を言いたくない。

「……連れてこられてしまいました」

「連れてこられて？」

立花は、まだ目の前の峰野の存在を整理できてないように見える。

「ここは初めて……ですよね？」

「はい」

「なら、もしそうなら、……あなたは教祖に会わなければならないです」

「……え？」

「あなたは、教祖に何をされるか……」

二人の目が合う。それは数秒のことだったが、立花には数十秒に、峰野には数分のことのように感じられた。

峰野には、なぜか立花涼子が恐ろしいことを考えているように思えた。自分の身体の行く先が、人生が、まるで彼女に全て握られているかのように。彼女が迷っている、何かを。峰野にはそう思えてならなかった。

でもやがて立花が小さく息を吐く。不吉な思いを放棄するように、何かが出ていったように。

「久しぶりですね。色々、言いたいこともあると思います。でも……、今は、今はやらなければならないことがあります。……峰野さんの考えを聞く前に……、いきなりですが、言いますね。教祖に会うということは、教祖に抱かれるということです」

「……なぜですか」

「ええ、滑稽です。でも仕方ないんです。カルト教団の内部は、世界の常識と著しくずれている。カルトはその中にフィクションみたいな世界を発生させて生きてる」

「それは、無理やりされるということですか」

「いえ、必ずしもそうとは限りませんが、……初めが無理やりであっても、……上手く言えませんが、あの教祖には、気味の悪い力があります。会えばわかります。あの男は特別なんです。……一応言っておきますが、私は教祖と関係は持ってません。私の入信は特別な形式でしたから」

高原君の女として入ったから、と峰野は思う。

「でも、あなたがそれを逃れる方法が一つあります。しかもそれは恐らく、あなたが今しようとしてることと同じ。私達の利害は一致する」

「え？」

「これをここに持ってきたのはあなたですね」

立花涼子がレコーダーを、続いてＵＳＢメモリを取り出す。峰野は息を飲む。

「……どうして？」

「色々あって今私の手元にあります。……私達の利害は一致してるはず。……教祖にこれを聞かせます」

この部屋にその音は聞こえないが、今ホールでは、大勢の男女が互いに性をむさぼり合っていた。

男としての性を、女としての性を何の躊躇もなく解放し、絡ませ合い、吐き出し、理性も感情も超えた巨大な混沌となり沸き立っていた。

「でもそんなことをしたら、高原君が殺されて」

「……大丈夫。信じてください。彼は殺されない。彼はここのナンバー2だから。彼自体に心酔してる信者もいるから。教祖は簡単に手を下せない。少なくとも、すぐには下せない。あなたがこれを聞かせれば、教祖はあなたを抱いてる場合じゃなくなる。この教団は一気に揺らぐ。あの男が望んでるのはもう、ただこの教団を維持することだけだから。この地獄を」

「……あなたは？」

「私は信者ではありません。確かにここの幹部です。でも私はただ」

立花は言葉を飲み込む。でも峰野にはその言葉の続きがわかる。高原君を救いたくて入った。そういうことだろう。

「でも高原君が何も罰を受けないなんて」

「罰は受けるでしょう。頃合を見計らって、殺される可能性はあります。だから、その間に警察にここの場所を知らせるんです。あなたは今、実際に監禁されてる。警察はこの場所さえわかれば簡単に踏み込める」

「……立花さん」

「高原君を止めることができるのは、教祖しかいない。彼が強制的に彼をどこかに閉じ込めてやめさせるしか方法はない。あなたも聞いたでしょう？　今の彼がどういう状況にあるか！」

立花の声が大きくなる。

「彼はあれを本当にやります。数日後かもしれない。もう明日かもしれない。時間がありません。もしそうなったら、彼は本当に殺される。日本の警察が、テロの犯人を優しく殺さず逮捕するとは思えません。今の政権が保守的なのはあなたも知ってるでしょう？　何かの見せしめで彼は撃たれて殺される。それを非難するメディアも一部出るでしょうけど、国際的なルールにのっとって決然とテロの犯人を射殺した警察と政府を非難する風潮は今この国にない。特にインターネットの限定された世論は、強い日本にもろ手を挙げて賛成するでしょう。政権与党の工作員がネットで意見を煽（あお）ってるのにも気づかず、彼らは煽動されてただ喜ぶ。このままでは、彼はテロの首謀者になって人生が破壊され命まで破壊されてしまう。……これを教祖に聞かせられるのは、時間がない今となってはあなたしかいないんです。教祖にはどんな緊急の用事でも会えない。教祖から呼び出されない限り私達は誰も教祖に会えない。それはここでの絶対のルール。今日、私は教祖に会おうとしたけど結局会うことはできなかった。でもあなたは恐らくあと数時間以内に教祖に呼び出される。あなたしかこれを教祖にすぐ聞かせられる人間はいない」

「今警察に知らせるわけには」

「もちろん今となってはもうそれが一番いいです。でも、その手段がありません。私も閉じ込められてしまった。誰もこの建物から出られない。でも混乱が起こればそのチャンスができます」

天井も低い、狭い部屋だった。峰野は、立花の脳裏によぎり、立花が打ち消した考えに思い至る。それはＵＳＢメモリのことを峰野に伝えず、峰野をそのまま教祖に抱かせることだった。峰野を教祖に洗脳させ、教祖の女にしてしまうことだった。そうなれば、高原君への邪魔者はいなくなる。恐ろしい考えだった。なぜなら、ＵＳＢメモリを渡さず、そのまま自分を教祖に抱かせるということは、高原君を止める貴重なチャンスを一度放棄することになるから。高原君の命を危険に曝したとしても、私の破壊をそのままにしておこうという考えがよぎったのだから。

　結局彼女はその考えを打ち消したけど、好きな相手が死んでしまう可能性を無視してまで、私が憎かったことになる。もしかしたら、こんな考えも浮かんだかもしれない。高原君が死ねば、もう彼のことに悩まなくて済むと。あんな男など、もう浮気相手と一緒に死ねばいいと。もちろんその考えが浮かんだのは感情の高ぶりの中の一瞬だろうけど、相手の死がよぎるくらい、彼女は高原君について何年も悩み続けてきたのだろうか。自分の人生を削り続けてきたのだろうか。人を好きになり、何年も人生を犠牲にし、そんな自分をどうすることもできない中で、相手の死の可能性がよぎる。そうなれば自分の内面も崩壊してしまうけど、全部終わるならもう崩壊してもいいというような、何かに引きずり込まれるような感情。峰野には、その気持ちが何となくわかってしまうような気がした。

「でも……、混乱が起こったとして、でもどうやってここの場所を警察に知らせるんですか。あなたが解放される保証は」

「ええ、それだけが今問題です。ここでは携帯電話の所有は禁じられています。持ってるのは教祖と高原君だけ。……それに警察にこの場所を知らせるなんて、信者の誰も賛同するはずがない」

峰野は思い当たる。静かに口を開く。

「……楢崎君がいる」

「え？」

「……楢崎君が今ここにいる。彼なら……」

「……楢崎君が？」

立花が、驚いたまま峰野を見ている。峰野には意味がわからない。

「どうしたんです？」

「……楢崎君が？」

「だって、……そう、あなたが楢崎君を勧誘したんじゃないのですか？」

「……私が？」

「え？　立花、さん……？」

立花が放心したように身体の力を抜いている。様子がおかしい。楢崎君は初め、彼女を探しに私達のグループを訪ねて来た。やはり彼らの間に、何か恋愛関係に似たものが？　そうであるなら、彼女と楢崎君をくっつけてしまえば……。峰野は思いを巡らす。私の言い方一つで、全てが上手くいくのではないだろうか。立花はまだ呆然とどこかを見つめている。たとえば、楢崎君はあなたを懸命に探している。あなたを熱心に追うあまり、この教団に来てしまったとでも言えば。嘘は言ってない。詳しくは知らないけど、嘘は言っていない。

でも駄目だ、と峰野は思う。勇気がない。それを言う勇気が自分にはない。自分はいつも、すればよかったことをせず、あとで後悔する。なぜだろう。なぜ私はいつもこうなのだろう。

「詳しくは知りませんが、……確かに楢崎君はここにいるはずです。彼なら」

峰野は言う。当たり障りのない言葉にうんざりしながら。

「そうですね、ええ、彼なら……、高原君のことで混乱した教団のドサクサの中で、外に出ることができるかもしれない。……彼なら」

立花はそう言っているが、表情はぼんやりしたままだった。

突然ドアが開く。一度この部屋に入ってきた、身体の大きな男がいる。

「峰野さん、……教祖様がお呼びです」

立花涼子が、そっとレコーダーを峰野に渡す。峰野は後ろに回した手でそれを受け取る。受け取った瞬間、人差し指の先が立花の指先にふれた。温かい。身体に嫌悪が走る。高原君が抱いた女。高原君を喜ばせた女……。

「……お願いします。もう今は、ひとまずこの方法しかない」

連れていかれる峰野に、立花が小さく言う。峰野はうなずく。でも、峰野は立花のことを、以前より嫌いになっている。

　もし彼女が私を子供みたいに陥れていたら、嫌いになってなかったかもしれない。憎しみは覚えても、こんな風には嫌いになってなかったかもしれない。

　部屋を出された時、峰野は自分を連れていこうとする男の顔を見る。この男は気が弱く、大人しいように思う。上手くいくかもしれない。部屋の厚いドアが背後で重く閉まるのを待ち、峰野は静かに口を開く。

「あの……、その前に、高原君に会えますか」

　何かが、自分の中を通り過ぎていったような気がした。

「え？　無理ですよ」

「お願い……、教祖に会う前に。少しだけ」

　峰野は震えた声で言う。実際に震えていたから、演技の必要もなかった。

「……あなたが高原様とお付き合いがあったことは僕も知ってます」

　男が優しく言う。

「僕は高原様を慕ってます。では口裏を合わせてください。少しだけ時間稼げるような。……そうだな、トイレに行ってたとか」

「……はい」

「さっき、何か地下に運んでたからな……」

男は無邪気に続ける。

「必死そうで声かけられなかったけど、……今地下に行けば、ちょうどいるんじゃないでしょうか」

6

落ちていくエレベーターの中で、峰野の身体がこわばっていく。

高原に会うと決めたのは自分なのに、まるで否応なくこの狭いエレベーターでその場所へ運ばれていくかのように。ドアが開き、目の前に光のない空間が広がる。

「えっと、電気どこだっけな」

峰野と歩く背の高い男が呟く。峰野は自分の右側の壁にスイッチがあるのを見たが、明るくするのを怖いと思っていた。どんな顔で彼に会えばいいかわからない。それに、今自分は酷い顔をしている。

この出来事の解決策は、何も立花涼子のやり方だけじゃない。

高原君に直接会うという方法がある。立花さんが彼を説得できなくても、私ならできる。

峰野はこれから自分がする行為を頭の中で繰り返す。まず二人きりになる。この録音を聞かせる。私が録音したとも告白する。そして私は嘘をつくのだ。教祖にこの録音を聞かれたと。さらに警察も知っていると。そう言えば、彼の取る方法は一つしかなくなる。

一緒に逃げよう。私は言う。一緒に逃げて、どこかで暮らそう。教団や警察からだけじゃない。この世界から、自分達の人生から、一緒に逃げよう。

そのあと、私はこの教団の場所を警察に通報する。楢崎君が誘拐されたと言って通報する。なぜだかわからないけど、楢崎君と入れ替わりにこの教団から出るみたいで、後ろめたさを感じた。でも彼もすぐ解放される。

真実が高原君にばれてしまった時、正念場を迎える。彼は私を捨てるだろう。もしかしたら、私に殺意を感じるかもしれない。それでもいい。彼を一時でも独占できたなら。というより、そんな先のこと今は考えたくない。

よっちゃんさんごめんなさい。峰野は思う。でも、わかってください。この世界には、あなたみたいにいかない女もいるんです。あなたみたいに、松尾さんのような男に出会えない女がたくさんいるんです。

「あ、いるな……、何かしてる」

男が囁く。遠くに、三つの人影が見える。何か作業をしている。

「何やってるんだろう?……面白そうだから、静かに近づいてびっくりさせましょう」

男が陽気に近づいていく。

歩いていく男の後ろ姿を峰野は見つめる。緊張で前に進めない。突然悲鳴が上がる。悲鳴を上げたのは近づいていった男だ。様々な声が飛ぶが峰野はよく聞こえない。悲鳴を上げた男の肩を誰かがつかみ、何かを言い聞かせている。「誰だ?」一際大きな声がする。「誰かいる!」人影が自分の方へ駆けて来る。峰野は一瞬逃げようとしたが、身体が硬直したように動かない。峰野は息を飲む。高原がいる。目の前に。

「……峰野?」

息を切らせた高原が峰野を見ている。身体がこわばっていく。

「あの、ごめんなさい」

なぜ謝ってるんだろう? 峰野は思う。でもこの言葉しか出てこない。

「ごめんなさい。……私は」

「どうしたんだよ。なんでここに?」

「高原さん!」

暗がりから声がする。高原がその声に怒鳴る。

「大丈夫だ! そっちを任せる。ちゃんと言い聞かせろ。どう言えばいいかわかるだろう!」

峰野の喉に何かが込み上げる。こんな高原君を初めて見た。駄目だ。何があったか知らないけど、この状況は最悪過ぎる。

峰野は息を深く吸い込む。でも今しかもうチャンスはない。私はやるしかない。

「連れてこられたの。……不注意だった」

峰野の言葉を、高原は上手く飲み込めていない。まだ峰野を見た驚きから彼は回復していない。

「……誰が？　どうして君を？」

「知らないよ。……そんなことより」

峰野はポケットの中のレコーダーをつかむ。でも勇気がない。

「……高原君、恐ろしいこと考えてるでしょう？」

「……は？」

「……ばれてるの。もう。あなたが教祖に秘密でやろうとしてることが」

高原が峰野を凝視する。

「……警察にも。だから、だから」

峰野は思わず手を動かす。

「……一緒に逃げよう」

暗がりの中で、峰野は恐る恐る手を差し伸べる。この閉ざされた地獄で、破滅しか見えない未来を前にした男に、手が伸ばされている。

でも高原は頭痛の中にいる。突如襲ってきた、馴染みのある痛み。

「……どういうことだよ。順を追って話せよ」

「時間がないの。……時間が」

「君は何を知ってるんだ？　何を言ってる？　どういうことだよ！」

高原が怒鳴る。いつもの優しさを彼は忘れている。自分はこういう人間であると周囲に見せている自分を忘れている。峰野は恐怖する。でも峰野には今しかない。

「私が録音したの！　あなたの電話の会話を。それを録音したのは偶然だった。もう全部ばれてるの」

「録音？……もしかして、あの時に？」

「ほらこれなの！　あなたは、あなたは」

峰野がレコーダーを高原に見せる。高原はそれを凝視している。取り乱すと思った高原はなぜか落ち着いたように見える。

様子がおかしい。この変わりようは何だろう？　峰野は高原を見つめる。これは高原君だろうか？　本当にあの高原君だろうか？

「……嘘だな」

高原が静かに言う。峰野は首を振る。

「違うの。本当に」

「そうじゃない。録音は本当なんだろうけど、でもこれが警察や教祖にばれたのは嘘だ」

高原が真っ直ぐ峰野を見ている。その目に愛情はない。嘘をつく相手の論破を試みる意志しかない。

「教祖にばれたなら、なぜそれを今君が持ってる？　証拠として教祖のところにあるはず。警察にばれるわけがない。君が、俺に相談もせずこれを警察に渡すわけもない」

「私は」

「それになんで君は今そんな必死になってる？　俺のことなんて遊びだろ？　何を言ってる？」

　峰野は眩暈を感じた。

「……ふざけないでよ」

　もう自分を止めることができない。口調は静かだが、自分が何を言ってるのかわからない。

「知ってたでしょう？　私がどういう女か。知らない振りをしてただけでしょう？　私に他の男なんていない。確かに私は嘘をついたけど、録音は本当なの。私はあなたのことが好きなの。逃げましょう。ねえ、逃げましょう」

　ヒステリックな女は嫌いだ、と峰野はいつも思っていた。でも今自分がそうなっている。そうならざるを得なくなっている。口調の静かさだけが救いだった。

「私は、あなたが好きなの」

　峰野はもう一度言う。自分の言葉が届かないと知りながら。

「……別れよう」

高原が呟く。相手を傷つける勇気のない男が、精一杯口にしたように。

「もし、俺と君が付き合っていたんなら。……いや、こういう言い方は卑怯だ。全部俺が悪い。こんな男は捨ててくれ」

怒りが込み上げる。

「全部俺が悪い？　何言ってるの？」

「別れよう。その録音は……、好きにすればいい」

峰野は高原を手で叩きたくなる。でも峰野は躊躇する自分を感じる。

「それに、……君はここに連れてこられたなら、教祖に会うことになる」

高原は笑みを浮かべる。明らかに演技とわかる笑み。

「君はあの男の女になるよ。……僕よりきっと上手い」

峰野は放心したように高原を見ていた。峰野は疲れていた。

「いいよ……、そんなこと言わなくても」

身体に力が入らなかった。

「そんな面倒くさい言葉はもういい」

峰野は高原を見つめる。

「もう、何だかわからなくなっちゃった。……少しの間でいいから、抱いて。私は今、辛くて寂しい。あなたと別れるかどうか知らないけど、私は今寂しくて死にそうでどこにも行き場がれた手。

高原は峰野を見つめ、一歩近づく。でも自分の両手を見ている。土がついている。死体にふ

ない」

「……抱いてもくれないの？」

峰野は繰り返す。二本の足で立っているのが不思議だった。

「ねえ、本当に？……抱いてもくれないの？」

高原は何かを迷うようにしている。自分の手ばかり見ている。峰野はそこで記憶を失う。倒れたわけではなく、立ったままだったが、わずかの間記憶がなかった。気がつくと峰野はさっきの背の高い男に連れられ、地下を出ようとしている。背の高い男は動揺している。側には知らない女がいる。自分を教祖の元に呼びに来たと言っている。

次にぼんやり周囲を意識した時、側に男だけがいた。男が何か自分に言っている。峰野はどうにか聞き取ろうとする。

「高原様から、あなたを僕の部屋にひとまず匿えと。そしてとても難しいけど、隙を見てなんとか逃がせと。……規則違反になりますし、本当はそんなことできませんが、僕は高原様を信じています。あそこで見たことも……、僕は彼のことを信じます。責任は高原様が全て持つと言ってくれているし。僕は……」

峰野は笑みを浮かべる。最後までこの中途半端な優しさを高原君は捨てない。そうすれば、

彼にとっては全部上手くいくことにもなる。私に教祖を会わせなければ、録音を教祖に聞かれずに済む。録音は好きにしろと言った言葉も、すぐ後悔したんだろう。さらに教祖に抱かれる私を想像して、罪悪感を感じずにも済む。

あの録音を教祖に聞かせれば、テロを止めさせることができ、結果的に彼の命は救うことができる。立花涼子はそう言った。恐らくそれは正しい。彼の命を救うには、ひとまずもうこのレコーダーを教祖に聞かせるしかない。

峰野は不意に泣き出す。レコーダーを床に捨てる。

彼の命など救ってやらない。これで彼は、馬鹿なテロをして恥をかいて死ぬことになる。教祖に抱かれる私を想像して、罪悪感にも苦しむことになる。

隣を歩く男は動揺していて、峰野が何かを捨てたことに気づかない。

「いいの。案内して」

峰野は男にそう言う。放心したような笑みを浮かべている。

「教祖の元に。何をされてもいいから」

7

「……まだだ」

男が携帯電話をつかんでいる。

「そうだ。……手続きの……。……まだだ。わかってるだろう？」

男は五十代に見える。着ているスーツは安くはないが、特別に高いものではない。靴も、時計も、趣味は悪くないが、特別によいとも言えない。顔は醜くはないが、決して女を惹きつけるものではない。

男は携帯電話を切り、気だるそうに視線を斜めに向ける。そこには三十代くらいの男がいる。その男は趣味のいいスーツを着、パソコンの画面を見つめている。目が大きく、眉も奇麗に整えられ、比較的女を惹きつける外見をしている。

「……なぜ裁判官が、死刑を言い渡せるかわかるか？」

五十代の男が言う。三十代の男はパソコン画面から男に視線を向ける。聞いていると示すように。

「判例主義だからだよ。多くの裁判官は死刑を言い渡す時、判例主義のおかげで内面の負担を軽減している。何人殺し、状況はこうで、犯行の方法はこうで……、それでおおよそ、判決は決まる。過去から続いてきた裁判官達、その先人達の例にのっとって、彼らは判決を言い渡している。だから彼らは、自分達が特別な決断を、人の死を決めている自覚はない。少なくとも、自分にそう言い聞かせることはできる」

話し続ける男は一度紅茶を飲む。不味(まず)そうに。

「近頃、それは批判されている。判例主義ではなく、きちんと個々の事件に特有の判決を出せと。……その意見は正しい。でもそれは同時に、裁判官達の精神の負担を増大させることになる。誰が好んで死刑判決など出す？　本音は誰だって出したくない」

「……なぜその話を？」

「もちろん、裁判官という職を選んだ時点でその責任を引き受けろと言う人間もいるだろう。死刑囚を首吊りにする時、泣きながら暴れる死刑囚を押さえつけ、全身傷だらけになって格闘し、ロープの輪の中に無理やり死刑囚の首をねじ込む刑務官達にそう望むように。国の兵士達に対し、人間をしっかり殺すことを望むように。……そんな司法への不満を逸らすために、裁判員制度にしたんだよ。負担を分担できる。量刑への不満も言われなくて済む。死刑のある国で、国民に量刑まで決めさせる先進国は日本とアメリカの一部の州しかない。多くの国民はそんなことも知らない。国民にそんな負担を押し付ける国はＥＵから見れば狂気の沙汰だがこの制度は続いていく。国家には死刑が必要だ。死刑、つまり殺人という行為により〝法〟そのものを強靭化させることができる。戦争の権利を有することにも繋がる。心に変調をきたしている裁判員も増えている。でも不満が出れば巧妙にメディアを使い世論をコントロールすればいい。精神に変調をきたした裁判員が実際どうなったかは追わずに、心のケアの重要性、とか言っていればいい。ちょろいもんだよ。つまりこの国は官僚天国」

「……なぜその話を?」

三十代の男は同じ言葉を言う。五十代のこの男は、人の話をあまり聞かない。いつもなら何も言葉を挟まず聞き流すのだが、口を挟みたくなった。

「……我々に名前は必要ない」

五十代の男が言う。それが三十代の男が言った言葉に対する返事かわからない。

「主役は商品だ。商品をしかるべきところに運ぶ工場のベルトコンベアに名前などいらない。……我々はつまり、判例主義的精神で動いているに過ぎないのだから」

三十代の男は口を挟むのを諦める。でもパソコンの画面に視線を向けることはできない。

「内面を揺さぶられそうになった時、人間は大きく二種類に分けられる。一つは、内面を揺さぶられ、その揺れを味わうことができ、それを元に自分を少し改変させたり、その揺れを楽しむことができる人間。もう一つは、それをシャットダウンし、もしその対象が映画や小説であるなら、その揺さぶられた事柄に反論するのではなく、物語や何やらにケチをつけ、その対象を駄作として切り捨て、深く考えることを避け自己を守る人間。内面を揺さぶられる経験は、人間にとって良くも悪くもストレスなのだ。反対意見を聞くか、聞かないか、と言えばわかりやすいか？……君は自分をどっちのタイプだと思う？」

三十代の男は考える振りをする。わざわざ答えない。彼が先にしゃべり出すとわかっているから。

「自分は前者だと思いたいだろ？　でも君は後者だ。私も後者。硬化した人々、と言ってもいい」

そこで五十代の男は一瞬不思議そうな顔をする。硬化した人々、という表現は自分らしくないと思ったからだ。でも男の疑問はすぐ消える。彼には、自分に疑問を持つ習慣がほとんどない。

「だから君も、正義の顔をするのはやめた方がいい。組織に忠実に行為をする人間も、組織に疑問を持ちながら、結局同じ行為をする人間も結果的に同じだからだ。ただ君の内面が異なるだけだ。そうやって自分は疑問を持っている、仕方なくやってると言い聞かせ自分の精神の負担を多少軽減させているだけだ。二つの行為は、行われた対象からすれば全く同じなんだよ」

三十代の男は何かを言い返そうとする。でも言葉にしない。目の前の男は、自分の人事の全てを握っている。

「それに、君は私と違って家族があるだろう？　君のあのくだらないツイッターを、私は時々楽しんで読んでいる。人間がネットの中でいかに幼稚になれるかのサンプルを見ることができるから。君のハンドルネームは最高だな。何だったか……、ああそうだ、〝子育て侍〟」

三十代の男は身体に力が入る。恥ずかしさと怒りが込み上げる。でも彼は、それをすぐ静めることができる。照れた表情まで見せることができる。なぜ知ってるのですか？　とは聞かない。この男は全てを知っているから。五十代の男が静かに笑う。

「ははは。……ハッピーボーイ」

男はなおも笑っている。だが、それが本当の笑いでないことを三十代の男は知っている。これは演技だ。誰も喜ばない、ただ相手が不快になるだけの演技。この男は、そのような演技を奇妙にも義務のようにする癖がある。それは歪んだ性癖ではないかと三十代の男は思ったこともある。

「犯罪件数とは、社会の不満がある意味で数値化したものだ」

その証拠に、もう男は笑っていない。話題も変わっている。

「今の日本はかつてないほど格差社会になってるが、なぜ顕著な犯罪増加とならないかわかるか？　様々に理由はあるが、一つはインターネットのお陰だ。インターネットが、人々の不満のはけ口となってくれている。……素晴らしい発明だよ。これによって、社会にはびこる不満は少しであるがガス抜きされている。……実にありがたい。そう思わないか？　犯罪までは向かわない、ほどよい不満で保たれている。言い換えれば、我々にとって必要な程度の不満が。この国を右傾化するには、格差によるそんな不満が必要なんだよ。そうやって不満を作り出し、その不満を他国に向かわせ国を右傾化させる。他国への嫌悪が、実は無意識では自身の人生に対する不満のはけ口の表れであることに気づける人間は少ない。こういう大昔から行われている統治のロジックを繰り返されているのにも気づかず、あっさり右傾化するんだからちょろいじゃないか。そうだろう？　ああそうだ、君に言うことが……」

今日、この男は機嫌がいいのかもしれない。しゃべり続ける彼を見ながら、三十代の男は思う。この不愉快な上司の評判はよくない。学歴は日本国内だけで判断すれば最上のものであり、頭は相当にきれると誰もが言う。でも頭脳の明晰さと顔の地味さがアンバランスで気味が悪く、何より性格は最悪だった。今の話を聞くだけでもわかる。彼の部下は一度は体調を崩す。

でも三十代の男は、もう自分のペースを取り戻している。あと数分もすれば彼の話が終わり、また自分は仕事に戻れることも理解している。彼も、この男と同じように頭がよかった。さらに彼は、自分の精神バランスを安定させる術を心得ていた。

彼は仕事を終える17時になれば、頭の中を完全に切り替えることができた。仕事中の自分から、良き夫、良き父へと。家庭での彼は、完全に仕事のことは頭にない。笑顔で妻を抱き寄せ、子供を抱き寄せる。

*

「遅いじゃん」

小牧が言う。息を乱しながら。

楢崎の上で、小牧が腰を動かし続けている。部屋に新しく女が入ってきたが、楢崎も小牧の動きをやめさせようとしない。

「もう、遅いから、私が一人でしちゃってるよ。……んん、この子、もうすぐ二回目を」

「すみません。あの女の人、……名前忘れちゃったけど、探せって言われてしまって」

女はそう言うと、レコーダーをテーブルに置く。

「……なにそれ？」

「なんでしょう。その女性が落としていったから……」

小牧は腰を動かしながら、楢崎の頭を自分に引き寄せる。胸に顔をうずめさせる。

「出ちゃうの？……こうすると出ちゃう？」

8

薄暗い部屋。沢渡がベッドに寝そべったまま、こちらを見ている。

峰野はぼんやり沢渡を見ている。以前、松尾の対話会で見かけた時と、印象がほとんど変わらない。目が鋭く、気味が悪いほど顔が整っている。年齢もわからない。

「……いい表情だ」

沢渡は、峰野が部屋に入ってきても姿勢を変えなかった。だらけたように横向きに寝ながら峰野を見続けている。峰野は胸が苦しくなる。この圧迫感はなんだろう。

「絶望といったところか。悪くない。でもお前はまだ底辺を経験していない」

弛緩した沢渡の身体が、ますますベッドに沈んでいくように見える。

「今私が合図をすれば、数人の男達が来る。……お前の身体を縛り上げる。お前は私に抱かれ続けることになる。……全てが終わった後、お前は底辺にいるだろう」

沢渡はなぜか、自分の左のまぶたを、指でつまみ微かに引っ張るようにしている。口の中で何かを動かしている。その動きは執拗で、峰野は沢渡から視線を逸らすことができない。何かがせり上がるようで息も苦しい。

「……私の判断一つで、お前の今後の人生は一変する。……んん、いつも思うのだが、……この瞬間には……奇妙な感覚がある。……お前は、……松尾の対話会に出ていたから、知っているはずだ。この脳と意識の関係を。さらに宇宙による運命論を」

部屋の暗がりには濃淡があった。錯覚のようにも感じるが、奥に近づくほど暗がりが濃くなっていく。

「……今、私はお前を抱くかどうか考えている。……正確に言えば、私の脳を構成している無数の素粒子、その素粒子達が構成している千数百億の脳の神経細胞の幾つかが……電気信号を無数に交錯させ、……目の前の女をどうするか決めようとしている。意識である私はそれを眺めている」

沢渡が指を離し、目を閉じる。話の脈絡に関係なく突然眠ったように。やがてゆっくり目を開く。目の前の峰野を一瞬不思議そうに見る。口を開き、また呟くように話し始める。

「宇宙のビッグバンによって、全ての素粒子の動きが決定されているのなら……、お前のこれからも、決定していることになる。しかしそれらがランダムに動くのであれば、お前の運命はまだ決定していない」

沢渡の目が、改めて峰野の姿を確認したように動く。まるで、自分が今誰としゃべってるのかを一度忘れ、またようやく一致したように。

「……どちらだろうか。私はよく考えるのだ。全ては運命で決まっているのか、いないのか、こういう決定の瞬間に。……もちろんこれには様々な要因が含まれている。たとえば今日は月曜日であり、私は既に女を抱き過ぎている。……お前はその月曜日に来た。言い換えれば、お前を現時点で構成している素粒子達が、現時点で私を構成している素粒子達の前に出現した。……この出現に意味はあるのか、ないのか。もしくは、意識の、人間レベルでは意味はないように見えるが、……素粒子的には重要な意味があるのか」

「……支配でもしてるつもりなの？」

峰野は言う。微かに笑みを浮かべ始める。

「あなたは、私が絶望するための道具に過ぎない」

沢渡が峰野を凝視する。笑みを浮かべたようにも見えるが、暗がりでよく見えない。

「松尾の対話会でお前を見た時は、お前はまだそんな言葉は吐けなかった。ただの小娘に過ぎなかった。……なかなかいい」

暗闇から男達が出てくる。峰野の身体を押さえつける。峰野は抵抗しない。闇と対峙していると思う。自分という存在の全てを破壊してしまうかもしれないものと。恐怖を感じる。でもそれは思ったほどではない。峰野は奇妙な感覚に囚われる。これは優しさだろうか？　なぜそんなことを？　私の存在の全てを破壊しようとしているのに、なぜその闇に対して私は……。

「勘違いするな。お前に手は出さない」

男達は峰野をどこかへ連れて行く。ドアがある。たくさんのドアが。

「そこで見ているといい。これから起こることを」

＊

頭が痛い。まさかあんなことをするなんて。

女はこめかみを押さえながら、廊下を歩いている。

でも、なんで彼らはリナを連れてったんだろう？　誰の命令だろう？　幹部にあんなことができるのは、教祖様か、幹部会の決定しかない。違う、そんなことより、レコーダーを持っていかれた。レコーダーは別にいい。でもあのＵＳＢメモリを取られたのは最悪だった。我慢できない。苛々して仕方ない。リナがまだ持ってるはず。でも私はもう探しにいけない。高原様の女になることが許されたと思ってたのに、私はこれからよく知らない男の相手をしないといけない。もう嫌だ。高原様以外の男に抱かれるなんて。頭が痛い。月曜日を回避できたのに。そういう権利をもらえたと思ったのに。もう嫌だ。逃げたい。高原様の女になれないなら、下界に出たい。あと数日。あと数日すれば出られる。急にどうしたんだろう？　他の男に抱かれるのが嫌になるなんて。洗脳が解けてる？　私は洗脳されていた？　頭が痛い。でも、出たところで一体何が？　私はどうせまたくだらない男にすがるようになって……。考えるのをやめよう。考えなければいいと気づいたのは何年も前。デリヘルするようになって、何日か過ぎた頃。どんな相手が待ってるとか、そんなこと考えずただホテルに行く。口でする時も相手に任せるんじゃなくて、こっちがメインで動けばストレスは減る。何かの作業みたいにする。心と身体を何とか分けようとする。

あの男。なんで突然あいつが浮かぶんだろう。お金が返せなくて抱かれた男。「中に出すか顔に出すか」私の上で動きながらあいつは言った。あの時、私は顔に出されるのは絶対に嫌だと思った。顔に出された方が中に出されるより遥かに安全なのに。でもダメだった。顔は私に近いから。顔は私そのものに近いから。性器は私より遠い。あの頃、性器は私とは別のものだった。別のものであると思おうとしていた。

ドアを開ける。小牧さんが服を着ようとしている。別の女が、男の髪の毛を撫でている。この男は誰？　何でこんな男に女を三人も？

「……あなたも遅い。もう私戻るからね」

小牧さんが言う。私は言い訳をしないといけない。

「すみません。身体検査を頼まれて」

「でも遅過ぎるじゃない」

鼓動が速くなる。あのレコーダーがテーブルに乗ってる。

私は急いでつかみ外に出る。後ろで何か言われたけど関係ない。エレベーターのボタンを押す。21階へ。これを教祖様に聞かせよう。高原様を拘束してもらおう。私はこれを知らせた功績で、高原様の世話役にしてもらう。彼も殺されはしないはず。監禁されはするだろうけど、殺されはしないはず。エレベーターが来てドアが開く。誰も追ってこない。中に乗って、20階のボタンを押す。早くエレベーターから出て駆け上って21階へ。大丈夫。高原様は殺されない。多分だけど殺されない。私は彼の看護婦になれる。でも、もし高原様が殺されたら……。でも考えてる場合じゃない。

エレベーターを降りて階段を駆け上る。こんなに走ったのは学生以来。もう思い出したくない過去。過去はいらない。もう過去はなくていい。高原様を手に入れることしか考えちゃいけない。もう私にはそれしかない。他の男に抱かれたくない。外にも出たくない。

「おい待て」

廊下に男がいる。見張りの男。私は構わず走り抜ける。

「おいどうした。許可取ってないだろ！　どっちみち無理だ！　扉は開かない！」

巨大な扉の前に立つ。怖い。でもこれは緊急事態だ。教祖様もお許しになるはず。開かなかったら叫べばいい。でもレバーに手をかけると扉が開く。

「教祖様！」

息を切らせながら叫ぶ。教祖様は寝そべっている。だるそうに。さっきまで誰かいたみたいな気配がする。誰だろう。でも関係ない。

「教祖様！」

教祖様は答えない。まるで自分の他に誰もいないかのように。

「教祖様。これを、これを聞いてください」

レコーダーのスイッチを押す。高原様の声が流れてくる。この部屋は静かだ。高原様の声が響き渡る。テロを計画してること。教祖様に秘密で信者を煽動してること。つまり教団を乗っ取ろうとしてること。何かが崩壊していくように思う。音も立てずに崩れていく。なぜだろう。

私は身体が熱くなる。

「……ほう」

教祖様がようやく声を上げた。何かが次々と崩れていく。私は必死に声を出す。

「教祖様。聞いてくださいましたか。彼は恐ろしいことをやろうとしています。裏切りをしようとしています。教祖様に秘密でこんなことを。彼を拘束してください。私を、彼の、世話役にしてください。私が改心させてみせます。私が、私が」

「……もう一度聞かせてくれ」

教祖様がゆっくり立ち上がる。眠気を払うように。私はレコーダーを差し出す。教祖様、私を高原様の世話役に。私は高原様を手に入れたい。そのためならどんなことでもする。何がどうなろうと。どんなことでも。

「……褒美を」

息が苦しい。教祖様に首を絞められている。

何だろう？　これは何だろう？　私はこんな重要なことを知らせたのに。教祖様と目が合う。教祖様が私の首を絞めながら顔を覗き込んでいる。レコーダーが床に落ちる。

「きょう……そ、さま……？」

苦しい。身体が浮いていく。息が、これ以上は――。

「……お前は死ぬんだろうか？」

教祖様の声が遠くなっていく。

「……死ぬしかないな、それを聞いたんなら」

9

高原は椅子に深く座っている。もう立ち上がりたくないほど疲れている。

「……決行は、明日だ」

目の前の篠原も阿達も、椅子に深く座っている。彼らはさっきまで、何度も手を洗っていた。土がついたという理由だけでない。死体にふれたから。

「わかりました」

篠原が言う。疲れているはずなのに、声には力があった。

「お前達は今すぐ出発しろ。教祖様の許可は俺が取ってる。どこかのホテルでゆっくり休め。睡眠は絶対に多く取っておかないといけない。明日の11時。例の場所に集合する」

二人が立ち上がる。でも篠原がこちらに視線を向けている。

「他の者達は」

「もう出発してる。機材の準備は終わってるから、後は俺達が明日集まるだけだ。お前達も早く」

「……高原様は」

「うん、俺はまだやることがある。教祖様と打ち合わせがある」

「わかりました」

二人が部屋を出て行く。高原は椅子から立ち上がる。机の引き出しの鍵を開ける。拳銃を取り出す。

拳銃にふれた瞬間、腕の神経に震えるような刺激を感じた。ふれている場所から、身体が緊張していく。自分を超えたもの、とふと思う。この機械は冷酷さにおいて、自分を超越している。

拳銃をポケットに入れ、高原はエレベーターに乗り20階のボタンを押す。足の力が抜けていく。自分は、自分を超えなければならない。何度か深く呼吸をする。**行為者として**。これから全てが動き出す、そのきっかけの歯車として。

エレベーターを降り、静かに階段を上がる。見張りの男がいる。教祖の扉の前で困惑している。

「高原様」

男が近寄ってくる。安堵したように。

「女が、キュプラの女が、無理やり教祖様の部屋に入っていきました。私はこの扉にふれることができません。ふれることは罪です。私は中の様子をうかがうことができません。私は」

仕草で黙らせる。ポケットの拳銃を酷く重く感じる。

「そうか。後はまかせてくれればいい」

「……しかし、高原様?」

「ああ、教祖様に呼ばれてる」

「……私は」

「聞いてない?」

「ええ」

「おかしいな。……でも呼ばれてるんだ。……俺を信用してないわけじゃ」

「そんな、でも……」

頭が朦朧としてくる。不意に何もかも面倒になる。こいつを撃ち殺してやろうか? さぞすっきりするだろう、自分の未来の全てを投げ出した瞬間は。ざわざわと、重い泥濘のような感情がせり上がってくる。ポケットの拳銃を意識する。

でも高原は微笑む。行為者として行動しなければならない。

「今は緊急事態だ。許可なく女がお部屋に入った。そうだろう? ここは幹部の俺が解決しなければならない。責任は全て俺が取る」

「わかりました」

男が引き下がる。

「あと……、ちょっと下がってろ」

男は一瞬高原を不思議そうに見たが、一歩下がった。高原が見つめ続けると、また下がっていく。

「ちゃんと定位置まで下がれ！　慌てた様子を教祖様にお見せする気か！」

男が驚いたように去っていく。高原は扉に手をかける。鍵は開いている。これなら都合がいい。

扉を開け、息を飲む。暗がりの中、教祖がこちらを向いて座り込んでいる。腰を地面につけ、あぐらをかき、屈み込みながらスイカを食べるような姿勢をしている。高原は思わず目を見開いていた。教祖が女の唇を吸っている。力なく寝そべった女の顎をつかんで持ち上げ、その後頭部を支え、スイカを食するように女の唇をむさぼっている。唇だけを。

「……んん、なんだ、……どうした」

教祖が高原に気づいて言う。でもすぐに、女の唇に戻る。

「その女性は……？」

「ん？……気を失ってるんじゃないか、……それとも、死んだか、……わからんな」

教祖は女の唇を吸い続けている。昆虫のようだ、と思う。気味の悪さに、圧迫感を感じ始める。動かない女は服を着たままだ。

震える指で拳銃をつかむ。ちょうどいい、と高原は思う。この教祖の姿勢はちょうどいい。この教祖の頭の位置はちょうどいい。

覚悟がない。でも高原は拳銃を取り出す。覚悟がなくても、人間は動くことができる。教祖に気づかれないように、深く呼吸をする。視界が狭くなり、でも少しずつ腕を、硬直していく関節を無理に動かしていく。腕が動いていかないのは力を入れ過ぎているからで、でもその力の抜き方がわからない。腕を動かす度に深く息を吸う。拳銃を握る指や手の平が酷く濡れている。頭ではやめたいと思っている。何か自分の行動を今さら取り繕う可能性を探っている。女が入ってきたと聞きましたので、あなたをお守りするためにここに来ました。今ならまだ、そう言えば引き返せる。でも身体を動かしていく。吐き気がした。やってしまえばいい。やってしまえば、もうそのあとは勝手に状況が流れていくに違いないのだから。屈み込んでいる教祖の後頭部に、拳銃を突きつける。心臓が大きく脈打ち、足の力が急速に抜けていく。でももう遅い。やることしか残されていない。後戻りはできない。

「……今から俺の言う通りにしてください。このレコーダーに、録音してもらう」

教祖は銃などないかのように顔を上げ、高原を不思議そうに見る。そして、また女の唇をむさぼり始める。

「ここに原稿があります。これを読み上げればいい。今から我々はテロをする。主犯は教祖様、あなたです。あなたは女に溺れてる間に、俺にこの教団を取られたんです」

高原は自分が異常な量の汗をかいているのに気づく。考えてみれば、自分は教祖にこれほど近づいたことがない。教祖の皮膚から出る何かの臭いすら感じることができるほどの距離。呼吸が難しくなる。圧迫感だ。この圧迫感は何だろう。

「……ほう」

「いいですか。俺はあなたを殺すこともできる。もうどちらでもいいんです。あなたを手伝う者達を向こうの部屋から呼びますか？　でもそうすれば俺はあなたを殺すだけです。あなたに選択肢はない」

「……高原」

教祖が顔を動かす。でも高原は、自分が絶対に教祖の頭部を撃ち抜くことができないと知っている。

「動くな、撃つ」

「高原」

高原の拳銃は動かないが、その銃口がふれている教祖の頭だけが動く。そのことで銃の先が教祖の後頭部の肉をなぞり、耳をなぞり、頬をなぞっていく。鼓動が痛いほど速くなる。頬に銃が食い込み、教祖の顔の肉が歪む。でも教祖は、銃などないかのように振り向いてくる。

「撃つ。俺は」

「高原、**お前は神の実体を見たことがあるか？**」

辺りが冷えていく。

「……は？　ない。あるわけが」

「そうか。……**俺はある**」

教祖がぼんやりこちらを見ている。銃に頬を食い込ませたまま。

「ある特定の状況、特定のタイミングが組み合わされる時、それが出現する。……一度それが出現すれば、それは体内の粒子が入れ替わりを起こしても奇妙にも一時期において持続する」

「………何を言ってる？」

「気をつけろ。……**身体に力を入れておけ**」

心臓に重い刺激を受ける。松尾にも、同じ言葉を言われていた。鼓動が苦しい。

「……で、何を言えばいい」

「え？」

「言葉だ。なんだ、やめるのか？」

高原は震える手で原稿を取り出す。その時銃が教祖から離れたが、高原は気づいていない。

「……ん、なるほどな」

教祖が原稿に目を向ける。高原は慌ててレコーダーのスイッチを入れる。教祖が原稿を読み上げていく。

「これまでお前達はよく秘密裏に私の意志を実行してくれた。全ては動き出す。さあ、動け。私の意志を世界に広めろ。仲間達よ。お前達は私の一部であり、私はお前達の一部だ。先陣を切るお前達は私の誇りだ。私達もすぐ後に続く」

教祖は原稿を置き、茫然とする高原の前で、また女の唇をむさぼり始める。死体かもしれないそれを。その時、意識の隅で、その女が以前自分に言い寄ったキュプラの女であると気づく。でも気づいただけで、何かを感じる余裕は高原になかった。

「……教祖、様、……あなたは」

「……ん？」

「**あなたは、一体何者なのですか？**」

レコーダーを握りながら、高原は思わずそう言う。自分でも、言葉の意味がわからないまま。拳銃を教祖に向けることも忘れている。

「……あなたは、一体……」

「用が済んだら行け」

教祖が言う。気だるそうに。高原は部屋を出て行く。車に乗り込んだ記憶はなかったが、高原は息を切らせハンドルを握っている。アクセルを踏み、教団の駐車場から出ていく。

決行は明日。

10

硬いコンクリートの上で、立花涼子は目を覚ます。

いつの間にか眠っていた。外が明るいのか暗いのかもわからない。もう日付を跨いだだろうか。

今外で何が起こってるんだろう。彼は拘束されただろうか。早くここから出なければならない。警察に、この教団の場所を知らせなければならない。

でも手段がない。誰も部屋に来る様子もない。食べ物くらい運ばれると思ったのに。

「もし善良な宇宙人が地球に来たら、いかに人間が巧妙に貧困を創り出す存在かに驚くはずだよ」

高原君はよくそう言った。彼の関心は世界の貧困にあった。

でもそれは、善良な精神の発露とは少し違っていた。彼の関心は取り分け飢餓で、そこには彼の個人的な体験があった。

私と兄妹になる前、彼は飢えたことがあった。空腹を覚えながら裕福な家の明かりを見上げるような、精神的な辛さではなかった。それは徹底された「飢え」だった。狭いマンションの中に長期間閉じ込められ、彼は圧倒的な飢えを経験した。その時のことを彼はあまり話してくれない。世界から完全に忘れられた小さな子供だった彼は、隔離された都会のマンションの一室で飢えた。発見された時、彼は衰弱という領域を超え、重体と呼ばれる状態だった。筋肉はほとんどなくなり、病院で生死の境界を彷徨(さまよ)い、命を取り留めたのも飢えによる失明や脳の障害を免れたのも奇跡だと言われていた。

彼はテレビで飢饉の報道を見ると、たまに吐くことがあった。それは他者への思いやりというより、自分が体験した恐怖をそのまま見せられる苦痛からだった。

「なぜ貧しい国が存在するのか。飢えて苦しむ国が存在するのか。それは、裕福な国々が彼らに貧困を望んでるからだよ」

彼の話を聞くと、確かに世界は巧妙なカラクリで貧困を創り出していた。何度も聞かされ、ほとんど覚えてしまった話。

「まずアフリカのある国で何かの資源が、たとえば石油が発見されたとする。その王が石油の採掘権を裕福な国に認めればそのまま関係は続くが、拒否すれば、裕福な国々はその国の貧しい人間達を集め反政府組織をつくらせ、武器を援助し紛争を発生させる。メディアには『民族的対立』や『独裁政権の圧制』なんかの言葉を流しておく。紛争で大勢の人間が死に、親が死んだことで大勢の子供が孤児となり、その国はさらに貧しくなる。自分達が援助する反政府組織に王を倒させ、その彼らを新しい王や政府に置く。そして石油を手に入れる。さらに、その王や政府は自国の貧民達を考えるタイプであるより、賄賂にまみれた悪人であることが望ましい。王に賄賂を与え、その国の石油を有利に手に入れることができるから。たとえば、アフリカのとある貧国の王の個人資産は5000億円という途方もないものだった。それは総人口約6600万人のその国のGDPの半分以上の金額だった。その王の背後には西側の大国がいた」

「石油が出ればその国は豊かになる。普通はそう思う。でもそれは、その国の政府や政府機関がきちんと機能していればの話。原油が出れば、その国は石油依存の道をひた走る。まず原油が出たことでその国の通貨の価値が急激に上がり、原油以外のその国の輸出産業が壊滅的な打撃を受ける。原油は採掘すると、地下の圧力で地上にせり上がってくる。バルブを取り付けパイプラインに流していくのだけど、破損することで多くの田畑は完全に死に絶える。無数の農家が路頭に迷う。原油の採掘による現地の雇用創出は、実は工業製品をつくる雇用創出より遥かに少ない。石油に関わる人間達の利益だけが急増していく。裕福な国々は、少しでも有利に石油を手に入れたい。原油を所有する政府や政府機関は賄賂や腐敗でズブズブにしておきたい」

「でもやがてその国の貧しさが世界的に問題となり、援助という話になる。ODAと呼ばれるもの。ODAは、裕福な国々の税金から出る。このODAを巡って、裕福な国々の企業達が暗躍する。わかりやすい例を言えば、国際社会から多額の公的援助がとある貧国に送られる。でもその援助はその国のトップと、その下の政府機関達の小遣いとなって貧民にちゃんと行き渡らないこともある。こんなデータがある。ある貧国の財務省が支出した、農村の診療所のための援助金のうち、実際に診療所に届いたのはそのうちの1%以下だった。もっと言えば、多額の公的援助は、裕福な国々の銀行に巧妙に入ってしまうこともある。貧国はそこから金を引き出す、という形。貧国のトップやその周辺が本来貧民のために使うべきだった金を西側諸国の銀行に隠してしまう。当然西側諸国の銀行は儲かる」

「貧しい国が存在してくれれば、裕福な国々はODAを出しやすい。それは裕福な国々の公共事業として終わることもある。きちんと機能してるODAが大半だと思いたいが、そうでない場合もある。たとえば会社Aが、ODAの資金を使って、貧国で何かをする。貧国もおこぼれをもらえるが、利益の大半はその会社Aが受け取る。ODAという名の公共事業。ODAの資金の何パーセントかが、そのまま裕福な企業に入る構図。貧しい国がいてくれればいてくれるだけ、企業達はODAからの利益を得ることができるともいえる」

「農業に目を向けてみる。食糧不足、というのは嘘で、実は地球の食糧は現在、全ての人間達に行き渡ってもあり余るほどの量がある。裕福な国々は、自国の農家に多額の補助金を払っている。補助金で余裕のある裕福な国の農業は、安い価格で農作物を輸出することができる。そして、そんな農作物がアフリカに流れ込む。アフリカの農家は、裕福な国々が提供する安い農作物に価格の面で対抗できない。なぜ裕福な国々は自国の農業に補助金を与えて守るのだろう？　理由は簡単で、農家達の集合体は民主主義の選挙において集票マシーンになることができ、また、戦争などに備え、どの国も自国の食糧自給率を上げたい。でもそんな補助金によって支えられた安い食物がアフリカに大量に輸出されれば、アフリカの農家達がダメージを受けることも彼らはちゃんと知っている。ここにもカラクリがある。そうやってダメージを受けた農家達が、今度は別の農業をやるようになるから。別の農業をやらせたいから。つまり、裕福な国々にとって都合のいい農業を。たとえばコーヒー。チョコレート。そういったものを大量に作らせ、大量に作らせることで価格を下落させ、裕福な国の企業達がそれらを安く輸入していく。俺達が自分達の国で得る安いものは、そういった貧しい国の農家達の劣悪な賃金体系の下に成り立っていることがある。アフリカで飢餓が起こる。アフリカはもう自給自足の農業ができないからそうなる。でも飢餓が起これば裕福な企業達にとっては都合がいい。世界各国が援助をしようとするから。そのために、食糧に携わる企業が提供する食糧を、裕福な国々が税金で買ってくれるから。アフリカの農家達は自分達で飢餓を払拭できる力が本来はあるのに、構造的に貧困の中に埋め込まれていることになる」

「つまり貧困は、裕福な国によって、意図的に創り出されている。でも、ここ数年は状況が変わってきている。たとえばアフリカを、裕福な国達は『開発』しようとしている。アフリカの一部の国に、ポツポツだけど中産階級も生まれ始めている。安い労働力でこき使うだけでなく、世界は市場を探していて、世界はアフリカに『消費国』の役割も負わせようとしている。上手くいけばでも、これは貧困の撲滅に繋がる。アフリカに市場を求めるならアフリカを裕福にしなければいけないから。でもまた企業達が搾取に走ればアフリカはもう永久に貧しい。今が変わるチャンスなんだ」

こういう話を、彼はいくらでもすることができた。話し始めれば熱心だった。

「だからポイントは裕福な国の企業ということになる。企業の暴走をコントロールできれば理論上飢えは地球上からなくなる。でも企業の考え方に、企業が貧国に開発に行って利益を得るのはいい。慈善事業じゃないんだから。でも企業の考え方に、貧国と共に勝つという発想がなければいけない。だから多国籍企業には、監視する機関を同行させなければならない。ＮＧＯとかが個別に監視するだけじゃ弱い。国の意志として、ＯＤＡを使うならその使い道も追えるような機関を同行させる。そしてその結果を、テレビやマスコミ、そして国会でも年に一度は報告させる。その企業が現地でどのように活動しているのか。それによって現地の人間達が不利益をこうむってないかどうか。企業はイメージを大切にする。企業側のメリットからすれば、自分達は貧困を終わらせる経済活動をしていることをアピールできる。利益を生む経済が貧困撲滅事業と繋がればそのスピードは速い」

「裕福な国に、農家への補助金をやめさせるのは現実的じゃない。もちろん裕福な国達が自国の農家への補助金をやめるだけで、アフリカの農作物が国際競争力を持ち、援助金の何倍もの利益をアフリカが得られる事実はあっても。だからせめて、裕福な国達に、アフリカへの農作物の輸出を段階的にやめさせる。そしてアフリカに、自分達が食べられる作物の農業を徐々に復活させる。アフリカの自給率を上げさせる」

「紛争が起きた時、その両部隊の使っている武器、それを与えた国、資金源を公開するルール作りをする。そうすれば、民族対立を煽り、コントロールし、民族対立を隠れ蓑にいかに大国同士が裏で争っているかがわかる」

「世界をインターネットで繋げるというのはまやかしだ。だって、本当に何かを発言しなければならない貧国の村にネットなどないから。だから、本当の意味で、世界をインターネットで繋がなければばならない。いつ、どこで、何によって問題が起こっているかを、現地の人々が世界に発信できるシステムを構築しなければならない。インフラ整備に時間がかかるし現実的じゃないと言う人間は何も知らない人間だと思う。だって、そういう貧国で戦うゲリラ部隊は、山岳地帯で実際ネットを使い、衛星携帯電話も使っているから。やろうと思えば可能。ウィキペディアのような、世界的なサイトがいる。そして各地域ごとにしっかりとした公式のページを細かく用意し、世界がいつでも彼らの声を聞けるようにする」

「国際連帯税の導入。国境を越えるグローバル経済の利益に税を課し、それを世界の問題のために使う。これはもうEUの一部で航空券連帯税として始まっている。もし金融にも、ごくごく僅かにそういう国際税を課すことができれば、莫大な金を貧国のために使うことができる」

「フェア・トレードの徹底。フェア・トレードは、その商品が、劣悪な条件で貧国の労働者達を酷使して生み出されたものではなく、フェアに、きちんとした賃金を払ってつくられた商品であることを証明するもの。貧困の削減に繋がるけど、制度ももっと整えなければならないし、まだまだ広がっていない。これを社会運動、市民運動という小さな活動に任せずに、税金を使いテレビＣＭを義務づける。多国籍企業からＣＭ収入を得ている民放では難しいかもしれないから、法律で義務づける。というか、日本のことで言えば、ＮＨＫを二つに分けたい。ＮＨＫは国民からの受信料で運営しているから、国の権力からも、企業からも本来は独立しているはずなのに、政府の顔色を窺ってしまう。もちろん理由はある。国民から選ばれた政府の顔色を窺うのは国民の顔色を窺うことと同じという論理。でもそれは違う。だからといって、ＮＨＫに、政府に攻撃的な放送ばかりさせるのも妙だから二つに分けたい。一つはこれまでのように公平で安定した報道をするＮＨＫ。それにももちろん大きな価値がある。そしてもう一つは、イギリスのＢＢＣをもっと押し進めたような、挑発的にスクープを連発する先鋭的な国民放送。企業の『犯罪』だけを取り上げるのではなく、企業の『犯罪的な利益追求』もきちんと取り上げさせる。企業広告と関係のない強力なメディアの出現を望みたい」

彼の話を聞きながら、夢物語だ、と思った。貧困撲滅を願う、若く善良な夢思想。でも、それを夢物語と思ってしまう自分に疑問を感じたこともあった。人が死んでいく。飢えて死に、大国達に操られ銃弾で死んでいく。それをやめさせるための行動が、夢物語と言われてしまう世界。

彼は元々作家になりたいと言っていた。でもいつの間にか書かなくなった。「物語を創造するのをやめた」と彼は言った。「そうではなくて、自分の人生を創造することにした。行動することにする。狙いは一番の根っこだ。世界を変える」

彼は様々なNGOに出入りし、ネットワークを広げていった。人を少し見下してしまう癖があって、プライドも高い人だけど、実際に頭は良かった。その世界で、彼は少しずつ有名になっていった。

もちろん彼の理論には問題も多かった。たとえば、アフリカで活動する多国籍企業に監視役の機関を同行させるとして、でもそれは倫理や道徳を重んじる行為であるから、競争に弱い。倫理も道徳も何もなく、無造作にアフリカの資源を貪ろうとする企業に競争で敗れることになる。

たとえば、善良な企業がアフリカで何かの資源開発に関わろうとしたとする。善良な企業がアフリカの現地の企業と資源開発の契約を結ぶ。政府機関にもアフリカ企業の上層部にも賄賂を渡さない。アフリカの労働者達の労働条件の改善や、地域のインフラ整備などにも協力するよう働きかける。アフリカの企業や政府機関がもし善良でなければ、それを面倒に思うだろう。そうなった時、うるさいことを言わない後進国の企業に乗り換えてしまう場合がある。実際、アフリカではそういった事例がいくつもある。

私がそういう反論をすると、彼はただ笑った。「自分はただのビジョンだ」と言った。「細かい制度作りは、そういった制度を緻密に作成できる人間達の仕事だよ。ビジョンを現実化するための細部をつめることのできる人間達の。俺はただビジョンを示して行動するだけだ」

確かに、世界の問題の大半は、いま企業達が作り出していた。あらゆる紛争の裏にも企業達が暗躍している。そこに目をつけた彼の視点は恐らく正しい。

でも彼は変わってしまった。主義主張は同じだけど、その実現のやり方に急進的な方法を求めるようになってしまった。あの日、長い旅行から帰ってきた時。彼はそのことについて多くは語らなかったけど、パスポートを見て、複数のアフリカの国に渡っていたのを知った。

詳しい理由は教えてくれなかったけど、彼は急に宗教団体に興味を持つようになった。多くの信者達が沢渡に惹かれ、吸い寄せられたのと違い、彼は自ら沢渡に目をつけ、心酔した振りをして近づいていった。

廊下を駆けていく無数の足音がする。何人もの信者達が慌てたように自分のいる部屋を通り過ぎて行く。なんだろう。高原君が拘束されたのだろうか。


芳子と吉田は警察署にいた。

担当してくれた刑事は顔馴染みだった。教団X。実態のわからない沢渡の教団を、彼らは水面下でそう呼ぶ。松尾が受けた詐欺の被害は松尾が嫌がったので届けなかったが、警察の方から、これまで何度も松尾へアプローチがあった。

沢渡の教団について何か知ってることがあったら教えて欲しい。そう言われる度に、松尾や芳子は協力はしたが、彼らの居場所も知らなかったし、警察が来てもいつも大したことは言えなかった。

「誘拐、となれば深刻ですね」

目の前の刑事が言う。

「私達は、七年前の信者殺害事件について彼らを調べてたのですが……、居所がわからない。一度はわかったのですよ、五年前に。でも彼らは姿を消してしまった。解散したかと思っていたのですが……」

刑事は息を吐く。

「まだ活動しているようですね。何をしてるのかわかりませんが……。我々も全力を尽くします。彼らの居所さえわかれば」

「ちょっと来てください！」

若い刑事が突然ドアを開け、部屋に入ってくる。慌てている。

「ああ、ちょうどいいです。芳子さんも吉田さんも……。今ニュースが。僕にはわけがわからない」

都内のホテルのスイート・ルームに高原達は集合している。三十名。決行は今日。それぞれの役割を確認している時、そのニュースは突然流れた。皆が放心したようにテレビを見ている。

高原は冷静になろうとするが上手くいかない。

「なんでだ？」

高原は混乱したまま呟き続ける。

「なんでだ？」


信者達が21階へ走っていく。

「教祖様！」

「教祖様！」

彼らが口々に叫んでいる。見張りの男が止めても彼らは言うことを聞かない。教祖の部屋に駆け込もうとする。

「教祖様！」

彼らのうちの一人が叫ぶ。泣き出しそうな声で。

「教祖様！　この建物が機動隊に囲まれています」

11

部屋の扉が開き、中から教祖が出てくる。

背筋を真っ直ぐ伸ばした教祖の背は高かった。真新しい、白の無地の法衣を着ている。

「状況を話せ」

ひざまずこうとする信者達を、教祖が止めさせる。手の仕草だけで。幹部の前田が口を開く。声が震えている。

「インターフォンを押す者がいました。1001号室の番号です。部屋の者は当然無視しましたが、何かの勧誘にしてはしつこく、映像を見るとスーツを着た男が二人。報告を受けた私が望遠室から外を見ると、機動隊の姿が見えました」

「……処置はしてあるか」

「はい。緊急事態に備えた条項の2条を適用して、正面玄関の自動ドアの電源を切り、今バリケードをつくっています。裏口のドアも塞いでいます」

「……他の幹部は?」

「窓の強化の指示に動いています。この建物の窓はすでに固定されたスチールの雨戸によって全て塞がれていますが、その部分をより強化させるために鉄の板を。条項通りに」

「んん、……信者達を全てホールに集めろ。幹部達も」

「それが……」

前田が口ごもる。

「高原がいません。それだけでなく、何十人かの信者も。……姿が消えています」

警察署内のテレビ画面を、吉田は食い入るように見ていた。

芳子に視線を移すが、顔が青ざめている。無理もない、と吉田は思う。色んなことがあり過ぎた。

「なんでだ、どういうことだ」

共に画面を見る刑事が声を上げる。

「ここは俺達の管轄だろ？　何で事前に知らせがない？　そもそも何で彼らの居場所をこいつらは知ってるんだ！」

警視庁公安部。ここで画面を見ている全ての人間の脳裏にその名称が浮かぶ。彼らは警察とは別の論理で動く。所轄の現場の刑事達に連絡がなかったのは、彼らが所轄を疑っているからに違いない。彼らの中に、教団の内通者がいると。

実際、一九九五年に起きた、カルト教団が地下鉄で毒ガスのサリンを撒くなどした一連のテロリズムでは、警察内部にそのカルトの信者が存在し、捜査情報をリークしていた。所轄でこの強制捜査を知っていたのは限られた上層部だけかもしれない。

取材規制のロープの前で、スーツを着たレポーターの男が声を荒げている。スタジオの女性キャスターとやり取りをしている。

――捜索令状の罪名は何なのですか？

スタジオがそう呼びかけ、レポーターが答える。

――それがまだ正確な情報は入ってきていません。二人の男女が拉致・監禁されているという情報もあります。

――なぜ機動隊まで出動してるのでしょうか。

――この教団が大量の武器を所持しているという情報もあります。

二人の男女。吉田の胸が騒ぐ。峰野と楢崎君に間違いない。

「どうしてだよ」

隣の刑事の一人が言う。

「その被害届は我々が受理したんだぞ。なんで公安が？」

画面には高層マンションが映っている。教団施設とは思えない、洗練された新しいマンション。正面玄関の自動ドアのガラス越しに、強固なバリケードのようなものが見える。近隣の住民に避難指示が出ている。

――つまりこれは。

レポーターが続ける。

――公安部が、水面下でずっとこの教団を調査していた結果だと思われます。

芳子の唇が震えている。衝撃が強過ぎると吉田は思う。テレビから離れさせようとした時、

芳子が不意に口を開いた。

「とても危ない」

「ええ」吉田はうなずく。「こんな大事になってしまったら、峰野や楢崎君も」

「それもあるけど……、まずいんです。彼らは……」

「芳子さん？」

刑事達や吉田が思わず芳子を見る。芳子が続ける。

「彼らは、沢渡に何かがあったら、全員自殺するんです。彼らはそういう集団なんです。……

あのバリケードが破られて機動隊が入ってきた瞬間……」

画面では、機動隊が盾を構え始める。

「彼らは全員死んでしまう」

ホールに信者達が集まっている。

男の信者が約百二十人。女が五十人。教祖と共に壇上に向かいながら、前田は緊張し始める。

これから、自分は彼らの不安を取り除かなければならない。できるだろうか？　自分にそんな演説が？　高原がいれば、と思う。彼なら上手くやれるだろう。彼は外見もそうだが、人を惹きつける声を持っている。

でも壇上に上がり信者達を見渡した時、前田は息を飲む。

彼らが高揚している。

そうだった。前田は思う。彼らは力ない羊ではない。無力なまま教祖様に群がってきた者達ではない。それぞれが社会から疎外され、様々な悪意を受け、社会を敵視している者達ばかりだった。

期待に満ち、逆に前田を励ますように視線を向けてくる彼らを前に、前田は目に涙が滲むのを感じる。そうだ。我々は一つだ。社会からの敵意には、敵意をもって迎えるまでだ。

「みんなよく聞け！」

前田は声を張り上げる。気持ちが高ぶっていく。

「知っての通り、社会は我々の存在に気づき、今我々は迫害されようとしている。みなも知ってる通り外の連中はデリカシーのない屑ばかりだ。邪魔な者を疎外し自らの卑小な利益を守ろうとする屑ばかりだ」

声をさらに張り上げる。

「我々は大人しく彼らの下に屈服するか？　くだらない社会の中に埋没させられることをよし

とするか？　断じてない。断じてそれはない！　これを見ろ！」

幹部達が、壇上にかけられたビニールシートをはがす。無数の銃器が現れる。信者達から歓声が上がる。

「我々は戦う！　我々は今こそ、我々を疎外した社会に対し、お前らこそがくだらない屑であると思い知らせる！」

歓声が叫びに変わる。ホール全体が高揚していく。

「我々には教祖様がついている！　我々には神がついている！　正義は我々にある！」

「教祖様！」

信者達の群れから喜びの声が上がる。

「教祖様！」

「教祖様！」

「男達は武器を取れ！」

前田が叫ぶ。

「女達は男達の支えとなれ。個人接触、いかなるセックス行為も全てこれから自由だ！　だがキュプラの、契約の下にここにいる女達、三十五名に無理強いはしない。地下の安全な場所に部屋を用意してある」

でもキュプラの女達は誰もその場を離れようとしない。熱心な目で前田を、教祖を見ている。

「我々は一つだ！　我々は一つだ！」

歓声が轟きになる。ホール全体の空気が渦を巻くように上昇していく。

「我々の仲間の一部はすでにこの建物から出、今、社会に総攻撃をしかけるため動いている。数十トンの火薬を彼らは所持している。社会を、このくだらない社会を根底から揺さぶるために！　食料は二ヶ月分ある。我々はいくらでも戦うことができる！」

高原がいない理由を前田は詳しく知らなかった。でも知る必要もない。教祖様がそのように言えと仰ったのだから。教祖様が、彼らはそのためにここを出たと仰ったのだから。

「火花となれ！　今ここが、我々の人生の美しき瞬間だ。今ここが我々の人生の美の一点だ！」

信者達の叫びの渦の轟きで、もう前田の声は聞こえない。身体が震えている。武者震いだった。これまでの人生で、と前田は思う。これまでの人生で、自分はこれほどの興奮を味わったことが？　自分の存在が、まるで自分を超えていくように感じる。本来の自分の存在の小ささを、遥かに超えていけるかのように。教祖と一体となることで、まるで自分まで巨大になっていけるように。

教祖が不意に立ち上がる。信者達は叫びながら泣き始める。

「有能な弟子達よ！」

教祖が言う。信者達がまた叫ぶ。

「我々は戦う。お前達の命を私に預けよ！」

信者達が絶叫する。ホールが歓喜で沸騰していく。前田の目から涙が流れる。よかった。前田は思う。教祖様についてきてよかった。もう自分の命などどうでもいい。社会を揺さぶってやろう。平凡な屑どもに、強烈な刺激を与えてやろう。

幹部の杉本、リナ、海原が、信者達に武器を配り始める。それぞれの持ち場を記したメモも。前田はリナを、立花を見た瞬間、目を留める。あの表情は？　なぜあんな悲痛な表情を？

恋人が心配なのだろう。前田はすぐ思い直す。無理もない。詳しくは知らないが、高原は教祖様から重要な使命を帯びているらしいのだから。

さっきまで、なぜ彼女は閉じ込められていたのだろう？　でも前田はすぐ考えるのをやめる。考えることなどくだらないしどうでもいい。命にかえても。前田は強く思う。命にかえても、教祖様をお守りしたい。そう思える自分に誇りを感じる。自分は捨て石になりたい。大いなるもののために。大いなるもののために。

12

高原は食い入るようにテレビ画面を見ている。

男女二人の監禁容疑で機動隊？　そんなはずはない。漏れたのか？　俺のやろうとしてることが。でもそうなら、なぜ教団施設を包囲する？　俺をマークしない？

高原は考えを巡らす。でもこれは今から自分がやろうとしていることにとって好都合だ。向こうが教団施設に囚われてる隙に。さっき仲間にホテルの周辺を調べさせたが怪しい連中もいない。

さらにこの出来事は、仲間達の行動を実際に動かす最後の一押しになる。高原はホテルのスイート・ルームに集まった三十名の仲間達に向き直る。

「見ての通りだ。我々のやろうとしてることが漏れた」

みなが高原を見る。不安に揺れてるかと思えば、彼らはみな高揚している。

「しかし奴らは一歩遅かった。我々はもうここにいる。奴らはもう我々を止めることはできない」

しゃべりながら、まるで事態がその通りに動いているように思えた。

「これを聞くといい。教祖様からの大切な言葉が吹き込まれている」

高原はレコーダーのスイッチを押す。

〝これまでお前達はよく秘密裏に私の意志を実行してくれた。全ては動き出す。さあ、動け。私の意志を世界に広めろ。仲間達よ。お前達は私の一部であり、私はお前達の一部だ。先陣を切るお前達は私の誇りだ。私達もすぐ後に続く〟

歓声が起こる。教祖の声を聞きながら、高原は奇妙な感覚に囚われる。まるでこの状況を、全て予測していたような言葉。

原稿を書いたのは俺なのに。

「行こう！　教祖様がついてる！」

動揺を振り払い、高原が叫ぶ。再び歓声が上がり、彼らが順番に部屋を出て行く。あまりにもスムーズに行く状況を、見せられているようにも思う。行為者は自分なのに。

高原は彼らから遅れて篠原とエレベーターに乗り、ロビーを出て車に乗り込む。ゴルフバッグに入れられたＰＰＳｈ－41。機関銃。

「高原様……実は」

「ん？」

「……武器の一部が消えてます」

高原は篠原を凝視する。篠原が青ざめながら続ける。

「ええ、もちろん、足りてはいます。でも、予備に用意していた銃器が消えていたんです」

「……なんでだ」

高原の鼓動が速くなっていく。車は国道の追い越し車線に入る。

「……足りてはいるんだよな。消えたのは何だ。本当に予備だけか？　あの十二丁のコルト銃？」

「ええ」

「なら問題ない……、ということにしよう。大問題だが……、もうやるしかない」

高原は動揺を顔に出さないように意識する。ここにきて部下を不安にさせるわけにいかない。でもなんでだ？　武器の全部が消えたならわかる。何者かが俺達のやることに気づき、妨害したということだから。でも一部とはどういうことだ？　意味がわからない。

でもやるしかない。もう全てが動き出している。

緻密に計算された、死者の出ないテロリズム。高原は思う。テロリズムは、死者が出れば注目度を増すが、犯行グループの正当性は消滅する。その主義主張も支持を得ることはできず、ただの犯罪者に成り下がる。

だから誰も殺さない。殺傷能力のある機関銃を持っているのは自分一人だった。部下の持つ他の銃器は、全て改造が施してある。撃たれれば血は噴き出るが、ある程度の筋肉をもった相手なら、決して内臓まで届くことはない。重傷を負うのは避けられないが。

国道の車線を変え、左折する。遠くにＪＢＡが見える。放送局。

部下には威嚇射撃だけをさせ、人間は撃つなと厳命してあった。人間を撃てば殺傷能力がないとばれる可能性がある。人間を撃つのは俺一人だ。自分なら訓練されている。殺さないように撃つこともできる。

時計を見る。午後2時50分。あと10分。

放送局に銃を持った警官などいない。丸腰の警備員など取るに足らない。

一時間でよかった。

一時間成功すれば、彼らによる俺の使命は完了する。

ＪＢＡに近づく。本社から離れた分館。でも夕方の全国ニュースはこのスタジオから発信されている。

路上に車を停める。あと7分。心臓が強く脈打ち始める。

ゴルフバッグからＰＰＳｈ－41を取り出す。もう既に組み立ててある。安全装置を解除する。

何度も繰り返した動きのせいか、指も震えず、自動的に手が動いたかのように安全装置を解除することができた。まるで直接聞こえるほどの鼓動に、大きく息を吸う。あと5分。

篠原も緊張しているが、口元に笑みが浮かんでいる。そうだ。自分も高揚している。鼓動のリズムは速く緊張で逃げ出したいが、同時に高揚もしている。

「あと2分です」

「ああ」

機関銃を持ったまま、車を降りる。ＪＢＡの裏口の駐車場へ向かう。

「あと1分」

「よし行くぞ」

言った瞬間、心臓がさらに重く脈打つ。駐車場の警備員がこちらを見ている。手に機関銃を持って歩いてくる二人の男を。警備員は身体が細く、守衛としての役割を果たせそうにない。彼は自分達を茫然と見ている。ドラマか何かの撮影スタッフとでも思っているようだ。でも同時にそうではないんじゃないかと思い始めているように見える。その不安は徐々に大きくなっているように見える。でも彼はできればこの二人の男が撮影スタッフであって欲しいと思おうとしている。

「おい……、君達」

「3時です」

「よし」

高原は機関銃を構え、近くの自動車を撃つ。反動で肩に衝撃が走ると同時に、乾いた音が響く。自動車のフロントガラスが割れる。放心した警備員に機関銃を突きつける。

「そのまま歩け。裏口まで」

歩きながら、こちらに視線を向けた女がいる。裏口から出てきたばかりの女。警備員が機関銃を突きつけられている状況、そして無残にガラスの割れた自動車を見、そのリアリティのなさに叫ぶこともせず、ただ放心したようにこちらを見ている。警備員の男に反応し、裏口の自動ドアが開く。中にゲートがある。通るには入館証が必要なゲート。高原は中に警備員を蹴り入れる。フロアの数人の男女がこちらを見る。でも彼らはまだこの場面に現実を感じられない。その瞬間、高原は機関銃を天井に向け乱射する。凄まじい轟音と共にいくつもの照明が砕け散り床に落ちる。悲鳴が起こり、何人もの男女が逃げようとして転びながら倒れる。警備員も逃げようとする。無理もない。彼らは銃すら持っていない。

「全員伏せろ！　少しの人間しか殺したくない！　全員動くな。動かなければ殺さない！」

遠くでガラスの割れる音が響き、無数の悲鳴が聞こえる。同じことが全ての出入口で始まろうとしている。

「お前も動くな」

ブースの中にいる守衛に高原は機関銃を突きつける。

「殺すか？　殺すか？　いいぞ動け！　殺すから！」

守衛が手を挙げうずくまる。

「よし全員起き上がれ、手を挙げたまま歩け」

でも誰も動かない。うずくまったまま動かない。高原が壁に向けて機関銃を乱射する。悲鳴が上がる。

「立て！　そのドアの中に入れ！」

男女が立ち上がり、高原達に脅えた視線を向ける。彼らがよろよろ動き始める。

「そっちだ、その向こうのドアに入れ」

大きな音がする。外から来た若い警備員が後ろから篠原につかみかかっている。何て馬鹿なことを。高原は思う。こういう時は大人しく従うべきだろう。何てこいつは愚かなんだろう。

篠原が警備員を突き倒し、機関銃を向ける。篠原の顔に笑みが浮かび始める。

「待て！　撃つな！」

篠原が機関銃を乱射する。警備員の身体が飛び、凄まじい量の血が噴き出す。高原は息を飲む。どういうことだ？　弾が貫通している。弾が貫通して向こうの壁にまで穴を空けている。改造したはずだ。警備員は血にまみれて動かない。改造したはずだ。なぜだ？　なんでだ？

「篠原！」

「……高原さん」

篠原が今度は左のポケットから拳銃を取り出している。高原に銃口を向ける。

「……篠原？」

「……お疲れ様です」

篠原が笑みを浮かべている。

「もう終わりなんですよあなたの任務は。ここからは我々が」

篠原が高原に向かって引き金を引く。

高原には意味がわからない。乾いた音が響く。

無数の悲鳴が響く中、高原の身体が崩れ落ちる。

13

〈高原の手記〉

あの出来事を書く。

なぜ書くのか、誰に対して書くのか、私にはわからない。自分に起こったことを、私は今、書き残そうとしている。小説への未練だろうか？　いつもこうだ。書く前に、私はいつも自問する。理由はいい。理由はいらない。私はただ自分の内的な動機に従う。これは私の、最後の言葉になるかもしれないのだから。

六年前、私は布を頭部に被せられ、腕を縛られ、車の後部座席に乗せられていた。薄汚れた、白く小さな車だった。恐らく日本製であったように思うが、私にはよくわからない。整備されていない土の道を走っていたのだろう、車は左右に、大きく揺れた。頭に被せられたざらつく布からは、鶏かロバかわからない、何かの家畜の臭いがした。国の名は書かない。書くことができない。アフリカのとある内陸部にある小国。ＮＧＯスタッフとして現地で簡易井戸をつくっていた私は、宿泊先のホテルから深夜連れ出された。ホテルといっても、鉄のコンテナに木のドアがついただけの、錆となぜか甘い匂いの漂う、寂れた四角い空間だった。ノックされ、ドアを開けた私に、彼らは長い銃を突きつけた。銃身の先は、私の背中を強く押し続けていた。特に計画も感じられない、それは無造作な行為だった。

「どこにいくんだ」

私は英語で言ったが、彼らは何も言わない。ただ私を何かの物のように、これ以上ないほど雑に、深い興味もなく、面倒そうに車に乗せた。英語が通じない事実は、交渉が無駄であることを意味した。布を被せられた私が初めに思ったことは、抵抗してはならない、ということだった。布を被せるということは、私に見られたくない場所へ連れていくからであり、ということは、私を帰す意志が彼らにあるということだった。

目の見えない状態で、布の内側にこもる家畜の臭いの中で、私は車内で揺れる自分の存在を感じ続けていた。だが、臭いが体内に入り込めば入り込むほど、私は何かに侵食されていくように思えた。この土地に。この土地の何かに。私は恐らく、外国人として人質になるのだった。金を払うのはNGOだろうか国だろうか。もし交渉が失敗したら。私は考える。私はすぐ殺されることになる。この土地での人間の命の価値は低い。なぜなら、この国では人が死に過ぎていた。飢えで死に、病で死に、内戦で死に、暴動で死ぬ。この国では人が死ぬということが、取り分け珍しいことでなくなっている。強姦殺人、私刑。Tシャツを着たままの、胸部だけの女の死体を町で見たことがあった。私を殺すことに彼らは躊躇しないだろうし、殺して数時間もすれば、意識にも上らなくなるだろう。仮に私を殺した後、やはり人質交換の金額の交渉が上手くいくかもしれないとなったとしても、彼らは「しまったな」としか思わないだろう。薄暗いカフェで行われる、カードの賭けに負けた時のように。人質などこの土地にはいくらでもいる。褐色の顔の上で強調された白い目を微かに動かし、「しまったな」と呟くだけだろう。両腕は後ろで縛られ、座席の両隣には銃をもった巨大な褐色の男達がいる。私に逃げる希望はなかった。自分の存在は、このように人の死が珍しくない国の男達によって、どうにでもなるのだった。人間は、自分の意志で生きる。だが私は自分の意志から疎外され、自分のこれまでの人生の流れ、その正解の運命からも疎外されていた。私のこれまでの努力も、能力も、私の内部にもしかしたらあるかもしれない温かな感情も、全てが関係なかった。私はただの外国人であり、私の特殊性がもしあったとしても、それは彼らに関係がなかった。

車が停まり、腕をつかまれ、何かの部屋に入れられた。床がコンクリートのように固いこと以外、何もわからなかった。複数の細い足を持つ虫の存在を、裸足の右の薬指付近に感じた。私はこれまでの自分の人生を思っていた。私は泣いていて、不可解なことだが、自動車に乗っていた間、自分がずっと泣いていたことにその時気づいた。大丈夫だ、私は自分に言い聞かせる。自分は人質で、彼らは俺を殺さない。だが私の中の何かがもがき、涙を流し、叫ぼうとした。いや、実際に自分は、ずっと叫んでいたのだった。大人しくしなければならないのに。遠くに温度のあるぼやけた光のようなものがあった。それは実際に見たのではなく、自分の内部の奥にあり、でもそれが見えるように感じたのだった。それはこれまでの、自分の人生のように思えた。取るにたらない生活。だがしかし、それがこの上なく貴重で、温かなもののように思えた。遠い。私は思っていた。そこから今、私は遠い。その温度はこれまでに私が経験したものであったはずなのに、自分は、そこから遠い場所にいる。不意に目の前に日本のマンションのドアが見え、私は吐き気を感じ何かを飲み込んだ。飢えの記憶だった。小さい頃、私が飢えた記憶。このまま私は、飢えるのではないか？　恐怖を感じながら、私はまた叫び出そうとする。だが今思えば、それは私が、自分を守るために思い出した記憶かもしれなかった。飢えへの恐怖は、私の中に常に存在していたものだった。それは自ら意志をもったように、動的な何かとして、私の中でうごめいているものだった。そのいつもの恐怖を導き出すことによって、私は実際に目の前に迫った死を、数秒でもいいから意識の外に押し出そうとしていたのかもしれない。あるいはその動的な記憶が、私が死ぬことで自らも消えることを拒否し、抵抗を示すために、まるで人格を有したようにもがきながら現れてきたのかもしれない。感情が重くうねり、私を突き上げるようだった。気を失う、という言葉が意識に浮かぶ。意識を失ってはならない。意識を失えば、自分はそのまま、殺されているかもしれない。だが私は頬を叩かれ、自分が今目を覚ましたことを知り、だがそうであるのに、私はまだ意識を失ってはならない葛藤の中にいた。もう数秒前に意識を失っていたのに。認識が遅れていく。そして私の認識は、時間の経過を拒否するように、いつまでも数秒前へと立ち止まろうとしていた。その少し前の時間の一点一点に、立ち止まり続けようとしていた。だが時間は私の意志に関係なく流れた。いつの間にか一人の男が部屋にいた。垢と家畜と、なぜかミルクの臭いがした。

「残念だ」

男の声。英語だった。何かに繋がった思いにすがるように、私は布の暗闇の中で声を出していた。

「助けてくれ」

あの時の私には、何かの体裁を保つ余裕はなかった。

「お前は日本人じゃないか。残念だ。間違えてしまった」

「は？」

「我々はＣＵＵＡの職員を誘拐するつもりだった。お前じゃない。お前に用はない。殺すしかない」

この企業名は仮名で書いた。この国の、ある地方の微量の油田、その採掘の権利を落札した企業だった。この企業のために、膨大な数のこの国の農家の畑が壊滅した。畑が壊滅した農民たちは『都市』と呼ばれるこの国のしなびた町に流れ込み、女は身体を売り、男は子を売った。私達のＮＧＯは、この企業に抗議するつもりでいた。彼らの暴利を、内外へ知らせるつもりだった。

「私はＣＵＵＡの職員だ」

　私は、自分が何を言っているのか、わからなかった。

「違う。お前は日本人だ。パスポートを見た」

　暗闇の中で声が響く。あの時の私は、自分の命を、飢餓の撲滅に捧げると誓ったことを思い出していなかった。人生は太く短くと、居酒屋で後輩達に笑いながら言っていたことも思い出していなかった。ＣＵＵＡの暴利をやめさせることができたら。ずっと思っていた私はしかし今人質として価値のあるＣＵＵＡの職員になろうとし、その誰かもわからない彼を羨ましく感じ、自分がＣＵＵＡの職員であったらと、ひたすらに願った。

「雇われてるんだ。本当だ」

「嘘をつくな。お前はＮＧＯだろう？　間違えてしまった」

「違う。頼む。頼むから」

　私は英語を話すその相手の方へ近づくために、両腕を縛られたままもがいた。外から見れば、懇願する羽のない虫のように見えたかもしれない。黄色い虫。だが、私はいつまでも、その声の主に近づくことができないのだった。

「私は何も見ていない。きみ達のことも知らない。殺す価値もない。どこかへ放り出してくれれば自分で帰る」

　そう言いもがきながら近づこうとする。

「無理だ。お前は我々のアジトの見当をつけるだろう」

「なら遠くで降ろしてくれ」

「は？」

相手の驚く声が聞こえた。

「またさっきの場所まで戻れと？　お前のためにガソリンを使うのか？」

股間が濡れていることに気づいたが、その少しずつの失禁がいつからだったか、わからなかった。

「すぐ楽になる。ああ。……布だけ取ってやる」

布が無造作に剝ぎ取られる。私がいたのは、予想より遥かに狭い部屋だった。暗闇に淡い部分があり、すがるように見ると誰かがこの部屋から出ようとしていた。さっきの男。私は気がつくと、その男に向かい走り出すために、腕を縛られたまま立ち上がろうとしていた。だが次に私の記憶にあるのは、部屋の中で倒されている自分の姿だった。暗闇に赤が混ざっていた。その赤はやがて緑と混ざり、その色が実際の色か瞼の裏に貼りついた残像かわからないまま、やがてその色達も部屋の暗闇にまぎれていった。

私は泣き、叫び、腕の縛りを取ろうともがいた。一時間が過ぎたのか、三時間が過ぎたのかわからない頃、虫を見つけようとしている自分に気づいた。さっき、自分の足に触れた虫だった。なぜそうしようとしていたのか、私にはわからなかった。あの虫を殺すことで、彼らの役に立とうとしていたのだろうか。僕はほら、この部屋にいた邪魔な虫を殺しておきました。あなた達のために。あなた達のために。私は自分の錯乱を疑った。錯乱を疑いながらも、いつまでも虫を目で探し続けていた。「探そうとしても出てこないものだ、だけど俺が諦めた様子を見せれば、あの虫はすぐそこに出てくるんじゃないか？」私はそんなことを思っていた。「裸足の足をこうやって晒していれば、やがて体温を欲しがるようにそこへ来るんじゃないか？」「いや、あいつは心を読むかもしれない。内面でも探していない風を装わなければならない。そういうのは得意だ」。だが虫はまるでその存在を消したように、いつまでも見つけることができなかった。まるで私の錯乱を拒否するかのように。私を錯乱からも疎外するように。

部屋には窓がなかった。窓、つまり外部が何かしらの形で私と接していたら、私は自分が圧倒的に卑小な存在であることに気づき、それに恥じただろう。だが私は、生きている、という今現在を噛みしめていた。生きている。今俺は生きている。縛られているが、微かに手も足も動く。今一秒経った。さらに今、一秒が経った。そうだ、今自分は、この一秒を、しっかりと私として、私の身体で、通過している。そんなことを思っていた。暗闇に視界が慣れ、壁にある微かなヒビから、私は目を離せなくなっていた。倒れた私と同じ視線の高さにある、壁の下部にあるヒビ。「ヒビだ」と私は思った。「ヒビが存在している」。その瞬間、自分がこれからすぐ、存在しなくなることを思った。これらの存在者達から、自分は永久に、隔てられる。彼らは無関心だった。この壁も、ヒビも、私に捕まろうとしない虫も、この一秒という私を置いて過ぎていく時間も、私に無関心だった。「そんなはずはない」私はまた思っていた。「世界がこんな風であるはずが」冷えた固い石の床は冷えて固くあり続けていた。私は再び飢えの記憶を思い出していた。それがまた自己防衛であったかはわからない。確かにあの時も、世界は私に無関心だった。私の身体が飢えで衰弱していくことに、部屋のドアも、電気が止められて動かないテレビや暖房器具の形をした鉄達も、椅子の形をした木達も、私に無関心だった。壁に近づき頰を触れる。微かに冷気を感じた。今、壁は、私に冷気を与えている。ということは、壁は、私に、無関心ではない。いや、しかし、そうだ、壁は、私の死を、大したことだと思っていない。私の死を大したことだと思っているのは私だけで、世界も、この壁も、それをありふれたものと見ている。私を殺そうとしている彼らも。そうであるなら、私も自分の死を、ありふれたものとして感じなければならない。しかしそれは無理だ。世界の本質。世界の本質に、私を合わせることはできない。世界と私は全く異なる存在だった。そして恐らく異質なのは私の存在の方だった。

ドアが開き、私が何か咄嗟に声を出した時、銃が突きつけられた。機関銃のように見えたが、よくわからなかった。「血がつくから外に出ろ」私はその言葉の意味がわからなかった。「血がつくことはしません」私は言っていた。「私はあなたの服を汚すことはしません。だから助けてください」私の言葉は破綻していた。私は立たされようとしたが、全身に力を込め、それに抵抗した。この床から離れれば、自分は本当に死ぬと思った。なぜ自分が床や壁じゃないのだろうと思っていた。床や壁であったら、殺されることはなかったはずだった。私は立たされなかったが、引きずられた。何かロープのついた重い藁(わら)のように。嘘だろう？　私は思っていた。そんなはずはないだろう？　私は日本人で、安全な暮らしをしていて、善意によってここに来たのだから、そんなはずはないだろう？　善意に対する人生の答えが、これであるはずがないだろう？　殺すとしても、早過ぎるだろう？　私の死に対して、厳粛な何かがあっていいはずだろう？　急過ぎるだろう？　外に出された時、圧倒的とも感じる冷気を感じた。寒い、と思った。寒いのは嫌だと思っていた。これから死ぬというのに。私は自分がもうすぐ死ぬのに寒さを嫌だと感じたことを面白いと思い、それを彼らに伝えたくなった。「寒いんですよ」私は媚びるようにそう言っただろうか。まるで私と彼らが友人か何かで、そうであることを確認しようとでもするかのように。「寒いんですよ。変ですよね。そう思いませんか？　これから僕はもう死ぬというのに」。だが私の意志に関係なく、私は突き倒され、後頭部の辺りに、銃が突きつけられていた。銃口が当たる頭部の皮膚が拒否のため痙攣し続けた。私は泣いた。股間がまた濡れ始めていた。まるで数秒後に死ぬ私の身体から、水分が私を置いて逃げ出そうとしているかのように。「お前達は」私は言った。「お前達はなんだ」

だが私は、彼らの正体が知りたくてそう言ったのではなかった。自分を圧倒的に潰そうとする存在、その何の躊躇もなく人を急に殺し、人を殺し続け、自分達も殺されてまた別の人間が殺されるこの無造作な何かに、そう言ったのだった。だが彼らは少し笑った後、「ＹＧ」と聞きなれない単語を言った。ある宗教を母体にした、武装組織。

その時、自動車の音が聞こえた。その音に対する彼らの態度で、その車が彼らにとって意外なものではないのだと思った。車が停まり、人が降りてくる。まだ遠い。少なくとも自分は、あの存在がここに来るまでは生きていることができるのだと思った。一秒、この一秒、私はまだ生きていられる。一秒、この一秒。視界が狭くなり続け、その存在の足元しか見ることができなかった。「師だ」英語をしゃべる男が私に囁くように言った。「死ぬ前に師に会えるとは、お前は少し幸運だ。死ぬ前に祈ってもらえる」

師と呼ばれる存在が、私の目の前にしゃがむ。褐色の肌に、大きな白い目。身体の細い、美しいアフリカの老人だった。その存在は私の顔を不思議そうに見、やがて口を開き、歪めるように動かした。思考を持った私よりも、口内に出来たフキデモノか何かを気にするように。私は声を出そうとする。声を出し、命を乞うために、どのような言葉でも吐こうとした。だが声が出ない。常に噴き出していた涙の量が多くなる。私の声が出ない。私は最後のチャンスを失おうとしている。私の声が出ない。だがその存在は私の顔を見ながら、小さくうなずいた。まるで私の言おうとしていることを、全てわかっているかのように。

聞きなれない言語が、頭上で飛び交う。私はなぜか、さっきとは違う涙を流していた。身体の中に、温かな温度が広がり、ガクガクと、いつまでも震えが止まらなかった。なぜあの時、這いつくばったままの私は、自分が助かったとわかったのだろう？　あの存在は、私にまだ何も言ってなかったのに。

その存在が、もう一度私の前にしゃがむ。私は泣きながらその褐色の美しい顔を見ていた。

「協力しろ」

その存在は私にそう言い、立ち上がった。まだ私は返事をしていなかったが、私がどう返事をするかもう知っているかのように。その態度は私に無関心だった壁やヒビと同じように無造作だった。だが、それとは何かが違った。

「師がお前を助けられた。お前は日本人だ。珍しいと。まさかお前のような日本人がテロをするとは思わないから、利用価値があると」

私はしかし、その通俗的な言葉を聞いていなかった。そんな理由ではない。私はそう思っていた。私とあの存在との間で、今、この連中の知らない取り決めが行われたのだ。それが何であるのかはわからないが、私にはそう思えてならなかった。

14

この「YG」という武装組織は、ある小さな宗教を母体としていた。

遥か古代から、様々な迫害を受け、しかし秘密裡に受け継がれてきたもの。ユダヤ教、キリスト教、イスラム教に敗れた民間信仰。古代から、宗教は信者獲得のため争いを繰り返してきた。それにはしかし力だけでなく、その教えが、実際に民衆に広がりやすいものであるほど有利だった。言いかえれば、人々が望むもの。キリスト教が病を癒す現象を取り入れたのも、信者獲得のためだったという研究もある。実際、宗教を信仰ではなく歴史学としてとらえる時、様々な聖書は様々な時代的背景、利害によって成り立っていた。

この民間信仰はその争いから敗れた。その正式な名前は書かない。書くことができない。通称名は仮に〝R〟となっている。〝R〟は神はどこにでも同時代的に存在する汎神論的な性格を持っていた。聖典は紀元前六〇〇年頃から口頭、つまり詩で受け継がれてきたというから、キリスト教やイスラム教より、さらにユダヤ教の聖書成立時期より古いものだった。性行為は神事であり、それは神が死ぬ運命を持つ人間に与えた温情であるとし、その温情を体験しているかを確認するため、人間の性行為には神が降りてくるとされた。だが、性行為をしている人間に神は感じられない。神を感じられないほど夢中になることを神は人間に望む。そうであるから、性行為から神を感じるのは、その性行為を見ている人間に限られるとされた。よってこの宗教では、他人の性行為を見る風習があった。他人の性行為を見ながら、人々はこの世界に神が与えた温情に感謝する。祭の日には、外に敷かれた布の上で性行為をする男女を人々が囲む。焚火の炎に照らされ、褐色の若い男女が狂う。人々はそれを見ながら自慰をすることも許された。

洗練されていない、原始的な宗教。野蛮であるともいえるかもしれない。さらにこの宗教には、あらゆる教養で必須の、善悪の観念がなかった。基準は一つだった。飢えてはならないということ。

飢えてはならない。これが基準であり、彼らの戒律だった。村人達の飢えたくないという思いが、そのまま戒律となった素朴なものだった。だからたとえば金を所有する人間を殺し、その金を貧民に全て使えば、それは是とされた。その金を所有する者が善人であったとしても、飢えた人間が近くに存在した場合、その金を所有する者は善人と判断されなかった。この宗教は、広がるはずがなかった。過激であり、教養として不十分である箇所が多く、原始的で無造作であると同時に、力を持つものを否定していた。宗教は権力者によって広がる。迫害されるのは当然だった。

私は銃器を扱う術を簡単に教えられ、「ＹＧ」のメンバーとなった。あの時、死の恐怖に捉えられていた私は、しかし自分が助かったことを確信すると、逃げることばかり考えた。命を救われたとはいえ、師によって、救われたとはいえ、彼の信者になったわけでなかった。命さえ助かれば自分は何でもすると思っていたのに、助かってみるとそうは思えない。あのような仕方で洗脳されるほど私は純粋でなかった。すぐ逃げなかった理由は、メンバーとなった私にはすぐ差し迫った死の危険はなく、完全に逃亡できる機会を待つ方がいいと思ったからだった。

彼らは石油採掘会社、ＣＵＵＡの職員を誘拐し、身代金を調達することを主な活動にしていた。武装メンバーには、この会社によって農村を追われた農民達も多かった。職員を誘拐し、身代金を取ることで、自分達が本来得るはずだった農業による利益を得ている。不毛な行為であるが、生活を考えれば切実ともいえた。そのような武装勢力は、アフリカの地に数多く存在していたのだった。

私に英語を使った男の名は、仮にケジャフとしておく。ケジャフは屈強な身体を持ち、何事にも動じない精神力を持っているように見えたが、まだ十九歳だった。彼はこの土地の出身でなく、元々は遠く離れた別のアフリカの国の、とある武装勢力にいた。その別の武装勢力に入った理由は、少年の頃、その武装勢力に自身の村を襲撃され、その場で誘拐されたからだった。無理やり誘拐しても、少年は恐らく機会を見つけ逃げる。逃げないようにするために、その武装勢力は少年だったケジャフに「罪」を与えた。

「奴らに銃を突きつけられて、同じ村の女を襲えと言われた。襲わなければ殺すと。その女は俺の幼馴染だった。俺の村が燃えていた。俺は背中に銃を突きつけられながら、その十四歳の女を強姦したんだ。複数の男達に押さえつけられ、裸にされ、もう既に処女を失い、足の間から血を流していた彼女を。風習の女性器切除の傷口すら開いていた彼女を。……泣きながらね。もう俺が、この村に帰ってくることができないようにさせたんだ。『繰り返せば』そのリーダーは言った。『繰り返せば、やがて快楽になる。初めのお前の罪も、やがて罪と思わなくなる』。俺は人間を大勢殺した。殺せば殺すほど、自分の昔の罪が大したことでなくなっていくから。

でもその勢力がアメリカの空爆で壊滅して、俺は一人になった。その時に師と出会ったんだ。このグループは強姦をしない。女性器切除もない。性行為は神の温情だから。無理にしてはならないから。救われたと思ったよ。師を、神を信じていれば、俺は別世界にいけるから。苦しみのない世界。英語でなんといえばいいのかな。……ヘブン、か？」

この人間が死に過ぎる国で、ケジャフはこのような残酷な経験に平然としているのだろうか。そうではなかった。彼らは皆傷つきやすく、自分達の過去に苦しんでいた。恐らく日本のデリケートな心療内科で診察を受ければ、多重の精神疾患を併発しているとされただろう。しかし現状が許さない。死と隣り合わせの中で、彼らは苦痛を抱えながら「生きる」ことを常に考えなければならなかった。そしてケジャフは、他人への「共感」の感覚が極端なほど抜け落ちていた。他人に共感する感覚を、自分の中から締め出したのかもしれない。そうでないと生きていけないから。「どうせ俺ももうすぐ死ぬ」ケジャフはよくそう言った。それが唯一の免罪符であるかのように。「でも本当はガイドになりたかった。アフリカの自然の偉大さを、貧弱でデリケートな西洋人達に知らしめる仕事」

実際、師から英語を学び、すぐ習得した彼の知力は相当なものだったはずだ。だがこの国では、そのような知力の保有者も「武装勢力」の中の一人に過ぎなかった。

この国の「悪」は、先進国のデリケートな「悪」ではなかった。もっと極端で無造作で、コカやチャット葉によって一時的に融和される日常の中にあった。

私はメンバーになったが、実際の誘拐に関わることはなかった。運動能力において、この土地の者達に劣る黄色人種の私は、使い物にならないと判断されたのかもしれない。「その時が来れば」と師は私に言った。「その時が来れば働いてもらう、飢えた者よ」

師は私を「飢えた者」と呼ぶのだった。私はその言葉を聞いた時、師によって命を救われた瞬間に、自分が師との繋がりを感じた意味を知ったように思った。私は自分の飢えの経験を、この土地の誰にも言ったことはなかった。師は私の顔から、私のまとう何かから、私の過去の飢えを知ったに違いなかった。私はだから、日本人であるから助かったのではない。師は私を、パスポートにある「高原雄介」ではなく、「飢えた者」という「存在」と認識していた。飢えたことがある者。師は私の表層ではなく、その根源にあるものを見ていた。「飢えた者」である私は、師に、いや、師が行っている「飢え」に反発する活動に、結びついたのだと思った。私の根源が、私の存在が、この歴史の流れの行為に結びついたのだと。私は「高原雄介」ではなく「飢えた者」だった。「飢えた者」である私は、飢えに反発するこの小さな歴史の流れと結びついたのだと。

私の毎日は、彼らのアジトの村にただいるだけだった。軟禁、と言ってもいい。時折、『街』と呼ばれる露店が集まる乾いた路地に買い出しに行かされ、その自由さに私は幾度も驚いた。「逃げるなよ」念のため、というようにケジャフは英語で言った。「逃げようとすると、背後から撃たれる。いくらお前が『街』にいても」私はそれを嘘だと思った。この武装勢力に、『街』内で私に狙いを定め仕留める銃技術を持った者はいない。逃げるならこの瞬間だ。私は『街』に行く度に思った。目の前を、薄汚れたタクシーが通ることもあった。これに乗れば。これに乗って『都市』に行けば、私は逃げることができる。NGOの元に、帰ることができる。だが私はそのタクシーを見送った。なぜだろうか。絶対に成功する機会がまだ他にあると思っていたからだろうか。私が逃げなかった理由は、本当にそれだけだったろうか。

私の性行為を、村人達が見ることになった。その日は村に師がおり、私の性行為が臨時の祭事とされた。祭事といっても村人達全てが集まるわけではなく、何かの喧嘩を見守るような雑さで、居合わせたのも十数人に過ぎなかった。夜、焚火の脇に、褐色の肌の太った巨大な女がいた。私は村人達の間で全裸となり、その女と向かい合った。上半身だけ日焼けし、下半身は白く貧弱な肌を晒していた滑稽な私の身体を、褐色の肌を持つ彼らは一様に笑った。私は日本人の女と以外、寝たことがなかった。初めて出会った異国の女と外で、大勢の村人達から見られながらする現状に、私の性器はいつまでも勃起することがなかった。私達のセックスは、清潔なベッドの上で囁き合い、お互いをいたわり合い、ブラジャーやパンティーをゆっくり脱がしていくデリケートなものだった。私の不能に対し、村人達は嘲笑することがなかった。ただ、彼は異国人であり、神の恩恵を受けていない気の毒な存在と見られていた。師は微笑みながら私を労わった。「彼が私達と共に仕事をする日」師は続けた。「彼はこのデリケートな日本人から我々の仲間へ変化するだろう」

そしてその日が決まった。隣国で行う雑なテロリズムだった。

15

隣国へ行き、爆発物を積んだ自動車を放置しにいく。爆発物は携帯電話によって遠隔で操作する。それだけの任務だった。

私は日本人であり、まさかアフリカでテロをするとは思えない。そうであるから、もし不測の事態が起こったとしても、切り抜けられるというのが師の意見だった。

「きみ達はカミカゼという過去がありながら、世界で最も安全な人間達と思われている。『飢えた者』が持つパスポートが有効になるだろう」

私はしかし、その行為の意味がわからなかった。街で爆発を起こすことに、どのような意味があるのか。その隣国には、多国籍軍が常駐していた。「彼らに対する抗議だ」と師は言う。「彼らがこの地から出ていかない限り、我々はテロを起こす。彼らは貧しい人間達から資源を搾取するために来たのだ」私にはまだわからなかった。この爆発により、多数の民間人が死ぬのだった。

「民間人の死?」

師は不思議そうに私を見、やがて私が日本人であると思い出したように、小さくうなずいた。

「その者達は〝R〟の信奉者ではない」

私にはまだわからなかった。

「もちろん彼らは〝R〟の信奉者ではありません。ですが、啓蒙により、彼らがもし〝R〟の信奉者になる可能性があるとしたらどうでしょうか。未来の信奉者を殺害する権利を、神は私達に許すでしょうか」

師は美しい顔で私をまじまじと見た。まるで珍しい外国のハムスターでも手に入れたように。

「民間人は確かに尊い犠牲となる」

師は言った。

「民間人の犠牲者は死後、〝R〟の名の下に別世界に行く。〝R〟の信奉者達と同じ条件にまで高められて。英語でいうところのヘブンに」

こう言われれば、私に返す言葉は残されていなかった。

「『飢えた者』よ」

師は続ける。

「もしお前がこの聖戦で死ぬことがあれば、お前は英霊としてヘブンの中で重要な位置に立つ。

お前は完全に自分が望む人間となることができる、その世界では、お前が現世で出来なかった望みの全てがある」

師は私に「英霊」という言葉を使うだけでなく、「靖国」に見立てて話すこともあった。だが恐らく、師は「英霊」や「靖国」について詳しくは知らなかっただろう。一八六九年に東京招魂社として創建され、一八七九年に靖国神社と社号を変え社格を制定して以来、靖国神社は近代日本国家が行ったあらゆる戦争にかかわりを持っていた。第二次世界大戦当時も、日本兵は戦争で死ねば靖国神社に英霊として祀られ、祭神となるとされていた。現人神(あらひとがみ)・天皇が統治する「国家」を崇める「宗教」。それは国民全てを巻き込む超宗教といってよかった。戦時中、靖国神社では繰り返し臨時大祭が行われた。兵士の遺族は東京に招かれ、自分の息子が祭神になる様子に心打たれた。遺族たちは天皇の姿を間近にし、自分の夫・子供などが天皇によって参拝されるその厳粛な祭事に感動を覚え、地元に帰ってからは「誉れの遺族」として讃えられた。死んだ兵士を英雄としてだけでなく、神にまで高めることは、兵士の勇敢さを後押しし、新たな兵士の補充にも貢献することになった。靖国神社は、戦争を可能にする「宗教」として、その機能を十二分に果たしていた。だがそれは昔のことだ。現代に生きる日本人の私に、師がいくらそのようなことを言っても命を賭ける気になれない。当時の日本人にしても、表面的には国家への忠誠を誓ってはいても、全てがそのようなシステムに感動していたわけではない。

私がこの〝R〟自体の怪しさを調べ始めたのは、やはりテロに関わる恐怖が理由だったろうか。その数日前、我々の村から数十キロ離れた農村をアジトにしていた武装組織が、政府軍によって虐殺されていた。政府軍といっても、その内実は政府が雇った民兵、つまり傭兵達だった。近隣諸国から集まってきた彼らは武装組織を高性能の銃で次々と殺し、彼らを匿った村の女達を次々と強姦し、殺さず捕えていた武装組織の何人かを、後に公開で処刑した。私はそれを見ていた。そこには目玉をくり抜いたり、ペンチで肉をちぎっていったり、身体の皮膚を薄く剝がしていくような、日本人がすぐ思いつく漫画のような残忍な趣向はなかった。それはもっと無造作なものだった。つまり首を切るというもの。一度で首を切り落とすことが男らしいとされ、彼らは一度しか剣を彼らの首に落とさなかった。失敗した時、被害者は苦しい。だが彼らはそのようになった被害者に情けをかけることはなく、自分が一度で切れなかったのを被害者が臆病に動いたせいだと思い、その腹立ちの中で、喉の裂かれた部分と口から同時に血を噴き続ける被害者を、蔑むように見ていた。座ったままの死体は、ボタンで蓋の開く電気ポットのようだった。首の端の皮一枚で繫がり、まるで頭部そのものが、首から出る血液の柔らかい蓋であるかのように。私はそこに近い未来の自分を見ていた。首を切られる瞬間を思った。私のこれまでの人生も全て、無造作に扱うその瞬間。私は師によって助けられた自分の命を思った。そして私の爆弾によって死ぬ民間人を、さらにヘブンについて思った。

その教義の根拠となるのは、一冊の聖書だった。それは口頭で詩(うた)として伝えられていた内容が、約千三百年前に書として紙に写されたものが元になっていた。だがその後迫害によって書が失われ、また口頭で伝わっていたものが、約三百年前にまた書に書き写された。その書の発見自体は約二百四十年前になる。だがその聖書に書かれていることが、真実である検証はできなかった。

確かにこの地に、他人の性行為を見る風習はあった。飢えは常に切実な問題であり続けた。だがヘブンの記述は？　もし大昔のどこかの文に秀でた人間が、思いつくまま書いただけのものだったとしたら。それをまるで聖書のようなつくりにして、「この書は約千年も前に――」と前書きをつけ作成しただけだったとしたら。もしくは昔のこの地の族長のような存在が、戦争が迫った時に、村人を戦士にするため、この戦いで死ねばヘブンに行けるとお告げがあったとでも言っただけだとしたら。それを誰かが書き写しただけだったとしたら。いや、そもそもこの宗教の始まりから、ただ当時の古代の村の現状に都合よくつくられていただけのものだったとしたら。戦争を可能にするために、兵士に死を恐れさせないようにするために、そのような宗教を発生させただけだったとしたら。そもそも古いというだけで、それは真実になるのだろうか？　この聖典の根拠は？　読んだものはその詩に心打たれるという。だがそれがこの地の、古代の人の手による文学的傑作であっただけだったとしたら？

私はケジャフに恐る恐る疑念を伝えた。ケジャフは怒りに満ちた白い目で私を見た。「神を冒瀆する気か？　これはこの地に伝統的に伝わるものだ」彼の怒りはもっともだった。宗教とは、人々が信じたいから信じるのだ。「でももしその伝統的なものが、そもそも何の根拠もないものだったとしたら？」私はそう聞くことはできなかった。

景色が逆さになる夢を見るようになった。広大な砂地が不愉快な空となったように、乾いた貧弱な木々が空から伸びてくるように。自分は首を切られ、その私の首が、背中の側へ逆さにぶら下がっているのだった。薄い皮を繋ぎ目として。声を出そうとしても、首と繋がっていない私の口から出ない。大地が空虚な空になり、空から木々が生えてくる逆さの光景――。目が覚める度に、私は平衡感覚を失った。寝ているのか、吊られているのか、恐怖を抱いた。私の平衡感覚がどのようであったとしても、私の鼓動は目が覚める度に激しかった。

衰弱していく私の部屋の壁に、invocation という文字が書かれていた。祈り、を意味する英単語だった。衰弱する私のために、ケジャフが何かの呪術をしたのだと思った。だがケジャフは知らないと言い続ける。「神の奇跡かもしれない」ケジャフは馬鹿なことを言った。だが彼が私を勇気づけようとしていることに、私はこの悲惨な国での友情を感じたように思った。翌日、その文字は上からなぞられ、濃くされていた。私はケジャフの友情にすがるように感謝したが、もしかしたらこれは師の策略かもしれないと思った。聖戦に怯えた日本人を励ますために、神が直接言葉を与えたかのような、幼稚な奇跡を私に与えたのだと。こんな馬鹿な奇跡を信じるとでも？　私は怒りを覚えた。でもこれは、幼稚な行いへの怒りではなく、結局のところ、師が私に聖戦に参加しろと言ったことについての怒りだった。その怒りは、父親に見捨てられた子供の父への怒りに似ていた。文字はどんどん濃くなり、私の怒りは我慢の限界に達しようとしていた。師に言う勇気がなく、私はまたケジャフにこのことを伝えた。ケジャフは私を怯えたように見た。「あれはお前が書いている」ケジャフが言うのだった。「お前は夜中に目を覚まし、妙に冷静な様子で、壁にあの文字を書いている」私は自分の状態を知ったように思った。

決行前の最後の集会の日、私の目の前に薄汚い白い車があった。それは私をこの村に運んだ車だった。やはり日本製であったことに、運命の悪意を感じたようにも思っていた。「聖戦を終えれば、お前はデリケートな日本人でなくなる」師は言った。「お前は我々と同じになる。**お前は『飢えた者』から『行為者』になる。**人生が見せる数々の現象に、もうお前は動揺することがなくなる」

聖戦は二つに分けられていた。一つは私達が行う、放置自動車によるテロリズム。街の中で爆発させ、常駐している多国籍軍に抗議を示すこと。二つ目のグループは、その国の街の警察署を襲うことだった。稚拙だ、と私は思った。命を賭けるには、あまりにも雑で無造作過ぎた。だが実際の多国籍軍に攻撃をしかける力は「ＹＧ」になかった。「抗議だ」師は言った。「我々が目指すのは勝利ではない。後の世代のための土台となることだ」師の言葉は徐々にありふれたものになっていった。

私はケジャフに自分の想いを伝えようとした。私は比較的容易な一つ目のグループにいたが、彼は二つ目のグループに入っていた。銃を持ち、警察署を襲う。恐らく数秒もせず、駆けつけた政府軍に射殺されるだろう。私は初め、ケジャフのように英語の話せる有能な男に、師がこのような役割を当てたことを意外に思った。だがこの計画の発表の数日前、英語を話す別の男が師の側にいることを知った。私はそのことも懸念だった。何かがおかしいと思っていた。そもそもこの聖戦に、意味などあるだろうか？

「幸福だ」

ケジャフは言った。

「何の取りえもない俺が英雄になれる。偉大な〝R〟の名の下に。俺は英雄としてヘブンに行ける。幼馴染を強姦したこの俺が浄化される。死んだお袋も喜んでくれる」

「ケジャフ」

私は呼びかけた。

「だってきみはガイドになりたかったのだろう？　これで死んでいいのか？」

私の言葉を聞くと、ケジャフは不思議そうに私の顔を見た。その顔は無邪気だった。彼が十九歳であることを、私はその時思い出した。

「何言ってるんだ？　ガイドはヘブンでなれるじゃないか」

結論から言うと、私は逃げた。決行の二日前、私は徒歩で村から逃げた。貧弱な林に入り、彷徨い、山岳を越えようとした。山岳の中で、私は幾体もの死体を見ることになった。山賊に襲われたのか、どこかの武装勢力に襲われたのかわからないその死体達に、私はすぐ未来の自分をまた重ねていた。死体はうなだれるように倒れたものもあれば、踊るように乱れたものもあった。髪の長い、服を着ていない腐敗した女の死体は、間違いなく強姦されていた。彼らはこの女の身体がこのように腐敗して醜くなる前に犯したのだろうと思った。女の身体の旨みだけを味わって捨てたように。この山岳を越えても、また私は死体を見るだろう。死体はどこまでもどこまでも、あらゆる姿勢を取りながら、どの風景にも存在し続けるのだと思った。風景が逆さになっていく。逆さになって空となった乾いた大地の下に、臭いを放つ死体達が何か弾力のある食物のように積み重なっていく。途中で倒れていた私を見つけたのは、運よく善良な農民だった。私は病院のような場所に運ばれ、警察のような場所へ運ばれ、やがてそこにスーツを着た白人が来た。そこで知ったのは、隣国の街で車が爆発し数十人の死傷者が出たこと、そして警察署を襲った武装組織が、数分の間に全員射殺された事実だった。西側の使者であったはずの白人は、私に彼らのアジトを聞こうとしなかった。まるで私に関わるのが嫌であるかのように。でもそれはおかしい。彼らは武装組織だ。なぜそのアジトを突き止めようとしない?

　私がその後に知った事実は暗澹たるものだった。師は多国籍軍を撤退させるための抗議と言っていたが、多国籍軍はその二週間後に撤退の予定だった。そして師は、多国籍軍に関わるある軍需会社、そしてとある国家の双方からの依頼でテロを行ったのだった。

多国籍軍の中の一つの国の軍の補助に、ある民間の軍需会社が関わっていた。その民間の軍需会社からすれば、多国籍軍の撤退は、仕事を失うことを意味し、自分達の会社の利益減収を意味した。だがここでテロが起こればどうだろう。多国籍軍は撤退できなくなる。つまり自分達の仕事が継続される。だが彼らは利益追求だけでこの打診をしたのではないと思い込もうとした。あの時期に多国籍軍が撤退すれば、その土地がさらに荒れる可能性があった。ではなぜ撤退を決意したか。理由は世論で、多国籍軍を構成する様々な国の国民が、自国の兵士がこれ以上死ぬのに耐えられなくなったからだった。そしてその会社も、この仕事を失えば倒産の危機にあった。社員達はいずれも、自国の家族を養っていた。「今多国籍軍が撤退するのはまずい。この地が荒れ、さらに死者が出る」倒産の危機の中で、会社の職員達は自分達にそう言い聞かせていた。「少しの犠牲で多国籍軍が撤退を延長してくれれば、より多くの命を救うことができる」

師に依頼したとある国家の方は、その国へ影響力を持ちたいという思惑があった。その国を混乱させ、多国籍軍だけでは無理となった場合、その国家の出番が来るはずだった。つまり自分達が介入し、武装勢力と話をつけようという風に。そうなればその国家は、自分がやらせた師などに話をつければいいだけだった。そしてその国家も、先進国達にその国が搾取されることに憤りを覚えていた。彼らは彼らの宗教の名の下に、理念を語り続けていた。さらにいえば、その地は世界の大国達の軍需会社にとって、兵器を大量に売りつけることができる重大な需要地だった。混乱が続けば続くほど、大国達の軍需会社の利益は上がる。そしてその各会社には関連企業が連なっていく。

私はＮＧＯの元に帰った。私は行方不明だったわけだが、私のことは日本で報道されていなかった。その土地で、日本のある巨大企業が暗躍していて、国も関わっていたその事業を、公にしたい意図は国になかった。私は放浪に出、行方不明になった日本人として処理されようとしていた。もちろん犯行グループから国かＮＧＯに身代金請求でもあればそうもいかないが、相手から何も言ってこない以上、いたずらな発表は避けたいという思惑が影響していた。

ＮＧＯに一本の電話がかかってきたのは、私が帰還した翌日のことだった。まるでＮＧＯの中に内通者がいると思えるほど、あまりにもタイミングが合い過ぎていた。相手は私に電話に出ることを要求し、受話器を握ると師からだった。

「お前の裏切りは忘れない」

師の声は冷えていた。なぜだかわからないが、あの時の私は涙をこらえていた。涙など必要ないのに。私は自分が知った事実を師に告げた。だが師の声に動揺はなかった。

「それが事実ならどうしたというのだ。私達の活動には金がいる。その金を得るためなら時には敵からも頂く。全ては〝Ｒ〟の教義を広めるためだ」

師の言葉は硬化し続け、固定され、揺るがなかった。

「あなたは宗教の長ではないのでしょう？　職業テロリストなのでしょう？　あなた達は、仕事としてテロリストをしているのでしょう？　あなたの計画で仲間が」

「彼らはヘブンにいる」

「民間人も」

「彼らもヘブンにいる」

師にはどのような言葉も届かなかった。

「彼らの死を私が悲しんでいないとでも？　全ては尊い〝R〟の教義を広めるためだ。私はずっと泣いていたのだ彼らのために」

「彼らがどのように死んだかご存じですか？　彼らの身体の肉が銃弾で飛び散り、苦痛に満ち」

「お前も見ていないだろう？」

「それを見ていたらあなたもそんなことは言えないはずだ」

私の言葉に、師は少しの沈黙を置いた。しかしそれが自分の言葉の効果ではないと、私にもわかっていた。

「日本人は不思議なことを言う」

師が静かに言う。

「私がこれまで、一体何百人の死体を見てきたと思っているのだ？」

ケジャフの顔が浮かんだ。ガイドになりたかったと言い、共感が欠落していた男。銃弾で粉砕された能力の高かった男。武装組織、という名の中に埋没させられた存在。彼の物語。彼の人生。彼の存在の意味。

「死体を見ていないからといって、私にも悲しみはある。私はずっと祈禱していたのだ。彼ら英霊のために。彼らがヘブンで幸福になれるように」

悪はどこにあって、誰が引き受け、どうやったら終わるのだろうか。

悪はどこにだろう?

だが師は、私に何かの哲学的な問いを発生させるために電話したのではなかった。師の意図は別のところにあった。

「お前の裏切りは忘れない」

師は初めの言葉に戻った。

「私はいつでもお前を見ている。お前の活動の全てを見ている。私達の仲間が日本にいないとでも? 『飢えた者』よ。私は実際に見たのだ。マンションの一室で飢えた子どものお前の顔を。この瞳で。この二つの瞳で。神の力によって」

なぜあの時、私は何も言えなかったのだろう。師の言葉が体内に入っていた。視界が狭くなり、目の前に足が見えた。師の足だった。私の命が終わろうとしていた時に見た、私に近づいてきた美しい足。

「覚えておけ」

師の言葉は終わらなかった。

「これからお前に関わる全ての人間が無残に死ぬことになる。首を切られ、銃弾で肉が飛び散り、無残に強姦される。古代から引き継がれた〝R〟の名の下に。デリケートなお前達の社会に無造作な我々が混入する。逃れる方法は一つだ。お前は私の指先である事実を常に持ち続けておくことだ。**また連絡する**」

私は日本に帰り、自分から師に連絡した。連絡を取った翌日、私の部屋の壁に invocation の文字があった。私はそれを見つけ、(手記はここで終わっている)

16

高原の手記を読み終える。これは何だろう？　現実だろうか？　立花は思いを巡らせながら、しばらく椅子から動けずにいた。

高原がテロを始めたと聞き、ホールでの集会の後、立花は高原の部屋に向かった。峰野に渡した音源はどうなったのか、なぜ高原は拘束されずこの施設を出ることができたのか、あらゆることがわからなかった。高原は教祖に秘密裏に進めていたはずなのに、教祖はまるで知っていたかのように信者達の前で言葉を発した。どうなっているのだろう？　立花は少しでも手がかりを得ようとしていた。

高原の部屋は、相変わらず簡素だった。まるで誰も住んでなかったように、人間の気配がない。家具達が、人間との関わりを拒絶し、冷えて沈黙してるみたいに。

何でもいい。何かのヒントをやみくもに探そうとする。落ちていたバッグの中を見、棚に並ぶファイルを出鱈目に開き閉じた。鍵のついた机の引き出しに手をかけ、無理と思いながら引く。でも鍵が開いていた。この手記が入っていた。

「ＹＧ」。どこかで聞いたことがある。でも確か……。立花はもう一度引き出しに近づき、鼓動が速くなる。引き出しの底が二重になっている。板を外すと、ノートＰＣがある。

教団内でＰＣの所持は禁止されている。高原君でも禁止されていたはず。無線ＬＡＮがついているから、インターネットに接続できるかもしれない。電源を入れると、でもロックがかかっていた。パスワード。無駄だと思いながら高原の生年月日を入れたが合わない。また鼓動が速くなる。震える指で英単語を入力してみる。invocation　喉が渇いていく。画面が開いた。

自分の嫌な鼓動を感じながら、ネットに接続する。立花は「ＹＧ」について調べ始める。

「ＹＧ」。アフリカの民間信仰の中の一派、ラルセシル教を母体とした小規模の武装組織。より詳しく調べるため検索をかけ続けたが、表示されるのは海外記事だけだった。何とか英語の記事を見つける。指導者の名前はニゲール・Ａ・アルロイ。息を飲む。高原がアフリカに行っていたちょうど六年前、確かに彼らはテロを起こしている。六台の自動車をほぼ同時に街で爆破させ、警察署も襲撃。五十六人の死者を出している。

そして、指導者のニゲールは一年前に死んでいる。

ＥＵ諸国からの空爆を受け、一年前に「ＹＧ」は村ごと全滅している。当時七十二歳だったニゲールも即死している。彼の経歴を調べていく。記事にはアメリカで生まれ、その後サウジアラビアに渡り、アフガニスタン、レバノンと場を移し、アフリカの内陸部で武装組織を結成したとある。アメリカで生まれた？　高原の手記ではアフリカの宗教指導者のはずだった。高原君は沢渡に秘密でテロをすると電話で話していた。その電話の相手はこの武装組織である可能性が高い。

でも彼らは全滅している。

生き残りの残党が？　立花は思いを巡らす。でもそれはおかしい。なぜなら、私が聞いた彼の電話の会話は、日本語だったのだから。

アフリカの武装勢力に、日本語を操る存在が？　そんなはずはない。それは現実的じゃない。このＰＣの存在は隠さなければならない。今となっては唯一の、外側とのチャンネルになるかもしれない。立花は考え続ける。こんなはずじゃなかった。高原君がおかしなことをする前に、彼を無理やり拘束して、もし教祖が彼を殺そうとしたら、巧妙に警察を招き入れ全てを崩壊させるはずだった。こうなってはもう遅い。

なぜ警察は、この建物の裏口が開いた瞬間を狙うとか、奇襲をかけなかったのだろう。そうであったなら、信者達も混乱の中で容易に拘束されたはずだった。でもこのように大げさに機動隊でまず囲み、教団に武器まで準備させてしまったらもうどうしようもない。機動隊が踏み込んだ瞬間、撃ち合うことになるかもしれない。信者達は全員、集団自殺することももう容易だった。

それに、私はなぜ拘束されたのだろう。幹部達にも、もう聞くことができない。彼らの目は今、異常に輝いている。通常の人生では、決して味わうことのない体験の中に彼らはいる。今何かをすれば、私はまた簡単に拘束されてしまうかもしれない。何かの大義のために。得体の知れない大義のために。

高原君はどうなってるのだろう。高原君は――。立花は、引き出しの奥に丸められた紙がいくつも押し込まれているのに気づく。白いコピー用紙。開くとそこには invocation と書かれている。手書きで、何度も何度もなぞられ、invocation と書かれている。**invocation と書かれている。**

立花はその文字から目を離すことができない。

誰か。立花は思わずそう呟いていた。鼓動が痛いほど速くなっている。もう私一人で考えたくない。私の理解を超えている。一人は嫌だ。こんな場所でこんな風に一人でいることに耐えられない。誰か――。立花は高原の部屋を出ていく。脳裏には、楢崎の姿が浮かび続けていた。

17

「冷静になってくださいませんか」

教団施設の窓が微かに開き、機動隊が身構えた瞬間、大きな声が響いた。それが女の声であったことに、周囲が微かに動揺する。テレビカメラがその人影を捉えようとするが、声の主はカーテンに隠れ見えない。それが幹部の杉本であることは、教団の人間以外誰も知らない。

「もう一度言います。冷静になってください。あなた達の目的は何なのですか？」

女の声に、機動隊が微かにざわめく。冷静に？　それは通常、警察側が犯人に言うことだった。警視庁の特型警備車の辺りから、それに答える声が響く。同じく拡声器による声。

「二名の市民を拉致、逮捕・監禁の罪で逮捕状が出ている。速やかに人質を解放の上、我々の捜査に協力してもらう」

「人質？」

女の声が、酷く驚いたような声を上げる。

「人質などいません。ですが、近ごろ入信した二名でしょうか？　彼らはまだ入信の儀を行っていない。まだ信者となってはいない。彼らなら速やかに解放します」

機動隊に明らかなざわめきが起こる。規制ロープにより離れた場所から、各局のテレビカメラが望遠レンズでその様子を捉え続けている。ニュースとして中継されている。

「それと、無理に入ってくるのはお止め願えないでしょうか？　私達の教義では、教祖様がお認めにならない者はこの建物に入ることはできません。ここは私達の聖地なのです。あなた達がここに無理に入って来た時、私達は集団自殺することになります。そう決まっているのです。ですからお願いです。無理に入って来ないでください。人質は解放します。どうか、どうか、そっとしておいてください。私達は静かに修行をしているだけでございます」

事態が奇妙な方向へ流れていく。拡声器を持っている男は無線で判断を仰いでいる。よって彼の言葉は彼によるものではなく、警視庁の本部の意志を伝達しているものだった。

「ならば速やかに人質を解放しなさい。君達が大量の武器を所持していることも明らかになっている。その逮捕状もある。武器を捨て、速やかに建物を開放しなさい」

「武器などありません」

「建物を開放しなさい」

「武器などありません。イラクに大量破壊兵器がなかったのと同じように。アフガニスタンにビン・ラディンがいなかったのと同じように」

「我々から携帯電話を提供する。以後、その携帯電話をもって君達の要求を」

「要求などない。ただ人質を解放するから帰ってもらいたいだけだ。携帯電話などいらない。

あなた達は、こんなやり取りをマスコミに流したくないだけでしょう？」

機動隊側の反応が鈍る。女の声が続ける。

「もしかして、もしかしてですが、あなた達の目的は、まさかとは思いますが、間近に控えた選挙も絡んでいたりするのですか？　今進行中の、莫大で膨大な公共事業の利権を、政権交代で渡したくないからなのですか？　アメリカからも、様々な利権が進行中だから現在の与党のままでいろと強く言われてるのではないですか？　その選挙を控え、強くなった日本をアピールして選挙の追い風にするつもりなのですか？　国は内政が行き詰まると大抵国民の目を外に向けさせ、一体感を与えようとする。これまでも典型的になされてきた手法。でも今回は上手くいきそうにない。なぜなら、選挙前によく飛んできてくれた北朝鮮の挑発ミサイルが、今回は残念ながら飛びそうにないから。韓国も中国もあんまり日本を批判してくれないから。強い与党を演出して選挙に勝とうとしてるのですか？　そしてこの国の右傾化に、今回の事件をちょっと役立てるつもりなのですか？　強硬にテロを制圧する政府を批判する世論は、もうこの国では弱くなっている。逆に拍手喝采される。警察の権限強化や装備強化の利権も関係してるかもしれない。このような容疑で機動隊はおかしい。奇妙な意志が動いてるとしか思えない。あなた達からすれば、ちょっとした人質事件の解決パフォーマンスだったかもしれない。でも私達からすればそんなつまらないことに巻き込まれたくはない」

彼女の言葉が社会に流れていく。広く張られた規制ロープの向こうでは、テレビ局だけでなく、新聞、雑誌などの記者達も群れとなって様子を見守っている。警察側が答える。

「苦し紛れの言い分はよしなさい。出鱈目を繰り返しても仕方ない」

「私達が建物の反対側に潜むＳＡＴに気づいていないとでも？　冷静になってください。冷静になってください」

機動隊側はもう反応しない。何かの命令が下っている。テレビカメラがＳＡＴの姿を捉えようとするができない。

「ああ、ああ、攻め込まれてしまう。冷静さを求めた私達が無残に殺されてしまう。人質は解放するのに。何も悪いことはしていないのに。そして私達が死んだ後、私達が危険なグループだったと嘘ばかり情報を流して世論を納得させるつもりでいる。これは国家の安全に関することだから、もしかして、まさかとは思いますが、制圧方法は最近できた特定秘密保護法で隠されてしまうのでは？　そんなことはしないですよね？　そんなことはしないですよね？　ああ、ああ、攻め込まれてしまう。私達はそうされたらもう死ぬしかないのに」

機動隊が一斉に盾を構え直す。場に緊張が走る。マスコミ達がざわめく。やるのか？　この状況で踏み込んで大丈夫なのか？　記者達が互いに言葉を交わし続ける。本当に？　こんな状況で？　だがカメラから見えないＳＡＴの動きが不意に止まる。無線からの情報に、機動隊側がまず言葉を失う。様子を中継していたテレビニュースが慌ただしい。各番組の映像が切り替わり、それぞれの放送局のキャスター達が同じニュースを読み上げる。放送局に武装勢力が侵入したという情報。だが、ＪＢＡにチャンネルを合わせていた視聴者が見たのは別の映像だった。画面に機関銃を手にした若い男が突然現れる。憂鬱そうに、男性キャスターに銃口を向けている。

18

男性キャスターに機関銃を突きつけているのは篠原だった。沈痛な表情をしていた篠原が、テレビ画面の中で不意に泣く。泣きながら、カメラに向かって口を開く。

「お願いです……。冷静になってください」

篠原は泣き続ける。

「僕達は……、こうするしかありませんでした。教団施設に踏み込まれてしまえば、彼らは彼らの宗教の教義によって集団自殺しなければならないから。……お願いです。彼らをそっとしておいてください」

男性キャスターは、泣きながら銃を突きつけてくる篠原を驚愕の表情で見ている。スタジオには、かなりの数の局員達が集められ、その人質達の周囲を囲むように、十人を超える男達が機関銃を向けている。

「この放送を中断させた瞬間、僕達は彼らを殺します。この映像はテレビだけではありません。既にインターネットに接続され世界中に映像が流れています」

篠原は続ける。

「本来、僕達はもう一年前に教団から抜け、彼らとは関係ないグループです。でも、憎み合って分かれたわけじゃない。僕達だって、彼らを気遣う心は残っています。僕達は彼らを救いたい。彼らを集団自殺から救いたい。僕達は武器を持っていますが、しかしあの施設の仲間達は武器を何一つ持っていません。少しも危険はないのです。……僕達は、こんな風にテレビ局に入り込んでしまった。僕達にとってはやむを得ないことでしたが、罪は罪です。僕は抵抗した警備員を撃ってしまった。殺してはいません。今、人質を二名だけ解放して、救急車の手配をしています。僕は狙撃のプロです。急所を外していますから殺害はしていません。でも撃ってしまったことに変わりない。だから罪を負います。僕達は皆、すぐにでも武器を捨て、人質を解放し、テレビ局を占拠から解いて逮捕される用意ができています。ですから、ですから、教団の施設に踏み込むことだけはお止めください。お願いします。冷静になってください。話し合いましょう」

機関銃を突きつけられている男性キャスターは、何も言えないでいる。

「僕達からの要求は一つです。あの教団施設に国家が一切関与しないこと。これまで通り、そっとしておくこと。でも口約束では信用できない。あの教団の敷地を独立国家として認めていただきたい。それが無理なら、我々のあの敷地を臨時の自治区として認定していただきたい。こんなことをされたんだ。そこまでしていただかなければもう信用できない。原発を昔から安全安全と言い続け、でも実は全く安全でなかったとわかった今、もうあなた達の言葉に一切の信用はないのだ。だから我々の自治区の容認を今から正式に閣議決定してもらいたい。それくらいしてもらわなければ困る。そして、一連のことに、我々の教祖は一切関知していないことを認めてもらいたい。しかるべき人間達はあの施設から出、事情聴取を受けます。必要なら逮捕もされましょう。しかし、我々の教祖だけには関与しないでもらいたい。できるはずだ。あなた達ならできるはずだ。なぜなら、あなた達には東京裁判という過去があるのだから。第二次世界大戦、日本が敗戦し、日本の『戦犯』達は戦勝国から裁かれることになった。裁く側の国によっては、当時日本を『統治』していたとされた天皇に戦争責任を求める意見もあった。でも天皇は裁かれることはなかった。当然だ。戦争をしたのは政府で、天皇は開戦に否定の意を持っていたし、天皇による『統治』はあくまでも形式的なことで、実際の政治は全て政府がやっていたのだから。何も我々の教祖と天皇を同格に見ているわけではない。そんなことを思うはずもない。我々は日本の主神、天照大神（あまてらすおおみかみ）の子孫とされる天皇を尊敬している。そもそも我々は自治区を望んでいるのだから、あなた達の国家の下に喜んで入ろう。ただその東京裁判の構図だけを、その構図として、今回は我々に適用してもらいたいと言っているだけだ。だから、教祖だけには手を出さないでもらいたい。我々の自首で終わりにしてもらいたい。東京裁判を経験したあなた達ならできるはずだ」

会議室のモニターに映る男を、平井は茫然と見ていた。警備部、警備二課長となって二年、自分がこんな事件に巻き込まれるとは思っていなかった。横目で副総監、警備部長の顔を盗み見る。刑事部長、公安部長、外事三課長、警備一課長、組織犯罪対策五課長なども いる。彼らも一様に茫然としている。自治区？　何を馬鹿なことを言ってるんだろう？　いや、というより、犯人の側が警察に冷静になれと言うこの事態は、一体何なのだろう？

そもそも、上がってきていた情報と、事態が違い過ぎた。マンションの一つのフロアに、Xの隠語で呼ばれる教団が潜伏している。彼らは武器を所持し、今すぐにでもテロをするという情報だった。さらに市民を二名誘拐したという。そしてその中には、アフリカの武装組織と関わりのある人物もいて、教団は国際的なテロ組織の末端であるとされていた。一気に制圧するつもりだった。それが今の国際社会の常識だから。なのに集団自殺するとはどういうことだ？　そもそも、あのマンションの一階部分だけでなく、あの建物全てに信者が？　どういうことだ？　こんな状況で制圧などできるはずがない。上がってきた情報と違い過ぎる。どこかで手違いが？　それとも、意図的な何かがあるのか？　自分には想像もできないほどの『上』からの要望で？　そういえば、さっきまでいた公安四課長の姿がない。

さらにこの事態は非常に厄介だった。なぜなら、交渉相手が一つではなく、二つになっているから。さらにテレビ局を占拠した側と教団側は緩やかに繋がっているのみで、もしかしたら意思の疎通ができていない恐れもあるから。もしそうなら。平井は考える。事態を解決する術はゼロに近いのではないか？　自治区？　そんな要求が通るとあいつらは本当に思っているのか？

これは現実だろうか。テレビ局を占拠する男達、しかも泣きながら占拠している男達を画面に見ながら平井は思い出す。一九九五年に起きた、カルト教団によって地下鉄で毒物のサリンがまかれた事件。あの時も、そんなはずがないことが、目の前で展開されていた。地下鉄にサリンをまいて、一体あいつらは何をどうしようとしていたのだ？　当時法務省の刑事局にいた平井にはわからなかった。外界から閉ざされていたカルト集団が、その外界との断絶の年月が長くなるほどに現実、常識からずれていき、突如現実の中に「非現実」として登場した。あの時、これはまるでフィクションだと思った。漫画のような歪んだフィクションが現実に、日常に突如出現した瞬間だった。ニューヨークを襲った9・11だって、誰があの光景を現実とすぐ認識できただろう？　あんな滅茶苦茶なことが現実に起こったのだ。突如現れるフィクションに、現実は、日常は脆い。自治区？　トップを見逃せ？　東京裁判？　こいつらは何を言ってるんだ？

ただ予感はあった。

こいつらにこれ以上、しゃべらせない方がいい。

ドアから政務官が入ってくる。政府からの使者。警視総監、警察庁長官も入ってくる。政務官が警備部長に何か耳打ちしている。警備部長が首を横に振る。だが何かを耳打ちされ続けている。警備部長は首を横に振り続け、静かに口を開く。

「そもそも提供された情報に食い違いが多すぎます。もしこのタイミングで強行突入して多数の死者が出たらどうするのですか。簡単に言わないでくれ」

「……やつらは武器を持っている」

「そうです。そうですが、物事にはタイミングというものがあります。いつの間にか仕掛けたのはこちらということにもなっている。彼らを撃ち殺した部下達に説明できるのですか？」

「これは命令になる」

「誰がその責任を？　誰が？　私はそれでいい。だが他には誰が？」

画面の篠原がまた口を開く。会議室にいる全員がその画面を見る。

「僕達が僕達だけと思わないでもらいたい。……今、起動されました。……もうすぐニュースが流れるでしょう」

意味がわからない。ただ黙ったまま全員が画面を見続ける。沈黙が続く。だが別の報道番組、施設と機動隊を映していた画面に白いテロップが流れる。続いて会議室の電話が鳴る。愛知県で大規模な爆発。負傷者、死者は不明。

「……もうすぐその映像が皆様に届くでしょう」

篠原が続ける。泣きながら。

「三十メートル四方が吹き飛んだはずです。でも安心してください。負傷者、死者はいません。私達の仲間がきちんと見張っていましたから。その爆発の規模は後に映像でお伝えします。どうやったか。携帯電話を起動装置に使った爆発物です。つまりある番号を押せば、その携帯電話にかかり爆発するという仕組み。これは警告のため行った爆発です。今、このような爆発物が、一見それとはわからない形で、全国の複数の場所に仕掛けられています。もし今僕がその複数の番号をここに羅列したとしたらどうなるでしょう？……テレビを見ている誰かが、そのどれかの番号にかけてしまうかもしれませんね。いわばそれらの爆発物に繋がる装置を大多数の国民が持ってることになります。携帯電話など誰でも持ってますから」

会議室が沈黙に包まれる。

「……でも安心してください。そんなことはしません。でも、我々の場所か、あの教団施設かどちらかに警察が踏み込んで来た場合、簡単に言えば、この放送が政府によって遮断された瞬間、外にいる我々の仲間が一斉にそれらの番号にかけることになります。爆発物だけじゃありません。サリンも大量にばらまかれる仕組みです。数千人の死者を出すでしょう。我々はどうせあなた達が踏み込んで来たら死ぬのだし、我々は皆我々の教義にのっとった天国へ英雄として行くことになっているし、覚悟や勇気をもう必要としない領域にいます。防ぐ方法は一つ。日本の全ての携帯電話を業者と連携して不通にすること。……そう思いますよね。でもそれも無理なのです。無線でも作動しますから」

平井は画面を見続ける。見続けることしかできないでいる。場所が特定されないテロ。

「さて、日本という国家が、『面子（メンツ）』のためにそれだけの死者を出すことを良しとする国家であるのかどうか」

会議室は沈黙が続く。政務官がどこかに電話をかけ始める。会議室の全員がその様子を見ている。だがもう選択肢はない。平井はそう感じている。会議室の誰もが、そう感じている。

「ひとまず、強行突入は待て」

政務官が呟くように言う。

「交渉だ。こうなってしまったら、例の平成十年の閣議決定の取り決めに基づいて、もう内閣に対策本部が置かれることになる。そして……、全国の各警察署に通達。これまでにわかっている教団関係者全員の身柄を緊急に確保、……そしてあらゆる場所を捜索しろと。爆発物が仕掛けられていそうなところを。……無理なのはわかってる。全国の隅々を……」

19

「こちらの声を聞いてるかもしれない」

ＪＭＮ放送の特別番組の中で、白髪のコメンテーターが呟くように言う。

「なあ。教団の人、この放送を見てるか。見てるなら反応してくれないか」

白髪のコメンテーターが画面に向かって呼びかけるように言う。ＪＭＮのその番組のスタジオ中央に置かれた巨大モニターには、篠原が拳銃を持って立つ、ＪＢＡ放送の画面がそのまま映し出されている。他局の放送をモニターで借用してることになるが、緊急事態と判断し、どの番組でも同じ形式を取っていた。

「反応してくれないか。君達は一体何なんだ」

キャスターが白髪のコメンテーターを遮ろうとする。明らかに今、犯人を刺激するのはまずい。だが篠原が口を開く。彼らは複数のＰＣによって、全番組の様子を同時に確認していた。ＪＭＮの放送が映し出されているＰＣが、篠原の元に運ばれる。

「あなたの発言は聞こえてる。私達が何者かなどどうでもいいことです。それにあなた達ならわかってくださると思った」

ＪＭＮでの発言に、ＪＢＡにいる篠原が答える。テレビ電話のような形式を視聴者は見ることになった。他の放送局は慌てて一斉に篠原へ呼びかけようとするが、今篠原は一台のＰＣ、つまりＪＭＮしか見ていない。全ての番組と同時に繫がる効果的なシステムを、篠原達は構築していない。

「……わかってくれる？」

「ええ。だってあなた達にも神がいるでしょう？」

「神？　信仰はそれぞれある。しかし」

「それぞれ？　あなた達の信仰は靖国神社ではないのですか？　国のトップ、総理大臣が一宗教法人を大勢のマスコミの前で参拝し、宣伝してるのだから国教でしょう？」

「は？　違う。日本は国教をもたない。首相の靖国参拝に私は反対してる。でもあえて擁護するなら、あれは戦没者達を慰霊したのだ。追悼したのであって宗教告白じゃない」

「追悼？　靖国神社は戦没者の追悼施設なのですか？」

篠原はそう言い、一度息を吸い、言葉を続けた。

「靖国神社は明治以降に建てられた比較的新しい神社です。国を守るため戦って亡くなった、主に兵士達を〝祭神〟として祀っている。しかしたとえば元寇、モンゴル帝国が世界に覇権を広げた時、彼らの侵入を防いだ鎌倉幕府の兵士達は合祀されていない。世界中がモンゴル帝国に負けたあの侵略に日本は勝った。しかも二度も勝って国を守った。なのに合祀されていない。明治政府ができる時、内乱で亡くなった政府軍側は合祀されているが、亡くなった『敵側』の兵士達、つまり旧幕府軍や反政府軍は合祀されていない。空襲や原爆などで亡くなった膨大な日本国民も合祀されていない。そうであるのに第二次世界大戦の指導者だったいわゆるA級戦犯達は合祀されている。どういうことだろう？　基準はシンプルで、特定のイデオロギー、つまり天皇のために戦ったかどうかで線引きされている施設だ。日本の戦争は元々ほとんど内乱で、自国民を殺したうしろめたさから、敵側の戦没者も祀る風習があった。でも靖国神社はそうではない。あなた達の神の主神は天照大神だろう？　天照大神の孫の曾孫が初代天皇の神武天皇。そこからずっと続くからつまり天皇はその子孫なのだろう？　日本の神話はギリシャ神話のような多神教だ。だがその神話の登場神の子孫が天皇として存在しているところが他国とは大きく違う。第二次世界大戦中も、天照大神の子孫である天皇が統治する国を国民の大多数は崇めたのだろう？　死んだら靖国で会おう。そう言い合い兵士達は死んでいったんだろう？　死ぬ時も多くが天皇万歳と叫び死んでいったんだろう？　アメリカやイギリスは、その日本兵の異常な勇敢さに恐れを抱いたんだろう？　そしてそれは過去のことじゃないんだろう？　靖国神社の基本姿勢は、あの大戦の兵士達を犠牲者として追悼してるのではない。英霊として顕彰してるのだろう？　顕彰とは功績などを世間に知らせ、表彰するという意味だろう？　靖国神社はその根本理念を変えてない。アメリカに占領されている時、一九四六年に一度変わりかけたが日本の独立後また元に戻っている。その後一時的に牧歌的な時代もあったが一九七八年以降また元に戻っている。保守本流。一貫されている精神。それを国のトップが参拝してるんだ。君達は民主主義なのだろう？　ということは君達の信仰は靖国神社ではないのか？」

「ふざけるな」

白髪のコメンテーターの横にいた眼鏡の男が、突然大声で怒鳴る。保守の論客として知られている。

「英霊を馬鹿にする気か？」

「馬鹿にしていない」

「は？」

「国のトップは堂々と参拝すればよい。そして堂々と言えばいい。君達のような論客がよく言うように、第二次世界大戦の時の日本は間違ってなかったと。靖国の英霊はその名の通り英雄であり、国民の全てはこれを讃えよと。彼らは国の間違った判断で戦争に駆り出された犠牲者ではなく、正しかった戦争で正当に戦った英雄だと。ただ日本は正しかったけど負けただけだと。国際社会が行った東京裁判もインチキだと。原爆も空襲も裁かれず、敗戦国の日本だけが一方的に裁かれたインチキ裁判だと。国際社会の意志など認めないと。ごたごた真意を隠したりせず国のトップは堂々とそう言って参拝すればいい。靖国神社の根本理念はそれだろう？その東京裁判を否定したインドのパル判事の石碑だけを堂々と設置してる神社じゃないか。その靖国の理念を正直に国際社会に宣言して参拝すればいい。それで文句を言われたら昔国際連盟を脱退したみたいに国際連合を脱退すればいい。羊の皮を被る狼のような真似はしないだろう？　堂々たる神社だろう？」

「いいか」眼鏡の保守の論客が再び怒鳴るように言う。「あの太平洋戦争は自衛戦争だったんだ。アメリカからの凄まじい経済制裁で追いつめられ追いつめられ、日本はもう戦うしかなかったんだ。彼らは国のために戦って死んだんだ」

「ああ、君達のような論客はよくそう言う。でもただ二つ私の質問に答えてくれないか」

警視庁の対策本部からは、テレビのコメンテーターを黙らせ、犯人を刺激するなと何度も局に電話が届き、内閣府の役人や警察関係者もテレビ局に急ぐ。だが番組は続く。篠原が再び口を開く。

「あの第二次世界大戦は仕方なかったと君達は言う。アメリカからハル・ノートを突きつけられ、日本はもう戦争するしか道がなくなったと。ならば聞く。今似たようなことが起こっても、君達はそうするのか？　あの戦争を仕方なかった、間違ってなかったというなら、今似たようなことがあっても君達は同じ道を進むか？」

「いいか、アメリカは日本に先に攻撃させようとしていたんだ。当時、アメリカも戦争に参加したがっていたことはもうはっきりしている。当時のアメリカの資料を見ればそう書かれている」

「他国のことはひとまずおいてください。仮にそうだったとして、また繰り返すのか？」

「今の価値観で当時の価値観を判断するのは間違ってる。当時と今では国際情勢も違う」

「だから同じような情勢で同じようなことが起こったらと言ってるだろう。なら質問を変えようか。今君があの時代に戻ったとして、あの時の日本国内の全てを動かせるほど強大な権力を持っていたとしたら、君はあの戦争を止めたか？」

「止めない。仕方なかった」

「そうか。もし君のような人間が今政治家になったら国民はさぞ不安だろう。あと一つ質問をする。君達の仲間は天皇を強く崇拝してるのだろう？」

「当然だ」

「なら聞く。あの第二次世界大戦の時、開戦することで、当時の政治家達は天皇を危機に曝したんじゃないか？　その責任はどう思う？」

「あれは仕方なかったと言っただろう。だから日本国民は天皇をお守りするために命を懸けたんだ」

「仕方なかったというが、君達が言うアメリカからの無茶な要求で日本は戦争するしかなかったというその交渉のことだが、よくよくその過程を読んでみると原因の大半は中国だ。中国から兵を撤退すれば戦争は避けられた。日本が勢力を広げ過ぎたために、アメリカとの利害が激突してしまった。そうだろう？　戦争とは利害関係が衝突して発生する。ということは何か、それら中国利権のために天皇を危機に曝したのか？」

「違う。当時中国を手放していたら日本の国力は衰退し、いずれ占領された」

「そもそもアメリカから国内需要の大半の石油を輸入しておいて、そのアメリカが援助する中国と戦うなど馬鹿の極みでは？　なんと愚かな判断だ！　経済封鎖を受けるのは馬鹿でも予測できる！　中国利権を失ったからって国が衰退するほど日本人は貧弱じゃない。どうせなら真っ当な国際政治をして理不尽な植民地の危機に遭い、そこで真っ当に戦いたかったものだ。それが本当の本来の日本人というものだ！　万が一植民地になったって、日本は一時的に貧しくなっただけだろう？　利権とは利益、国益とは還元していけば結局は金だ。偉大な天皇より兵士より民衆の命より金が大事だったのか？」

「違う。あれは大東亜共栄圏を立ち上げる戦争だったんだ。当時、西側の国々の植民地だったアジア諸国を解放し、人種差別に満ちた白人支配からの脱却を目指した」

「ナチスと組んだのに？　もう一度言う。ナチスと組んだ時点で世界に言い訳などできないことくらいさすがにわかるだろ？　お前達はナチスと組んだのだ。日独伊の三国同盟さえ組まなければ、アメリカは日本にあそこまで怒りを覚えなかったのでは？　もしお前達が圧倒的に強かったならば、それはナチスの勝利も同時に意味したことになるんだぞ」

「それは戦略上のことだ。ナチスのことは当時日本でそれほど把握してなかった。我々はアジアの盟主として、アジアの解放を謳い上げたんだ」

「把握してなかったなどという愚かな言葉は国際社会では言わない方がいい。それにアジアの解放？　一九四二年、軍に当時サックと呼ばれたコンドームを陣中用品として約三千二百十万個も送らねばならなかった戦争がアジアの解放？　占領してはそこでちまちま慰安所をつくっていった戦争が？　甘ったれたことを言うな」

篠原が続ける。

「君達首脳部は『理念』を掲げた。当時の日本の軍人達の中には、想像もできないほど高潔で立派な人達がいた。例えばカミカゼ、つまり特攻隊の人達の手記は涙なしではとても読めない。

だが彼らの魂の純粋さを、あの戦争が正しかったような印象操作に利用するのは死者に対して失礼だろ？　あの魂をそのように利用しかつ金儲けの手段にしてる奴までいる始末だ。それに日本兵の全てがそうではなかった。外国に数百万人いた日本兵、その全員が常に軍規通り動いたとはさすがに言えないだろう？　君達は『理念』を掲げた。だがその『理念』を徹底させる国力も能力もなかった。そもそもその『理念』が独りよがりで無茶があったからだ。戦争が酷くなるにつれ、無茶苦茶で苛酷な作戦が続いた。兵士達は明日死ぬ、いや、もう数秒後に死ぬかもしれないストレスに長期間ずっとずっと晒され続けることになった。降伏も捕虜になることも許されず、膨大な死体を見、上官も部下も仲間も次々毎日膨大に死んでいく。そんな絶望的な現場で聖人君子のように生きろというのは逆に戦争の現実を知らない戯言じゃないか？　あれだけ優しく温厚でデリケートな日本人の一部を狂気に変えてしまった、つまりそれがあの戦争だったんだ。そんな無茶苦茶な状態をつくっておいて責任がないとでも？　日本人だけで兵士や一般人合わせ数百万人が死んだ。亡国に瀕した。それを仕方なかった間違ってなかったと万が一にでも堂々とのたまったらもうそれは国家として二流だろう？　あれはアジアへの侵略戦争だ。戦争は綺麗ごとじゃない。大国に汚点あり。世界の大国で、一点の汚点もない国など存在しないし存在するはずもない。戦争における残虐行為は有史以来、現在に至るまで全世界で常に常に行われ続けている。汚点、見通しの甘さ、ミス、それらを一つ一つ検討しその改善策を後世に残そうともせず、あの戦争は正しかった仕方なかったと連呼する論客は一流と言えるか？　そんな君達に我々をどうこう言う資格が果たしてあるか？」

「君達の言うことは……」

黙っていた白髪のコメンテーターが口を挟む。だが篠原が遮る。

「あなたの著作は読んだことがある。アジアの平和のため日本は戦力を放棄しろとあった。だが聞こう。君達への問いは簡単だ。世界は善で出来ているとでも？　世界の本質は悪だ。そんな中で無防備でいろと？　他国で侵略、虐殺が起こっても関係ないと？　日本は有史以来、外国との戦争で実はたった一度しか負けてない。日本を実質的に負かしたのは歴史上たった一国、アメリカだけだ。しかも経済封鎖という大ハンディの中でだ。そんな強国が世界に貢献せずぼんやりしてろと？　そもそもなぜ君達は国の右傾化を憂うと言いながら一つにまとまらない？　なぜ選挙でいちいちそれぞれ候補者を立てて票を分け、保守の政党が利するようなことをする？　そんな左翼は後の世に笑われるぜ！　一つ聞きたい。仮に世界が悪でなく善で出来ていて、君達の論理が通るママゴト世界だったとしよう。では宇宙人が攻めてきたらどうする？」

「は？　宇宙人？」

「想定外と言うのか？　原発事故の時歴代の無能な政治家達が次々そう口にしたように」

「そもそも宇宙人と戦っても負けるだろ」

「ではその時どうせ負けるという態度を取るのだな。人類が宇宙人と必死に戦う時、日本人は指をくわえて見てると？　それとも何か？　君達お得意の交渉で宇宙人を説得できるとでも？

宇宙人をデモ行進で迎え討つ？」

　番組内で思わず笑いが起こる。だがメインキャスターが口を開く。

「政治談議をしてる場合ではないでしょう？　あなた達は」

「これは重要な問題だと思いますが」

　篠原がキャスターの言葉も遮る。

「あれだけの国民が死んでしまった戦争、七十年も前の戦争の総括もまともにできない国に、偉そうなことを言われたくないということです」

「しかしね、これはもう日本のことだけじゃ収まらなくなっていますよ。世界があなた達を注視してる。世界はテロを許さない」

「なら世界にも問おうか。テロを許さないという、その世界が果たして我々に偉そうなことを言える連中かどうか」

　篠原はそこから長く長く演説を始める。その演説は全部、高原がよく主張していた貧困・飢餓の問題だった。だが篠原はそこに、実際の企業名を複数挙げることになった。世界の運動家達がそれぞれの仕事の中で暴露していった企業犯罪が、テレビで語られていく。しかもテロという世界が注目する中で。数分が経つと各企業の日本支社などから番組に抗議の電話がかかってくるが番組は終わらない。

　日本のざわめきが世界へ広がっていく。インターネットにより、この映像は世界に配信されていく。各国のユーザーが字幕をつけさらに拡大されていく。

20

狭い部屋。テレビ画面を見ながら五十代の男が笑う。

「……これはケッサクじゃないか？　ははは、見てみろ。ほら」

五十代の男は笑い続ける。奇妙に高い声で。三十代の男はそんな男を気味悪く思う。でも当然のことながら、表情には出さない。

「しかしながら、これは大きな責任問題に発展するのでは？　我々も……」

「んん？　何言ってるんだ？　お前やはりまだ甘いな」

五十代の男が笑みを浮かべたまま言う。

「言っただろう。我々には名前など必要ないと。あるのは役職のみだと」

画面では、篠原がまだしゃべり続けている。

「例えば彼らの言う東京裁判だが、……あの裁判で問題にされた一九二八年から一九四五年の敗戦まで、日本の政権が何回代わったかお前知ってるか？」

「……詳しくは」

「驚くなよ。十七回だ！　十七年で十七回！　だから東京裁判の時、連合国側は苦労したんだ。ナチスみたいに、全ての悪を引き受けるわかりやすい悪人がいなかったからな。どいつもこいつも滅茶苦茶な国策と作戦を立て、威勢のいいことばかり並べ立て上手くいかなくなると役職から逃げたのだ。膨大な兵士と民衆が次々と死んでいく中で！……だから、我々もそうすればいい、いい、いい、いい、いいだけだ」

五十代の男は不意に笑みをやめる。

「あの撃たれたという警備員、今どこにいる」

「新台和病院です。命は取りとめたようです」

「……ちっ」

五十代の男が舌打ちする。三十代の男はその舌打ちを聞き驚いたが、自分のその驚きをわざとらしく感じた。もう薄々わかっていた。自分のやることとも。

「その病院じゃ手は出せん。情報では、もう一人病院に収容された奴がいるよな？　誰か把握してるか」

「ええ、名前はまだわかりませんが、あの教団のメンバーかと思われます。仲間割れなのか、何なのか……」

「……どんな服装だった」

「え？」

「どんな服装だったかと聞いてる」

五十代の男が三十代の男をじっと見る。その顔にはもう笑みは浮かばず、いつもの気だるさしか見えない。この男は気だるく動いていく。この男達は、と言った方が正確かもしれない。

「黒のパーカーにジーンズ。肩を撃たれ負傷とあります」

「……収容先は？」

「こちらは笠ヶ丘病院」

「よし。そこなら手が出せる。……出かけるぞ」

五十代の男は古くもなく新しくもないコートを羽織る。三十代の男は、一見ブランド名はわからない、しかし決して安くは見えない新しいコートを羽織る。

鞄を手にした時、三十代の男は五十代の男がテレビにまた視線を向けたのに気づく。五十代の男は目を細め画面に目を留め続けている。上機嫌でも不機嫌でもない、どこか遠くを見るような目で。三十代の男はうながそうとしたが、なぜかできなかった。

「……さすがだな」

五十代の男はそう画面に向かって小さく呟き、鞄をつかみテレビを消した。二人は狭い部屋を出ていく。

＊

立花涼子は狭い廊下を抜けていく。

途中、何人もの興奮した信者達の脇を通り過ぎる。彼らはみな立花に挨拶をするが立花に彼らを見る余裕はない。楢崎君。立花はぼんやりした意識で呟き続ける。１０２３の部屋にいると聞いた。楢崎君がここにいる。私は少なくとも一人じゃない。

エレベーターに乗り、また狭い廊下を歩く。ドアが見える。１０２３号室。楢崎君がいる。立花は小さく息を吸い、ドアをノックする。でも誰も出ない。もう一度意識的に息を吸い、ノックをし、やがて急くようにドアを開けた。

ドアを開けた瞬間、立花は全てに気づく。女の香水の匂い。赤い照明の中、裸の女が男の上にまたがり、激しく喘いでいる。鼓動が速くなる。男は楢崎だった。楢崎の上で、小牧が喘いでいる。

立花はぼんやりとその場に立つ。そうだった。私は何を期待していたのだろう？　立花は楢崎の上で動く小牧を見ながら、激しくなる鼓動を感じ続けていた。ここは教団なのだ。考えてみれば、そうに決まっていた。この現実の世界に、人生に、淡い期待などない。ずっと前に確信したことを、自分はしばらく忘れていた。

突然ドアが開いたが、楢崎は何も思わなかった。また別の女が入って来たのだと思っていた。まだいいのに。楢崎は身体を起こし、小牧の胸に顔を埋めながら思う。まだ自分は小牧としていたい。小牧の身体をもっと貪りたい。胸から顔を離しドアの方を見て身体が硬直する。立花涼子が立っている。

楢崎は小牧から自分の身体を離そうとする。楢崎の仕草に小牧は背後を見る。小牧も驚いた表情をしたが、何かを迷うように目を動かし、不意に微かに――楢崎にしかわからないくらい微かに――笑みを浮かべた。なおも楢崎の上で動こうとする。まるで立花にその様子を見せるかのように。

「……どいてくれ」

楢崎は言う。小牧が顔を楢崎に近づける。

「いいの？　ここで続けないと、もう私を二度と抱けないよ？」

楢崎は小牧の身体をどける。手前のシーツをつかんで自分の下半身を隠す。立花は楢崎を見続けている。小牧は何かを呟き、服を抱え出ていく。幹部の立花に会釈も挨拶もせずに。

「……ここに来てるって、聞いて」

立花は小さくそう言う。

「あの……、うん、そうだよね。……私がさせなかったから」

何を言ってるんだろう？　立花は自分でそう思う。でも何も言葉が思いつかなかった。出直すべきだろうか？　いや、出直したところで、何の意味がある？　息が苦しくなる。

「……どうして、ここに？」

ようやくそう続けた立花を見ながら、楢崎は言葉を出せないでいる。考えてみれば、ここに立花涼子がいるのは当然だった。自分は、彼女を探すために行動を始めたのだった。だがそうではないことを改めて思う。〝どうして、ここに？〟そうだ、自分は〝どうして、ここに……？〟

赤い照明の、六畳ほどの部屋。シーツが酷く濡れている。背中にかいていた汗が急速に冷えていく。

楢崎は身体を硬直させたまま思いを巡らす。君に会いにきたから。確かにそうだ。でも本当はそうじゃない。楢崎は茫然としたまま思いを巡らせ続ける。確かに理由の一つだったけど、不可解な何かに巻き込まれることを欲したのだ。なぜ欲したのか？　世界が嫌いだったからだ。

子供の頃、毎日怒鳴り合う両親の声を音楽で消し、小説の文章を頭の中で再生して物語の中へ、別の世界の中にい続けて過ごしてきた。どんな時も。世界で不愉快なことがあった時、世界と合わないと感じる度に、その世界の中で自分が好きなものだけを丁寧に選び取り、その中で慎重に生きてきた。劣悪で面倒な会社での日々もそうだった。怒鳴り続ける上司の声をハービー・ハンコックのピアノで消し、人と馴染めない自分の現状を『異邦人』のムルソーの独白で消し、両親の間を取り持とうと努力した結果身につけた〝よく気が利く〟自分の疲労する性質をフェリーニのカーニバル的映像で消した。人生を、いつもそうやってやり過ごすように生きた。でも上手くいかなくなったのだ。現実は空想の中に侵入し続け、年々疲労し続け、一瞬の意識の隙をついたかのように、内部から衝動が溢れた。溢れた時に現れたのは暴力だった。上司への暴力。しかも自分の手が上司の顔に届く寸前に我に返るほどの中途半端な暴力だった。

だからここに来たのだ、と楢崎は思う。自分の現実の生活も空想のようにするために。この得体の知れない教団に入って、自分のこれまでの人生を、いや、実際の世界を侮蔑するためにここに来たのだ。でも楢崎はそれを立花に言えないでいる。自分の性器はまだ勃起しているのだった。立花以外の女によって勃起したみっともない性器。なぜ自分はこうなのだろう？　しかも今、かつての恋人を目の前にした深刻な場面だというのに、自分の脳裏の隅には小牧が存在し続けている。〝いいの？　ここで続けないと、もう私を二度と抱けないよ？〟その小牧の言葉を恐ろしく感じている。また抱きたいと思っている。どうして自分はこうなのだ？　なぜ自分の身体は？　楢崎は目に涙が滲む。誰からも共感されない涙が、今自分の目に浮かぼうとしているると考える。不意に怒りが湧く。自分の恥ずかしさを消すための怒り。今、この瞬間この場面で絶対に感じてはいけない感情であるみっともない怒り。楢崎は口を開く。かつての自分では気を遣って言えなかった言葉。でも今、空想のような現実の中にいるために思わず言葉に出してしまえる言葉。

「……なぜ俺に近づいた？」

楢崎は言いながら、言ってはならないと思い続ける。楢崎は自分から出る言葉に嫌悪を感じながら、自分をもっと汚したい願望に抵抗できないでいる。

「なぜ俺に近づいたんだよ。君は松尾さんに詐欺を働いたんだろう？　君は犯罪者だそうじゃないか？　しかも高原という恋人がずっといたんだろう？　なのになぜ俺に近づいたんだ？

俺を翻弄して楽しんでたのか？　死ぬようなことまで言って心配させておいて、自分にはちゃんと恋人が？　ありえないよ。君に今の俺を悪く言えるとでも？　君も高原とかいう男とこういうことをやっていたんだろう？　高原とかいう男に抱かれて犬みたいに喜んでたんだろう？　俺のことはからかうだけで絶対やらせずに、陰でこそこそ高原という男に」

楢崎の中で、何かが落下していく。彼の言葉はありきたりでそこまで下劣なものではなかったが、純朴な彼からすればありえないほどに、精一杯に下劣なものだった。自分がもう回復不能な恥辱の中にいることを思う。でも立花は、もう冷静さを取り戻している。彼女が楢崎と同じ場所まで落下してありがちな言い争いをしてくれれば少しは楽だったかもしれない。でも立花はもう気丈な自分を取り戻している。

「私はあなたに近づいたんじゃない。本当は……、小林さんに近づいたんです」

楢崎は驚く。小林？　あの探偵見習いの？

「教団からの指示でした。有能な探偵がいると。小林という男性がターゲットにされました。彼は探偵事務所に所属していて、まだ見習いでしたが非常に優秀な探偵でした。まだ社会から、つまりは探偵事務所から評価される前に、この教団に引き入れる必要があった。社会で評価されない自分をこの教団が評価したという構図が必要だったから。私達には独自の情報ルートがある。彼は本当に優秀な人材でした。自分では気づいていなかったようですが」

立花の声は冷静さを保ち続ける。

「一人の人間を下界から引き入れるには、その周囲の人間のことも探らなければならない。周囲の人間からその対象人物の情報をさらに仕入れ、勧誘に万全を期さなければならないから。そこであなたが浮上した。私はだから小林さんより前にあなたに近づいた。そこで……」

立花はじっと楢崎の顔を見る。その声質には、恋愛の甘さも感情の高ぶりもなかった。

「私はあなたを好きになってしまった」

楢崎はベッドの上で固まったまま動けない。部屋にはまだ小牧の香水の匂いが漂っている。

「あなたの言う通り、私には高原という恋人がいました。私の母と彼の父が再婚して私達は兄妹となってそれから恋人になった。私達は奇妙に複雑に強すぎるほどに結びついてしまっていた。彼は破滅しようとしていた。彼は虚無の中で自分の人生に興味を持てず、世界に目を向け、世界を変えるために恐ろしい行動を取ろうとしていた。私はそれを止めるために自分の人生を犠牲にし続けていた。彼と共に破滅する道を考えていた。そんな時、私はあなたと出会った。小林という男性を勧誘しなければいけないのに、私はあなたとばかり会っていた。もう取り戻せない、失われた恋愛をしているように感じていました。束の間の恋愛を。でもセックスをする勇気はなかった。私は高原君以外の男性としたことがない。怖かった。あなたとして、自分が変わってしまうことが」

立花が不意に泣く。楢崎はただ立花を見ていることしかできない。

「だから私はあなたの元から去った。また自分の生活に、自分の生活の泥濘に帰っていったんです。破滅に向かう男と運命を共にするために。今後の人生の喜び、その全てを犠牲にするかのように。だから……」

立花はドアに手をかける。もう数秒も、この部屋にいることができそうになかった。

「あなたは、私がつかむことのできなかった、もう一つの運命だったの」

立花は部屋を出ていく。自分が泣いていることに気づいていたが、あと数秒もすれば、この涙も孤独の中で乾くことを知っていた。そして自分は気丈にも、まるで何かの生徒会長のように、信者を一人でも死なせないためにこの事件の渦中に入るのだ。

廊下の電灯は弱々しかった。まるで彼女達の生命のように。

立花は狭い廊下を歩いていく。涙は彼女の予想より長く流れ、やがて乾いた。

21

「トイレに行かせてくれ」

セーターを着た男が言う。見ると若い女がうなだれていて、男は女の代わりに言ったのだろうと思う。僕達に刃向かう勇気はないのに、まるで女性の味方になったみたいに酔ってるんだろう。親身な表情を顔に貼りつけてる。この出来事が終わった後のことを考えて、彼女に対し評判を上げておこうとしてるのかもしれない。篠原さんを見ると、微かに頷いていた。僕は機関銃を持ったまま女を立たせ、トイレに連れていく。窮屈そうなベージュのパンツ姿の女。白いブラウスから白い下着が透けている。張りついたブラウスで胸の膨らみがはっきりわかる。さっきの男はこの女とやりたいに違いない。

僕はどこで待てばいいだろう？　トイレの入口だろうか？　でももし窓から逃げたら僕は責任を問われてしまう。教祖様の期待に応えられなくなってしまう。僕は女が入った個室のドアの、すぐ前に立つ。

ベルトを外す音が聞こえる。続いて、窮屈そうなズボンが、太ももと擦れながら脱げていく音も。下着もずらされていく。彼女の隠れていた部分が、今ドアの向こうで見えてしまっているのを思う。プラスチックの便座に乗る音が聞こえ、水を流す音がする。自分の音を隠すために、水を流しているのだと思う。僕はもっとドアに近づく。

母のことを思い出す。大勢の男達を満足させていた母。二万円で、満足させていた母。僕はキリで空けた穴から、母の様子を見ていた。男の激しく動く腰の動きを、微笑みながら全て受け止めていた。母の上に乗り夢中にその身体を求め続ける男を、下から腕で優しく抱くようにしていた。男達が複数の時も、性液を溢れさせながら喘ぎ、その性器を使って男達をいかせていた。屈強な筋肉を持つ男達が、震えながら母の濡れた性器の中に射精していく。母は全て中で受け止めていた。男達が群がっていても、その場の主役は母だった。身体を求める男達の真ん中にいて、柔らかく肌色に輝くように、頭上から、何かに照らされているかのように。男達が何人でも母は感じ続けたし、いつまでも母を終わらせることはできなかった。男達を飲み込んでいく母の美しい喘ぎ声が聞こえる。今トイレの個室に入っているこの女も、あの時の母のようなことができるに違いない。母の喘ぎが大きくなる。このトイレの中の女も、たくさんの男達を満足させることが。

羨ましい、とふと思う。あんなにも乱れ、男より遥かに深い性の領域にいけることが。僕はドアの向こうの女に畏怖の念を抱き始める。自分の性器が勃起していると気づいた時、背の高い男が僕の隣にいるように感じた。姿は見えないけど、確かに誰かいるように感じた。さらに勃起していく性器を感じながら、この男には覚えがあるように思っていた。これはキリストじゃないか？　キリストのような何かじゃないか？　その存在が、僕の本質を僕に見せようとしている？

この女を感じさせてあげたい。恥ずかしい格好をさせて、泣かせて、我を忘れるほど感じさせてあげたい。僕はそれと一体化していきたい。教団の建物の中にずっといたかったのに、僕は忠誠を示すためここに来た。まだトイレの水は流れ続けている。きっと長いおしっこをしているんだと思う。ずっと我慢していたから。今この女は、その自分の長いおしっこを恥ずかしく感じてるのかもしれない。この止まらないおしっこを。僕は自分が彼女の音を聞いていることを示すために、ドアの下に自分の靴のつま先が出るほど近づく。何かに促される。僕は女がここから出てくるのを心待ちにしている。本当なら、キリで穴を空け彼女の今の姿を見てあげたいけど、僕はもうドアの向こう側に行きたいと感じている。女が衣服を着る音がする。ドアが開く。彼女の閉ざされた世界が僕の世界の中に入ってくる。僕は機関銃を彼女に突きつける。

「……脱げ」

彼女の表情が恐怖に歪む。羨ましい、と僕は思う。これから僕に襲われる彼女が。彼女の絶望が羨ましい。性器を何度も楽しんだ後は、お尻の方に入れてみたらどうだろう？　お尻の方が感じる女がいる。奥を突かれると頭がおかしくなるほど感じる女がいる。女性器がどう感じているのか僕にはわからないけど、お尻だったらどのように感じるのか、僕だってきっと試せばわかる。だから、そうすれば、僕は彼女と一体になれる。彼女がどういう風に感じているのかわかるから、想像力を働かせれば僕は彼女と一体になれる。僕と彼女は僕の世界に閉ざされその中で一体化できる。誰も入って来られない、完結した場所のように思う。なぜこれまで考えつかなかったのだろう。僕と彼女は永久にそこから出ることなく二人で喘ぎ続ける。突然悲鳴が上がる。なんだこれは？　なぜ彼女は悲鳴を？　僕の世界がこの世界から引き剝がされる。分離していく。僕が弾かれる——。透明の壁のようなものが目の前に出現する。仲間が来る。透明な壁が分厚くなっていく。仲間が僕を怒鳴る。この仲間は何を言ってるんだろう？　僕は自分の世界を創り出そうとしただけだ。自分の世界を、この世界に出現させようとしただけだ。仲間が僕の身体を押す。僕はトイレに尻もちをついたみたいになる。仲間が女性を労わる。

我々はそのようなことをするつもりはなかったと労わっている。彼に——僕のことだ——厳重に注意し、今後二度とこんなことをしないと誓わせると言っている。僕はトイレに尻もちをついた状態のまま取り残される。勃起したまま、汚いトイレの床に。これは惨めじゃないか？僕は惨めじゃないか？　僕は勃起しているというのに？

僕は携帯電話を手にしている。番号を知っている。各地を爆破する番号を。少しずつ緊張していく。この番号にかけても、僕は悪くないんじゃないか？　悪いのは、話を聞こうとせずいきなり僕を押した仲間の方じゃないか？　怒りで意識みたいな何かが薄れていく。ついさっきまでの記憶がないと思った時、僕はまだ携帯電話をつかんでいるのに気づき、また何かに気がついていて、ついさっきの印象が、白いモヤみたいだったと思っている。僕は携帯電話をつかんでいる。教祖様ならわかってくれる。僕の屈辱を。まただ。何かが遠くに——、自分の呼吸が聞こえる。誰かに知らせなければ。世界から弾かれた僕の存在を——。番号を押していく。誰も母を侮辱することは許されない。僕の世界の出現の邪魔を、誰もするべきじゃない。報いを受けなければならない。指が通話ボタンを押している。体内の何かが急激に落下していく。

喉が渇き、鼓動が激しくなっている。僕は何をしていたのだろう？　僕は何を？　僕は取り返しのつかないことをしてしまったのではないだろうか？　いや、そうとわかって、これをしたのではないだろうか？　様々な考えが浮かんで僕は何に捉えられればいいかわからなくなる。でもおかしい。これはおかしい。番号が繋がらない。

僕は立ち上がり、またスタジオに戻る。篠原さんが僕に近づいてくる。暗い目をしている。篠原さんが怒っている。高原様はどこに行ったのだろう？　篠原さんは怖くて嫌だ。ぶたれるかもしれない。ぶたれるのは嫌だ。ああ、そうだ、僕には今情報がある。篠原さんが必要としている情報が——。

篠原は怒りを覚えながら信者の男に近づいていく。

こんな状況で、女を襲おうとした？　色狂いにもほどがあるだろう？　篠原は自分の怒りをどうすることもできない。でもどうすればいい？　どうすれば？　篠原は近づきながら悩み続ける。もう既にこの放送局も機動隊に囲まれている。あまり責めれば今後に支障が出る。でも注意しないと他の者にしめしがつかない。

高原ならどうするだろう、篠原は考える。あいつは気に食わないやつだったけど、こういう時にどうすればいいかわかるのかもしれない。篠原は男を隅に連れて行く。

「……お前」

「番号が繋がりません」

突然相手が小声で言う。こいつは何を言ってるんだ？

「僕は押してしまったのです。番号を。間違えて、ええ、間違えて、押してしまったんです」

篠原は愕然とする。

「何が？」

「でも繋がらないのです」

「は？」

篠原は男の携帯電話を奪い取る。考えがまとまらない。画面を確認する。確かにこいつはあの番号の一つにかけている。一体何をしているのだ？　いや、それよりも、なぜ繋がらない？

「画面を見ればわかります。僕は、私は、この番号にかけてしまっている。でも、コール音がずっと続きます。そんなはずはありません。コール音などするはずもなく、繋がった瞬間、爆発物と接続されている携帯電話は吹っ飛ぶはずです」

首や肩が冷えてくる。画面を凝視したまま、小刻みに揺れる指で、もう一度番号を押していく。確かにそうだ。画面を見る限り、こいつは本当にこの番号にかけている。

受話器に耳を当てる。足や携帯電話をつかむ指の力が抜けていく。

「……くそ、あいつ」

篠原は思わず呟く。怯えている目の前の男を殴りたくなる。高原が彼らに嘘の番号を伝えていたのに気づく。

22

病室のドアが静かにノックされる。

見張りの交代にしては早過ぎる。制服の警官は椅子から立ち上がり、ドア越しに声をかけ相手が誰か確認しようとする。だが返事がない。誰だ？　警官は疑問に思う。でも見張りはここだけではなく、エレベーターの前にも非常階段にも、病院の全ての入口にも配置されている。問題ないと思いながら、でも微かに緊張しドアを開けた。見知らぬ二人の男がいる。片方は五十代くらい、もう片方は三十代くらいに見える。

「見張りを代わろう」

暗がりの中で、五十代の男が気だるく言う。三十代の男は何も言わない。

「……あなた達は？」

男達が手帳を見せる。警視庁公安部。警官は息を飲んだが、でもなぜか、本物の警察手帳か疑問に思う。警官はポケットの携帯電話に手を伸ばす。

「私はここを動くことはできません。許可がいります」

「……誰の？」

「ですから、私の上司の……」

五十代の男が警官の右腕にそっとふれる。携帯電話を取り出そうとしていた腕に。

「用心深い。なかなかいい。でも今ここではとても不思議なことが起こっていて、これからもとても不思議なことが起こる。これは君の意志などに関心を払わないとても大きく不思議なことだ」

五十代の男が気だるそうに続ける。

「後で確認してみるといい。さっきまでいた見張りの警官達は全て姿を消している。そして君もこれから見張りを我々と交代する。君はこのことを一切他言しないし、このことを聞いてくる存在もいない。君が我々と見張りを交代すると、さらに不思議なことが起こる。君ではない、警官の誰もが名前を聞いたことのない架空の警官が、今病室で寝ている人物を逃がす失態をしてしまう。もちろんそんな警官は存在しないしそれが誰であるのかなど誰も追及しない。上手くいけば犯人が逃げたことすら知られずニュースにもならない。そして君はこのことを黙っているだけで他に何もしなくていい。一年後、君は念願だった昇任試験で名前を書くだけで受かる。君は出世の道を進む刑事になり、警視庁で二年働くと突然異動の話が出る。周囲が羨む異動。その配属先で君の前に上司として現れるのが」

五十代の男が三十代の男に手を向ける。

「彼だ」

警官は茫然と男達を見る。

「なぜ合計で三年待つかというとその間君が秘密を守れるか審査するためだ。もし君がこのことを誰かに他言すれば君は精神鑑定を受けることになっている。その先のことはわかるだろう。精神鑑定を受けてしまえばもう終わりだ。君は病院から出ることができなくなる」

警官は携帯電話をつかもうとしていた右腕の力を抜く。チャンスだ、と思っている。何か得体は知れないが、自分はチャンスの中にいる。他の人間には訪れないチャンスの中に。警官は敬礼をする。何か巨大なものに従う快楽が警官を支配していく。

「……それでいい。君には見込みがある。思っていた通りだ。実は君がこの病室で見張りを担当するように配置したのも」

五十代の男が静かに言う。

「我々なんだよ」

＊

——数年前、ここで内戦があって、そこら中に死体が転がっていた。死体の中には性器が切り取られていたものもあった。なぜそうするかって？　女性器を持ち歩くと、力が得られるという言い伝えがここにはあるからだよ。町は異臭に包まれてたが、やがて奇妙な商人が奇妙な肉を荷車で売るようになった。人間の死体を刻んで調理して売ったんだ。我々は飢えてたから食べたよ。旨いよ。うん、なかなか旨いんだ。部位によっては硬い部分もあるけどね。ああ、これはでも我々が残酷だからやったんじゃない。その商人は麻薬でいかれてたから。なぜ麻薬をやるかって？　怖いからだよ。自分がいつ死ぬかわからない中で正常でいられるとでも？　弾丸が飛び交う中でまともでいろと？　我々には麻薬がいる。絶対に必要なんだよ。また近々内戦があるから。

——100ドル。うん、100ドルでいいの。100ドルであなたの上に乗ってあげる。ロデオみたいにあなたの上で踊るの。え？　意外と高い？　どうして？　あ、ははは、米ドルじゃないよ。リベリアドル。だからえっと、米ドルなら1ドル以下ね。あなた日本人？　円って何？　通貨？　それだといくらになるの？　数十円？　どれくらいの価値なの？

——ここにあるのは全部大国が製造する武器ばかりじゃないか。

——アフリカに行ってたのかと彼女は聞いてる。……うん、なんか、この子は興味があるみたいだね、他の国のことに……。彼女のカースト？　マディガだと言ってる。……そんなカーストは知らない？　ああ、彼女の代わりに俺が答えるよ。お前達が知ってるカーストのさらに下だよ。正確に言えばカースト外。彼女は〝不可触民〟だからね。……そんなことも知らずにこの国に来たの？　彼女の身分の人間を他の人間達はさわらない。見もしない。穢れるから。物を買う時も、店員達は彼女達に商品を投げて渡す。憲法では違憲とされてるけど田舎では珍しいことじゃない。……売春は辛いかと聞くのか？　不可触民と言われてるのに、抱きにくる男をどう思うかって？　そんなこと聞けないよ。彼女は辛くない。ん？　聞く必要ないだろ。彼女は女神イェラマに捧げられた売春婦なんだから。イェラマも知らないのか？　ん？　カーストは世襲だよ。運命なんだ。なあ、もういいか？　お前帰れよ。またアフリカに戻るんだろ？　年齢？　ああ、わかった聞くよ。十四歳と言ってる。

——その辺の子供を殺して、心臓を刻んで食べたんだ。もちろん調理したよ。生では食べられないから。は？　そんなもの楽しんで食べるわけないだろ。お前らのくだらない映画と一緒にするな。なぜかって？　呪術みたいなものだよ。それを食べれば弾に当たらないと言われている。呪術をするには、人間を超えることをしなければならない。そうでなければ呪術にならない。子供の心臓を食べるっていう一番やっちゃダメそうな感じのことを、だからやるんじゃないかな。味？　レバーに似てる。あと、あれじゃないかな。人間をむごたらしい感じで殺すとさ、そいつを見ながら、自分はこいつよりマシって思えるだろ？　どんな風に死んでも、弾が当たって即死くらいで済むかなって。だからやるんじゃないかな。自分より無残な人間をたくさんつくればつくるほど、自分が少しはマシなように思えるからね。で、何？　井戸つくるの？　そりゃありがたいけどさ、ケシ持ってないか？　酒は？　ん？　おい、むやみに〝マネー〟なんて言うな。その言葉を誰かが聞いただけで、人が寄ってくるんだから。……マズイな。余所者もいる。お前みたいな日本人からじゃ同じような肌に見えるだろうけど、俺達の間では見ただけですぐわかるよ。訛りもあるし。……マズイな。場所をかえるぞ。早く来い。何をしてる。早くこっちだ。

高原が病室のベッドで目を覚ますと、二人の男が見下ろしていた。一人は五十代、もう一人は三十代くらいに見える。

「……何をしてる」

五十代の男が、高原を見下ろして言う。

「早く爆発させろ。破壊しろ」

高原の鼓動が速くなる。

「……お前達は？」

「何を言ってる」

五十代の男が気だるそうに言う。

「通称〝R〟。使者だよ」

高原は起き上がろうとし、包帯を巻かれた右肩に痛みが走り顔を歪める。左腕に点滴の針が刺さっている。視界にナースコールのボタンがある。でもこれを押しても誰も来ないだろうと高原は思う。高原は自分が篠原に撃たれたことを思い出す。考えが乱れていく。

「……俺にはもう用はないのでは」

「何を言ってる。まだだ」

五十代の男は静かに息を吸い、低い声で続ける。

「立花涼子がどうなってもいいと？」

「……俺は」

「早く爆発させろ。全ての建物を。死者を出せ。死者を出さなければならない。命がなければ神は喜ばない。世界に溢れる無造作な死をここに出現させろ。……お前にとってはどうでもいいだろう？　一般人のことなど。お前が常に見下してきた一般人のことなどどうでもいいだろう？」

携帯電話を渡される。プリペイド式の簡素な携帯電話。

「私達がここから消えた後、今日の午後十時に番号を押し爆発させろ」

高原は男達を見ていることしかできない。頭痛が始まる。声がぼやけていく。

「立花涼子が無残に輪姦され性器をえぐられ殺されるか、一般人が大勢死ぬか」

声がさらにぼやけていく。

「二つに一つ」

＊

誰もいない病院の廊下を、彼らが歩いていく。三十代の男は、ここでは男に何も聞かない方がいいとわきまえている。車に乗り込み、ハンドルを握りアクセルを踏む。Ｎシステムのない小道を選びながら、静かに口を開く。

「……〝R〟とは？」

「ん？　ああ宗教だよ。もう存在しないけどな」

五十代の男はだるそうに続ける。

「ようは原理主義的な宗教で、あれはその愚かな信者だ。Xの教団もその一派だと言われてたが、どうやら違うな。だがあの男が信者なのは間違いない」

車がさらなる小道に入っていく。

「ああ言っておけば、あいつは爆破させるだろう」

この車は高級車ではない。高級車では目立ってしまうから。

「……わかるだろう？　ようは、あいつらの教団のイメージを悪くしなければならない。本来なら、機動隊でショウのように派手に囲んで突入し、制圧してからあいつらのイメージを悪くするつもりだった。報道を使って。テロを未然に防いだと社会から喝采されるつもりだった。選挙に大勝し、防衛予算や警察関連予算の膨大な増額にも成功し、国の一体感を煽りこの国の右傾化をさらに進めるはずだった。でもフタを開けてみればテレビ局を制圧され、あーだこーだと主張を述べられてしまった。しかも彼らの要求は、我々が強行突入して犠牲者を出してまで制圧するほどのことじゃない。だから新しく立てられたシナリオは……、言わなくてもわかるな？　歴史がつくってきたやり方を、我々は踏襲してるだけだ。今から政府が外出禁止令を出す。警察は外部にいる教団関係者を確保していく。つまり国民に向かって努力の跡を見せる。その中で突然、あいつらが、正確に言えばさっきの狂信者、高原という男が予期せぬタイミングで建物を爆破させるという流れ。政府は真摯に対応したのに彼らが約束を破ったという流れ。どこに爆発物があるかは知らん。外出禁止令を出しても死者は出るだろう。あいつらのイメージは地に墜ちる。その瞬間我々はあのマンション施設とテレビ局に突入する。あいつらの大半を殺し制圧。人質も死ぬだろうが世間はもう我々を非難しない。先に手を出したのは教団であるから。さらなる被害を防ぐため強行突入したということになるから」

五十代の男が気だるく言う。

「歴史の鉄則だ。先に攻撃させる。戦争は常に、相手に先にやらせてから始めるものだ。たとえばアメリカも歴史的に、常に相手に先にやらせ戦争を始めている。日本との開戦の時も、海南島とユエの間、インドシナ沿岸、カマウ岬沖に、先に攻撃させるための『オトリ船』の出航命令を出している。実際にやられたのは真珠湾だが、先にやらせたことに変わりない。当時の大統領ルーズベルトが、真珠湾が攻撃されることまで知っていたかどうかは諸説あるが、彼が日本に先に攻撃させようとしていたことはもうアメリカの資料を見ればはっきりしている。兵士達が気の毒でならないな。イラク戦争ではその『伝統』を破ったが、あくまでも悪は相手であると主張し戦争をした。日本もそうだ。中国との戦争では、自分達で自分達の満洲の線路を爆破して中国の仕業と言って侵略を始めた。幼稚な作戦だが国民は歴史的に常に常にそういったことに騙され続けてくれる」

「一つ伺ってもいいですか」

「何だ」

「もしかしてですが……、私は、あなたがずっと全てを把握してると思っていました。ですが」

「そうだ。俺は全部把握してるわけじゃない」

車は停まらずに進んでいく。

「政府のシンクタンク、つまり政治家へのアドバイザー達がつくったシナリオを、ただ具体化してるだけだ。なぜこういうことをする必要があり、どういう連中が背後にいるかまで俺は知らない。推測してるだけだ。恐らくこのシンクタンクが黒幕でもない。特定の業界が今回の出来事を動かしているのでもない。つまりは複数、黒幕達がぼんやりいるということだ。様々な業界、国内外問わず様々なグループからの要求が重なり、その全員が何かしらの利益を得るために出来事は起こる。株価の動きも、背後にいる連中達の正体を知る上でヒントにはなる。彼らは国というシステムを使っているだけだ。国など存在しない。国など抽象的な意味以外ではもう今の時代本当は存在しないんだよ。ただ彼らが利用するためにその概念を使うだけだ。国民などどうにでもできる。右傾化させようと思えばあっさり右傾化できる。ネットを覗いてみるといい。外国のユーザー達はウィキリークスを支持し、表現や発言の自由という理念の下にネット活動しているものが多いが、この国の連中の一部はありがたいことに権力の下に、保守の政府の下にいることを欲している。彼らが動いてくれるからインターネットという国や金持ちからすれば本来厄介なシステムもどのようにでもすることができる。我々がいくら貧困層に酷い仕打ちをしても彼らは擁護する。我々が製造した武器が輸出できるようになり、その武器がテロリスト達に渡り学業に励む女達を乱射しても擁護してくれる。日の丸がついた武器で子供の内臓や骨が粉々に砕けても彼らは擁護してくれる。何百万人の先祖が死んだあの見通しの甘過ぎた戦争ですら正しかったと言ってくれる。我々が何をしても中国と韓国という『敵』さえ与えておけば我々を擁護してくれる。彼らは強い権力の側に身を置き、何かの思想の中に入って他を攻撃することが好きなのだ。他を攻撃すれば自分達が優れているという快感を得ることができるから。彼らは我々のような保守を否定することは絶対にない。一度信じたらもう何を聞いても何を読んでも絶対に否定はしない。なぜなら、我々を否定することは自分の否定につながるから。一度信じたものから距離を置き、これまでの自分を疑い新しく生まれ変わる勇気を持つことができる人間など多くない。それは大変な苦痛だから。自分の考えなど彼らは欲していない。我々が巧妙に与えた思想を自分の考えとして思い込めればそれでいい。彼らはそれらを取捨選択はしない。大きなものに取り込まれたいからだ。今回のことも、彼らは助けてくれるだろう。ネットでどれだけ裏情報が漏れたとしても、彼らはそれらを監視し、権力の末端機関となったような快楽の中で監視し、全てを潰してくれるだろう。しかも彼らはそれを善意でやっているのだ。国のためと思ってやってくれているのだ。何かの大義が与えられる時、善の中に隠れ顔すら隠れることができる時、彼らは躊躇なく内面の醜さを解放する。隣国の脅威から自国を守る意志に突き動かされることで、結果的に我々の利益を増やし、この国を争いの危機に晒すことになることも知らずに。我々は格差を広げていくが、それが我々の政策であることにも彼らは目を向けないでいてくれる。大企業のために、これから我々は賃金の安い移民達をもっと受け入れる。移民のために仕事につけない国民が出てくる。そうしたら彼らに移民を憎ませればいい。国が右傾化し、武器産業などが儲かる。歴史的にあまりに典型的な、保守の国の作り方だよ。……確かに我々の情報には誤りがあった。だがこれを成功させれば国からも何も問題にされない。何かの処分が下ったとしても、口頭注意かそこらで終わる。役人を『処分』とニュースが出る時、まるでクビになった印象を世間は受けるが口頭注意も『処分』だ。『懲戒処分』でも減給すらない場合もある。全く上手くできた言葉だよ。我々の役職は代わるだろうが給料も待遇も全て同じ。ただ我々のような泥濘に似た人間達がうごめきながら役職だけが代わっていくだけだ。我々を否定する政治家が出現したらスキャンダルを手に入れ失墜させていく。……そして我々は結果的に国に借金をさせ暴利を貪りこの国を少しずつ滅ぼしていく。上手くいかなかったら我々は辞めればいいだけだから。政治家も金はあるからいつでも辞めればいいだけだから。まだ働きたければ我々も政治家もどこかの企業に天下りしていけばいい。海外の企業に高飛びしてもいい。国などというものはもうないんだよ」

車が暗がりに入っていく。三十代の男は、でも五十代の男の言葉に納得していない。五十代の男が続けて言う。

「……しかし、全体像はまだ俺にもわからない。Xの教団の目論見はわからない」

「相手は国家です。ひねられるだけです」

三十代の男は思わずそう言う。その言葉を言う時、内面に微かな快楽を感じた。

「……甘いな」

五十代の男はわずかに笑みを浮かべる。

「お前は沢渡という男を知らない」

＊

病院のベッドの上で、高原は携帯電話を見ている。

話が違う。いや、そもそも自分の見込みが違っていた。

「YG」からテロを起こせと言われた。神の名の下に、世界の貧困問題を世に知らしめよと。テレビ局を占拠し裕福な日本人どもを殺し、我々の名を世界に広めろと。テロから逃げたお前はそうするべきと言われた。もしそうしなければ、お前の所属する教団を皆殺しにし、特に恋人であるお前の女は輪姦して殺すと。防ぎようがないと思った。警察に助けを求めたとしても、警察は常に我々を隔離して守るわけではない。少なくとも涼子はいつ、どこで、誰によって襲われるかわからない。警察の保護が緩んだ隙を突かれるかもしれない。五年後かもしれない、十年後かもしれない。自分と関わる限り、彼女には危険がついて回る。彼女との関係を解消しても、彼らは彼女の危機を煽り続けた。

元々、世界を変えるために沢渡に近づいた。どう世界を変えればいいのかまだわからなかったが、ずっとそう思っていた。でも沢渡は女を抱くことしかせず、世界に何も働きかけようとしない。そんな時「YG」から再び接触があったのだ。主張しようとしている方向性は似ているように感じたが、誰も殺さないテロを考えようとしていた自分の意図とかなり違った。もう自分の本当の活動は終わったのだと思った。

だから「YG」からの要求を、自分のこれまでの望みに添う形に少なくとも変えようと思ったのだった。誰も殺さないテロに。わざと失敗するつもりだった。主張をテレビで乱暴に述べ、アクションを起こし、その後の日本人の殺害はわざと失敗するつもりだった。「YG」は裏切りを許さないが、失敗者を糾弾することはない。一度でもテロをやれば、あの時裏切った自分の行為の償いとなり、そしてさらに自分が死ねば、彼らはもう他の人間達には何もしないと思った。逮捕されるだろう他のメンバー達には申し訳なかったが、彼らも「YG」に殺されるよりはマシのはずだった。

だがおかしかった。なぜ篠原は俺を撃ったのだろう？

あいつらは、まだこのテロを続けているのだろうか。このテロは元々「YG」によるものだったのだろうか。篠原も「ＹＧ」のメンバーだったのだろうか。でもそうならなぜ俺を撃ったのだろうか。

頭痛がする。微かな吐き気も。

取りあえずここを出なければならない。自分の荷物が、何か言いたげにベッドの下に置かれている。携帯電話はこのプリペイドのものと入れ替わっていたが、財布は入っている。大きな錠剤の束も。痛み止めだろうか。

高原は病室を出て暗い廊下を歩く。非常階段へ続く銀色のドアが、自分を不機嫌に迎え入れるように開いている。ここから出ろということだろうか。階段には誰の姿もない。さっきまで確かに誰かがいた気配だけはあるのに。

高原はタクシーを拾い、近くの萎びた洋館のようなビジネスホテルで狭い部屋を取る。状況をまず確認しなければならない。右肩にまた激痛が走り、左の指でテレビをつける。ＪＢＡ。人質達が、メンバーに銃をつきつけられている映像。チャンネルを回していく。次第に状況が見えてくる。

これは「ＹＧ」のテロではない、と高原は思う。これは教団の、教祖のテロだ。

沢渡は俺のやることを全て知っていたのだろうか。知っていて、テロのシステムを俺につくらせるために、ぼんやり利用していたのだろうか。やらせておいて、途中で乗っ取るつもりだったのだろうか。メンバーは、恐らく知っている連中と知らない連中が混在している。でもなぜ、沢渡はそんな面倒なことを？

武器の準備と改造を任せていた吉岡は部屋で殺されていた。彼が死んだことは偶然じゃない。篠原の機関銃は改造されていなかった。

しかしこれは何だ？　自治区を要求する？　そもそも、あのタイミングで教団のマンションが包囲されたこともおかしい。

沢渡の本当の狙いは何だろう？　高原は混乱し続けている。

でも一つだけ確かなことがある、と高原は思う。さっきの二人組は「ＹＧ」の使者で、「ＹＧ」はこの現状に苛立ちを覚えている。自分達のテロ、つまり俺のテロが乗っ取られたこの現状にイラついている。

高原は手元の携帯電話を見る。番号は俺しか知らない。テロは複雑に混ざり合っているが、もう自分がやることは一つだけだった。涼子の命か、一般人の命か。答えは簡単だった。

自分はこれまで世界を肯定したことがない。

一般人などどうでもいい。

23

教祖の奇妙な話（ラスト）

『……ようこそ』

病院のベッドの上であぐらをかく痩せた松尾が、カメラに向かって言う。

『私は今、あなた達に言いたかった言葉をあなた達に向かって言いました。

これは生まれた瞬間のあなた達に、本来私が言うはずだった言葉です。ようこそこの世界に。あなたは今、命を手に入れることになった。無の世界から、束の間の有を手に入れることになった。これからこの世界を、全身で夢中になって楽しんでください。まるで初恋をした中学生のような気分で、全力でこの世界をいつまでも楽しんでください』

松尾の屋敷の居間で、大勢のメンバー達が画面を見ている。内容を知っている芳子は一番後ろでその様子を見ている。松尾の遺言だった。

『私達の宇宙はビッグバンによって始まり、やがて生物が生まれました。生物が他の無機質より不安定であり、やがて死ななければならないのは、恐らくそこに多様性を発生させるためです。我々がなぜ生きているのか。その理由を今から私なりに述べましょう。それは、物語を生むためです。会社員として生きた物語。部屋にずっと閉じこもり、二十年後、勇気を出してそっと外に出た物語。我々は物語を発生させるために生きている。我々は、我々の物語を生きるために生きている。無数の物語を、我々はこの世界に発生させ続けているのです。そしてその物語に優劣はない。

　約千数百億個の神経細胞、そのそれぞれが無数のシナプスで結合されている脳を始め、膨大な素粒子の驚異的な結びつきによって私達の存在は成り立っています。原子、それを構成する陽子、中性子、電子。世界をこのような姿にするための、電磁力の強さを決める電気素量の値、陽子や中性子を結合して原子核を作る強い力の強さを決める結合常数の奇跡的な値。圧倒的に凄まじいこのミクロの素粒子の仕組み、その集合であるこの世界、ビッグバンで生まれ、〇・〇一秒後に一〇〇〇億度になり、三分の間にヘリウムなどの原子核ができたこの約百三十七億年前から続く圧倒的な〝世界〟が全て、今のあなたの物語の土台にあるのです。私達の生は、この圧倒的なシステムによって支えられている。だからこう言い換えることもできる。これらの凄まじいシステムは全て、生まれてきた我々に与えられたものであると。**つまりは全て、あなたに与えられたものである**と。

　ではなぜ物語が必要なのか？　それはわかりません。ですが、この世界は物語を欲している。原子は、人間という存在を創り出す可能性に満ち満ちていたのだから、物語を創り出す可能性にも満ち満ちていたことになる。我々の不安定な生からなる様々な物語が何に役立っているのかはわからない。でも、世界とは恐らくそういうものなのです。世界の成り立ちに、つまり原子にその可能性が満ち満ちていたという証拠から、我々は物語を発生させるために生きていると考えていい。神とは、恐らくこの世界、宇宙の仕組み全体のことです。だからこの世界の成り立ちそのものを神と呼んでいい。世界の偉大な古き宗教は、それぞれの文化によってその神の見え方が異なっているだけです。

神に祈る。それはだから、全てに対して祈るということです。自分以外の全てに。いや、自分、というものも本来は存在しない。我々の身体は常に原子レベルで入れ替わっていて、常に交換し合っているのだから。だからこう言い換えることもできる。神に祈るとは、自分も含めた全てに対して祈るのだと。

我々は物語の行為者であると同時に、その自分の物語を見つめる意識という観客でもある。だから最後まで、見届けましょう。意識がある限り、私達は自分達の物語を見届けなければならない。

さて、私はもうすぐ死にます。恐らく明日だろうと思っています。だから皆さんがこれを観ている時すでに私は死んでいる。でもこれは何も恐ろしいことではない。無に帰るだけだから。私達は本来は無であり、束の間のこの人生を楽しんだ後は、謙虚に無に帰るだけです。私の身体は燃えて原子レベルに解体され拡散し、またあなた達の物語を支える素粒子のシステムの一部となるでしょう。私達は全てが一つであり、この世界を構成している大いなる物体の一部なのです。

物語を発生させるために我々は生きている。それは言い方を換えれば、他人の物語を消滅させる権利は誰にもないということです。人間は、この世界がつくりました。言い方を換えればこの成り立ちそのもの、つまり神がつくった。その世界/神がつくった人間を殺害する権利はないのです。食べる以外の理由で、つまり命を食することによって命を繋ぐ以外の理由で、生命を殺害する権利はない。神は人間を殺せとは言わない。それを言うのは神の名を語る詐欺師です。その現代の詐欺師達を、人々をコントロールしようとする詐欺預言者と呼びましょう。そもそもその詐欺預言者達はどういった権利で、どういった証拠で、神の言葉を語れるのでしょうか? 神が望んでいると、どうしてその人間にわかるのでしょうか? どういう証拠で? 証人は誰で、どのような確実さでそれを語れるのでしょうか? 人間ごときが、神の真意を理解できるはずがない。だから彼らは本来、用心深く、恐らく神はこう考えている、という推測で物事を語らなければならない。彼らには、戦争をしろ、人を殺せというほどの決定的なことを言えるはずがないのです。神を崇めても、神の名を語り、戦争や人間の殺害を要求する現代の詐欺預言者達を崇めてはならない。それはただの人間に過ぎない。我々と同じように排便してセックスする人間に過ぎない。その詐欺預言者達を崇めることで、神自体にそむくかもしれない危険を常に頭に入れておいてください。詐欺預言者達に騙されるかどうか、神に試されていると考えてもいい。預言者とは本来、大いなる神の意思を恐る恐る推測し、神に対し謙虚でいるはずです。人間ごときが決して断定してはならない。戦争や殺人などという決定的なことを語るのは、人間をつくった神に対する越権行為です。

今、日本の中に気持ちよくなろうとしている勢力があります。第二次世界大戦の時、日本は気持ちよさを求めた。個人より全体、国家を崇めよ。その熱狂の中に身を置くことには快楽があった。人々は自分の卑小さを忘れることができ、大きな「大義」を得ることで、自分の人生を自分で考えなければならない「自由」という「苦労」から解放された。今日本の一部は、あの熱狂を再現しようとしている。

確かに気持ちがいいでしょう。日本人としての誇りを感じ、例えば何者かを命を懸けるほど崇め、国旗に向かって敬礼する。気持ちがいいでしょう。ですが、その気持ちがいいという状態は、ほんの少しのきっかけで暴走を生む、人類にとって非常に危険な状態なのです。ナチス政権下のドイツで、ハイル・ヒトラーと叫び右手を挙げていた当時の国民達の中には、そこに快楽を感じていた者が大勢いたでしょう。人間が陥るあの状態を、もう繰り返してはならない。これは日本だけのことではありません。昔から現在に至るまで、世界のあちこちでこの気持ちよさは生まれています。我々がしなければならないのは、神の名を語り人間の殺害を要求する連中と、あの全体主義による気持ちがいいという状態を、人類史から駆逐することです。そうすることで、私達人類は第二の段階に行ける。

第二次世界大戦の前から敗戦まで、日本の政権は十七回代わりました。でも戦争は泥濘の一途を辿った。日本ではシステムが出来上がればもう止めることができない。気持ちがいい、という状態をつくった政府は、その気持ちよくなってしまった自分達も国民達も止めることができなくなった。いくらトップが代わっても、中ほどにいる気持ちよくなってしまっていた軍人達は、降伏など考えられなくなってしまった。部下達に滅茶苦茶な作戦を命令し続けていた。あの戦争において世界中から怒りを買った関東軍の中国での暴走を思い出してください。穏健な政治家達もあの暴走を止めることはできなかった。あの気持ちがいいという状態のまま、平和国家としてバランスを保つのは不可能です。今の政治家に、そんなバランスを保つ力量があるとお思いですか？　一億二千万人の全てを、丁度いい全体主義の気持ちよさのバランスで永遠に保つなんてことが？　また同じように暴走していくだけです。あの気持ちよさが復活すれば日本はまた危険な状態になる。日本人以外を迫害し、その気持ちよさに溺れ、また歴史に汚点も残すでしょう。第二次世界大戦の時と同じです。一部が暴走し、皆がそれに引っ張られていく。我々がしなければならないのは、あの戦死者達を英雄としてではなく犠牲者として心から追悼することです。もちろん、あなた達は英雄である、として戦地に行かせて死なせ、戦後突然、あなた達は犠牲者だったというのは酷い話です。ですが、この酷い話を通過しなければ私達は前に進めない。国のトップが代表して、亡くなった兵士達に頭を下げるべきです。泣きながら彼らに語るべきです。私達は平和を望む。あの気持ちよさを復活させてはならない。だから誠に勝手ではあるけれども、酷い話ではあるけれども、あなた達をこれから犠牲者として扱いますと。私達は、あなた達を英雄と言って戦地に送り出し、そして犠牲者に変えたことを永久に意識し続けると。そしてあなた達を追悼し続けますと。重すぎる教訓として、あなた達の全てを私達は受け止め続けると。そしてその代わりとして、その償いとして、我々は世界を平和にすると。彼らを英雄にすればまた英雄として死んでいく人間達が生まれる。兵士を英雄と言えば言うほど、我々は戦争に近づいてしまう。彼らを崇めれば彼らに憧れる人間達が出てきてしまう。そういった人間達は、国が戦争へと傾いていく時、それに反対する勢力にはなり得ない。

ドストエフスキーが言っていることですが、でも人間は一度思想に捕えられるとなかなか変化しないそうです。理論に理論をぶつけても、その人間が変わることはごくまれです。彼らが変わるのは感情によってだとドストエフスキーは言います。そして、その思想を否定するだけではダメで、代わりに何か別の思想を得なければ彼らは絶対変わることがないと。

その通りだと思います。だから私も、代わりに何かを提示しなければならない。でも残念ながら、私はあの単純な気持ちよさに匹敵するほどの代替思想を提示することができない、私にはその能力がない。

だから私が述べるのは耳障りな言葉になる。私は、もうすぐ死ぬ私は、最後まで耳障りな言葉を並べ続けることになる。

我々は、平和平和と連呼する、戦争を望む国々から煙たがられる存在になるべきです。じゃあ何か、他国で紛争が起こり民衆が苦しんでいても見捨てるのか。これは強烈な意見です。ですが、その「紛争」の裏にあることを考えたことがあるでしょうか？　大国たちの思惑が絡んでいる。巨大化した軍需産業が利益を得、戦後の復興で利益を得ようとしている企業達も暗躍している。私達は表面ではなく、その裏を糾弾する国家でありたい。紛争が起こりそうな地域があれば飛んでいって、そのような「紛争」で大国の企業達が利益を得るような状態を防ぐために、「紛争」を事前に防ぐ行為をし続けたい。我々は平和理念を維持するべきです。我々はそれを理念として掲げ続けなければならない。これが変わってしまったら、現在でも大分逸脱している現実の、その歯止めがそれこそ本当に利かなくなる。もし他国で紛争が起こってしまったら、世界に堂々と主張しましょう。この裏には何国と何国の企業がいて、何国と何国がこの紛争で利益を得ようとしていると。そんなクズのような連中が背後にいると。背後にいる彼らの動きが止まれば戦争など終わる。逆に言えば、背後で動き続ける者達がいる限り戦争は終わらない。戦争を現実的に可能にできないシステム作りに尽力するべきです。暗躍する軍需産業を野放しにするわけにはいかない。今、この瞬間にも彼らが大量に世界にばら撒き続けている武器を何とかしなければならない。武器が世界に溢れれば溢れるほど紛争は誘発される。裏で小国や武装勢力を操る大国達にも毅然と意見を言わなければならない。私は日本は軍を放棄しろなどと生温く無責任なことを言うつもりは一切ない。私達はただ先進国に見合うそれなりの軍備を自衛権として保有していればそれでいいのです。それだけでも私達の保有する軍備は世界有数のものなのです。私達は第二次世界大戦の単純な加害者ではない。原爆と民間人の空襲虐殺などを経験した被害者でもある。私達は加害者であり被害者でもある特殊な経験をした。そんな私達の特殊性を、他の国と同化することで失っていいのだろうか？　その私達のオリジナリティを、失っていいのだろうか？　スイスが永世中立国なら、日本は平和追求国家になるべきだ。私達がこのオリジナリティを失ったらあの第二次世界大戦での膨大な戦死者達の死がそれこそ無駄になるのでは？　私にはそんなことはできない。私には絶対にそんなことはできない。私達はあの戦死者達の命を思いながら、世界で戦争をなくそうと動く特殊な国になりたい。日本は本当はそういう国になるべきなのです。大国の指導者達や一部の多国籍企業達は眉をひそめるでしょうが、世界の民衆達は絶大に支持するでしょう。戦争で被害をこうむるのはいつも我々民衆なのだから。戦没者達もそれを望んでいるはず。自分達を英雄と見てくれなんて狭い精神の者はいないはず。彼らはそれくらい高潔であるはず。世界は』

外にいたメンバーが走って来る。居間の戸を勢いよく開ける。

「外に警官達がいます。みんな……」

無数の警官達が続いて居間に押し寄せてくる。

『世界は大きな力のバランスによって成り立っています。その大きな力のバランスの中で、日本が戦争を可能にする舵を切ったらそのバランスが崩れるかもしれない』


「大人しくしろ」

警官の一人が大声で怒鳴る。

「君達全員に逮捕状が出ている。身柄を拘束する」

「なぜ?」

芳子が言う。

「私達はあの教団とは関係ない」

「詳しい話は署で聞く。始めろ」


『ビッグバンの時点で全てが決まっていたかどうか私には結局わからなかった。でも一つだけわかったことがある。全てかどうかわからないが、少なくとも、この世界に運命は存在すると。もっと正確に言えば、運命はこの世界に時々発生するものであると。皆の運命が生まれながらずっと決まっているとか、そういうことではありません。全体のことです。一つの大きな流れが生まれた時、どちらに転ぶかわからない巨大な石に様々な力が加わり、どこか一方へ落下していく時、その力は運命となってもう誰にも止められなくなる』

「やめてください。私達は関係ない」

叫ぶ芳子を警官が押さえる。メンバー達が次々拘束されていく。

「やめろ！」

警官に刃向かおうとしたメンバーの一人を吉田が止める。

「駄目だ。手を出すな。このクズどもと同じになってはいけない」

「公務執行妨害もだな」

「やめろ、まだ手を出してないじゃないか。押し返しただけじゃないか」

「逮捕する。午後7時05分」

「やめて」

「離して」


『私には今怒号が聞こえてきそうです。綺麗ごとを語るなと、世界の現実を知らないと。しかし私のことを理想論という連中は、それこそ戦争という現象を美化する理想論に囚われた連中だと言い返したい。戦争の裏で、どれだけ醜い利権がうごめいていることか！　世界とはそれほど残酷で無残なものなのです。私はその怒号の中で、このようなか細い声を上げ続ける。このような声がなくなれば世の中は一気に暗転の流れへと加速してしまう。私達の物語を消すことなど誰にもできないと私は言い続ける。世界は目を覚ませと私は死んでからも言い続ける。利益によって人が死ぬことなど許すことができないと言い続ける。我々は一人でも小さくても生きていると言い続ける。この世界は楽しむためにあるのだと言い続ける』

「早く連れていけ」

「やめろ、相手は老人だ。おい、なんでだ、なんでそんな乱暴にする？」

「やめろ」

「やめろよ。誰も抵抗してないじゃないか。そうやって強気に出ないと不安なんだろう？　自分達が滅茶苦茶なことをしてると知ってるから、そんな威勢よくいないと不安なんだろう」

「連れていけ。こいつらはテロリストだ。こいつらはテロリストだ」

警官達が叫ぶ。

「何を持っているかわからん。刃向かったら撃て」

「やめろ」

『私達は平和のために動く国家になるべきです。そして我々のような考え方が世界に広がった時、つまりは丘の上の巨大な石が別の方向に落ちた時……、この世界が平和になっていく流れをもう誰にも止めることはできない。私はそう信じたい』

「みんな抵抗をやめなさい」

芳子が叫ぶ。

「だからあなた達も乱暴はしないで」

メンバー達が引きずられていく。テレビ画面が倒れる。松尾の声は響き続けるがもうそれを誰も観ることができない。


『我々の貴重な人生を、そのような全体主義に飲ませるわけにはいかない。私達の物語は、誰にも侵食されるものであってはならない。……私達の身体は常に入れ替わり時に交換されている。私も、目の前にいるみなさんも、元を辿れば先祖は一つです。遥か遠くの熱帯に潜む何かの魚も、何億年という歳月を辿れば我々と同じ先祖を持ち、一つのアメーバのようなたゆたいだったのです。つまり私達は、そのどこかの魚と元々は一体だったということになる。世界をそのように眺める時』

複数のメンバー達が殴られ、血を流している。警官達は彼らがテロリストであると聞かされ、皆恐怖と興奮で冷静さを失っている。テレビ画面は倒れたまま誰もそれを起こす余裕などない。

『世界は全く違ったものとして私達の目に飛び込んで来る。その圧倒的なシステムにより私達は生まれたのです。その誰もが貴重なのです。日常の生活にやられそうになった時は、どうか意識を無理にでも広げてみてください。これらの圧倒的な宇宙と素粒子のシステムの中で誇り高く生きましょう。散々泣いたり笑ったりしながら、全力で生きてください。あなたの保有する命を活性化させてください。あなた達はせっかく無から有を手に入れたのだから。最後に……、みんなに言いたいことが』

怒号が響く。血を流すメンバー達を見ながら、芳子の目から涙が流れていく。

『これまで、本当にありがとう。誰に何と言われようとも、私は全ての多様性を愛する』

内閣に設置された政府の対策本部に、一本の電話がかかってくる。

——自衛隊機が。

電話の相手の声が震えている。

——訓練中だった自衛隊機が二機、レーダーから消えました。……中国に向かっています。

24

立花涼子はマンションのエントランスに出る。

自動ドアはロックされ、無数の鉄のバリケードがつくられている。これを破るには、いくら機動隊でも苦労するだろう。このバリケードを実際に使う日が来るとは、立花も思っていなかった。不機嫌に世界を拒絶する壁のように見える。

何をどうすればいい？　バリケードの前で、四十人の信者が銃を構え待機している。彼らには似合わない銃。彼らは立花を見ると銃を下げ会釈をした。皆高揚している。通常の人生では、決して味わうことのない高揚。その高揚はやがて、指先へ繫がりその引き金を引くのかもしれない。

「守りは完璧です。ご安心ください」

信者の一人が妙にかしこまって言う。かしこまることに、快楽でも感じてるのだろうか？　皆、顔が上気している。状況に支配され、憂鬱に囚われている者など一人もいない。彼らを説得することなどできるはずがない。こんなに状況の中に入り込んでしまっている彼らを。もうここには、この空気の影響を受けていないまともな人間は楢崎君しかいない。いや、彼だってもうまともかどうかわからない。私だって自信がない。

エントランスから廊下に戻る。部屋の一つから女の喘ぎ声が聞こえる。気分の高揚のまま、異常な興奮の下で求め合っているのだろう。廊下で一人の女とすれ違う。立花は彼女を呼び止める。

「……どこへ？」

「エントランスを守る彼らに安らぎを」

キュプラの女だ。信者達が、風俗で働く女性達をスカウトしてきた中の一人。彼女は信者でなかったはず。なのに頬が紅潮している。

「そう」

そう、の後、何をどう続ければいいというのだろう。立花にはわからない。でもエレベーターが開き、中から杉本が出てくる。女性の幹部。教祖が特に気に入っている女だった。彼女は教祖に抱かれようとしない私を軽蔑している。でもそれを表には出さない。

「リナさん。教祖様が呼んでる」

彼女も高揚している。さっきの彼女の機動隊への演説は、信者達の中でも喝采を浴びている。

立花は微かに頷くだけで、理由を聞かない。聞いても答えてくれるわけがない。

彼女と入れ替わりにエレベーターに乗る。20階へ。そこから階段で21階に上がる。扉の前に信者が二人いる。彼らが立花に会釈をする。

「教祖様がお待ちです」

扉が開き、立花が入ってすぐ閉じる。沢渡がいる。会うのは久しぶりだった。私は下界で、警察達の不穏な動きをつかんでいた。でも知らせようとしても会ってくれなかった。

「下界に行け」

沢渡が小さな声で言う。だらけたように椅子に座り、立花のすぐ前の空間をぼんやり見ている。圧迫を受ける自分を感じる。こんな男を特別視するつもりはない。なのに、自分の身体はこの男の前に出ると否応なしに緊張していく。

「……下界へ？」

「あいつらの言う二人の人質のうち……、一人を解放すると言い、……んん、お前を解放する」

「なぜですか」

「お前は人質だった振りをして……、我々がなんの危害も加えなかったと、様々に……、証言すればいい」

立花は口を開きかけ、緊張して声が出ないのに気づく。でも言わなければならない。怒りが込み上げていた。この男が。立花は思う。この男が、全て仕組んでいるはずだった。立花は口をもう一度開く。

「私が邪魔になったということですか。……今から何をするつもりです」

沢渡は立花涼子を一瞬不思議そうに見、微かに笑ったように見えた。でも、それはただそう見えただけだ。沢渡がどのような感情を持ったかなど、立花にはわからない。

「相変わらず……」

沢渡が言う。気だるそうに。でも微かに、興味を引かれたように。

「真面目に。苦しくなるほどに真面目に。それがお前の生き方なんだろう」

「私はあなたへの忠誠を」

「嘘はいい」

立花の身体が不意にこわばる。

「そんなことはどうでもいい。んん。で、今から外に出ろ。杉……、杉本が、……拡声器で交渉するだろう」

「私は」

立花は叫ぶ。自分が何を言おうとしているのかわからないまま。

「私は、どうすればいいのですか？ 私は、一体、あなたのような存在を前に、一体どうすればいいのですか？」

目が涙で滲んでいく。乾いたばかりだった涙が。

「私は死なせたくないんです。彼らを。なぜそう思うのかわかりません。ただ善人ぶっているだけ、そうかもしれません。でも、私は、死なせたくないのです。いや、違う。わからない。私は、高原君が」

　自分は何を言ってるのだろう？

「ただ、私は、高原君と一緒にいたいだけだった。それだけだったんです。なのに、どうして今私はこんな状況にいるのですか？　あなたのような怪物を前にして、何もできず、私は」

　沢渡が右腕を軽く挙げる。なぜかその動きで、立花は何をどう言えばいいかわからなくなる。

「本当にそれだけか？」

「……え？」

「**お前は苦しんでいたいんだ**」

　沢渡が気だるく言う。

「それがお前の、この人生での願いだ。ただ苦しみたいのだ。妙な男の人生に振り回され、自分は生真面目さでそれと向き合う。その苦しみの中で自分で自分を慰める。それがお前だ。それがお前のこの人生での唯一の望みだ」

　立花は何も考えることができない。

「私はお前の母親に会ったことがある」

「……え？」

「そっくりだなお前は。お前が嫌った母親に」

　扉が開き、男達が立花を促す。立花は茫然としたまま部屋を出されていく。

　気がつくと、杉本が部屋で自分を相手に何か言葉を出している。私はこの施設から出されようとしている。立花はぼんやり思う。誰一人救うことなく、出されようとしている。杉本が微笑んでいるように見える。私を嫌いだった女。心配する表情をしながら、私が外に出されることを喜んでいる。今日もしっかりと化粧した顔で。相変わらず、教祖に気に入られるだけでなく、他の男の信者達のことまで強く意識したようなメイク。

立花はトイレに立つ。なぜ自分はトイレに？　それはトイレに行きたいからだ。いや、何かに、私の身体が抵抗しようとしている。私は私だ。あの男のペースに飲まれてはいけない。私は私だ。私は……。

トイレに行く途中、信者とすれ違う。小さな銃を持っている。

「ねえ。それを貸して」

「え？　あ、はい。どうぞ」

信者がかしこまってその小さな銃を立花に渡す。静かにポケットに入れる。

「あなたは両腕を挙げて建物から出る。でもその隙に彼らが突入してくるかもしれない。これはとても危険なことなの」

戻った立花に杉本が言葉を続けている。でも立花は聞いていない。

ここから出る。立花は自分の意識を何とか保とうとしている。ここから出て、高原君に会おう。立花はやや視線を下げ灰色の床を見つめている。昔、私達は何でもできると思っていた。小さなベッドの上で、彼が飢えの記憶に苦しんでいた時も、私達は抱き合って過ごした。世界がいくら残酷で、自分達にどのような傷を与えたとしても、二人なら大丈夫だし、二人なら耐えられると。あの時の自分達を世界に証明しよう。何でもできると思っていたのだから。立花は静かにポケットの拳銃を撫でる。

私は彼の神の呪縛を解かなければならない。彼が解ければ、きっと何かが変わるはず。立花は、まだそう思っていた。

＊

「どういうことだ?」

内閣の対策本部の会議室で、顔の虚ろな一人が怒鳴る。

「訓練中の自衛隊機が?　そんな馬鹿なことがあるか」

「でも事実でしょう。これは早急に対処しなければなりません」

答えた男の顔も虚ろだった。別の虚ろな一人が静かに言う。

「向かった先は中国です。方向から見て、北京と思われます。……もしかしたら、これは今回のテロとは関係がないかもしれないという報告があるのです」

会議室がざわめく。

「つまり……?」

「国内の一部の過激派が自衛隊員二人を仲間に引き入れ、洗脳し、中国に攻め入ろうとしている可能性があるのです」

沈黙が続く。だがやがて顔の虚ろなまた別の一人が口を開く。

「そんなことになれば、日本の軍用機が北京を攻撃したとなれば……。否応なく、戦争が」

「撃ち落とせ」

また別の一人が言う。

「今すぐ自衛隊機をスクランブルさせ、その二機を見つけ次第撃ち落とせ」

「……そうするしかありません。ですが……、いいのですか？　念のため、言うのですが」

また別の一人が言う。

「彼らは、我々が煽ったのです。我々が隣国を敵視させたのです。『敵』をつくり我々への支持を高めるために、我々と我々の仲間がこの国を思い通りにするために、我々は国民に隣国という『敵』をつくりました。そのような我々の思い通りに義憤を感じてくれ、単独で攻めていった彼らを、そんな若い彼らを、老人である我々が撃ち落とすのですね？」

会議室が沈黙に包まれる。だがまた別の一人が口を開く。

「そうだ」

静かに言う。

「そういうことだ」

25

高原はベッドの上で時計を見つめる。

ホテルの壁掛けの時計は、木製の縁で四角く大きかった。こちらの都合など一切関心を払わず流れていく時間。自分が「状況」に運ばれていく、その進行を見せつけられるようで、高原は圧迫感を感じている。あと2時間すれば、自分は世紀の人殺しになる。

煙草を吸いたい、と感じる。起き上がり、また右肩に激痛が走る。さっき痛み止めと見られる錠剤を飲んだが、大して効かなかった。恐らく眠気をそれほど誘わない種類の薬で、効き目も薄く、そもそもこの傷は痛み止めの範囲を大きく超えている。

エレベーターに乗り、ホテルの外に出る。コンビニエンスストアの光が、そのありふれた日常の光が、強く目を打つ。高原は繁華街の地面に座り込み、買った煙草を吸いながら人の流れを眺めた。無数の足が目の前を通り過ぎていく。この視界の高さには既視感があった。家出をした時の記憶。

五歳の頃、酔うと手を上げる父から逃れるため、高原は部屋から出たことがあった。身体の大きな他人達が、自分のすぐ脇を通り過ぎていく。高原は泣くこともせず、ただ街の隅でその通り過ぎていく他人達を眺め続けた。高原がそこで感じたのは恐怖だった。しっかりと泣き、警察に助けを求めればどうにかなったかもしれない。だが当時の高原にそんな知恵はなかった。ただ自分に無関心に流れていく他人の生活の群れを前に、怯え続けていた。世界は基本的に、存在というものに対し無関心なのだと。自分を置いていった母の記憶と重なる。母のような人間達が、繰り返し繰り返し、自分を見ずに通り過ぎ続けていく。

家出の後、高原は閉じ込められるようになった。そして父が姿を消し、高原は飢えた。あの時、つけたままになっていたテレビにも、高原は怯えた。自分とは無関心に笑ったり泣いたりするテレビの中の人間達が恐ろしくてならなかった。高原を救ったのは立花の母だった。彼氏から、つまり高原の父から子供を置いてきていると聞いた立花の母が、マンションのドアを開け、高原が閉じ込められた部屋を開けたのだった。だがそれは立花の母の愛情ではなく、高原が死ぬことの、つまり死体が出て高原の父が逮捕されることの恐怖から来た行動だった。高原の父と立花の母は結婚したが、父はほとんど家に帰ってくることがなかった。

立花の母は彼らを育てたが、それは愛情とはいえなかった。自分達を育て、苦労することで、父に復讐しているように見えた。人生に虐げられ、可哀想な女であるという態度を彼女は取り続けた。時に高原達に感謝を強い、何か彼女自身に不幸な出来事があると、自らの不幸な人生が立証されたかのように、どこか奇妙にも嬉しがるように見えた。高原の父と正式に別れてからは、新しい服を一度も買おうとしなかった。立花の母は高原と涼子が十六歳の時過労が原因の心筋梗塞で死んだ。死体は涼子が見つけた。朝、トイレの前の狭い廊下で、世界を恨むような目で、しかしどこか笑みも浮かべるように死んでいたと聞いた。

高原は煙草を吸いながら、目の前の人の流れを眺め続ける。昔聞いた聖書の詩の一部を思い出していた。

〝主よ、あなたの道をお教えください。／みなを畏れ敬うことができるように　一筋の心をわたしにお与えください〟

周囲を誰も尊敬できなかった高原は、この詩をいつまでも内面に置き、自分を変えようと思ってきた。だがそれは高原の勘違いだった。「みな」の漢字は「皆」ではなく「御名」で、畏れ敬う対象は神のことだった。でもその意味に大きな違いはないように思えた。皆が信じる神を信じるには、謙虚でなければならない。

〝主よ、あなたの道をお教えください。／御名を畏れ敬うことができるように　一筋の心をわたしにお与えください〟

人々が歩いていく。高原はやはり、その人の流れを祝福する気になれなかった。他人を見下す感情は、いつまでも高原から消えなかった。何も自分が優れてると思っているわけでもないのに、高原は周囲をすぐくだらないと判断する自分の癖をどうすることもできなかった。自分のことも含め、全てがくだらないと。ただ虐げられている人間を見ると、救いたい感情が湧いた。恐らくそこに昔の自分を見ているからだろうと高原は考えた。虐げられた存在を救えば救うほど、過去を遡り自分を救えるかのように。実際、飢餓の報道を見ると、高原は昔を思い出し吐いた。

でもそれももう終わろうとしている。街を爆破し、自身は死ななければならない。見下してきた人間達から、犯罪者と蔑まれながら。

自分の存在は、何だったのだろう？　高原は思い続けている。


立花涼子は栗田を見つけ、そっと近づく。背の高い男。峰野を初めに「ダウンルーム」に連れて行ったはずの男。彼女の持ってきていたUSBメモリはキュプラの女から取り上げたが、峰野の持ち物がそれだけと思えなかった。恐らく彼女は教団の人間を尾行してここに連れてこられたのだから、財布、少なくとも携帯電話は持っていたはず。栗田に聞くと、自分が持っているという。

「彼女の身体に触れなければならない身体検査は、キュプラの人に頼みました。……財布と、携帯電話は僕が預かっています。早く教祖様にお渡ししないといけないと思ってたのですが、この出来事で忘れていて」

立花涼子は、躊躇する相手から無理やり財布と携帯電話を受け取る。

「外に出る件だけど、救急車がいい」

杉本の元に戻り、立花は言う。

「なぜ？　勝手は許されない」

「お願い。その方が人質っぽくていい。それに教祖様は私が煙たいだけ。私のことなどどうでもいいの。だからお願い。それに警察の連中が来るより、救急隊員が来た方が私達の危険も少ない」

杉本が立花涼子を眺める。

「……考えてみたら、確かにそうかもしれない。いや……、そうね、そうかもしれない。それに警察に屈したのではなく、人質が病気になったから解放するという方が、私達が人道的な集団に見える」

人質解放の交渉が拡声器を使って行われる。複数のテレビカメラが、施設から出てくる人質の姿を捉えるため身構え始める。救急車が到着し、施設内に緊張が走る。だが警察は動けない。病気になった人質を人道的に解放する瞬間に突入し、もし死者が出ればイメージが悪過ぎる。

バリケードの前まで来た二人の救急隊員は、緊張で表情が引きつっている。無理もない。テレビ報道で大分イメージが違っているとはいえ、テロ集団に違いないのだから。もし彼らが救急隊員に扮した警官だったとしても、二名と指定された時点で何もできないはずだった。

「お願いします。酷く苦しんでいます」

杉本が、表情をつくって救急隊員達に告げる。立花は倒れ込み、腹部を押さえている。

「早く乗ってください。さあ」

立花は担架に乗せられる。バリケードを一つ外し、担架を通し、またバリケードを元に戻し、また別のバリケードを一つ外す。ようやく外に出る時、立花は自分の顔を布で覆った。救急車に乗せられる。包囲した機動隊が道をあけて通す。

立花の救急車の背後に、二台のパトカーが付き添おうとする。立花は不意に起き上がり、自分をのぞき込むようにしていた救急隊員のこめかみに銃口を突きつける。

「スピードを上げて。パトカーをまいて」

銃を突きつけられた救急隊員は驚きで声を出すことができない。これは人質ではなく、テロリストだと気づく。目の前にテロリストがいて、そのテロリストが自分に銃口を向けている。

運転手は振り返り停止しようとする。立花が叫ぶ。

「車を停めたら撃つ。私はもう既に何度も人を殺してるから何とも思わない。死にたいなら停めなさい。でも逃がしてくれたら絶対にあなた達は殺さない」

救急車はスピードを上げる。サイレンによって信号も関係なく救急車は進んでいく。パトカーはスピードを上げた救急車の異変にまだ気づかない。しかしありえないスピードと角度で救急車が右折した時、事態に気づく。

救急車は、と立花は思う。パトカーから逃げるのに、バイクを除けば一番いい乗り物に違いない。

「あそこのデパートの脇に停めて」

救急車が停まる。立花は救急車から飛び降りデパートの中に入っていく。やや遅れたパトカーが二台続けて停まる。立花は店の中を走りながら白い服を脱ぎ捨てていく。事前に中にブラウスとスカートをはいていた。

警官達は立花の顔を知らない。ただ救急車から飛び出した女が、いかにも新興宗教の人間が着るような、白い法衣のような服を着ていたことしか知らない。デパートの中の膨大な人ゴミの中で、警官達が声を荒げる。すでにブラウスとスカート姿の立花はデパートの反対側の入口から外に出、すぐそこに停まっていたタクシーに乗る。客として、落ち着いた声で適当に行先を告げ発進させる。警官達は捕まえようがない。手配するにしても逃げた人間が誰でどんな顔かもわからない。

立花は栗田から手にした峰野の携帯電話の電源を入れる。高原の番号を押していく。峰野からと思われたら、高原君は出ないかもしれない。非通知の状態で通話ボタンを押す。

五十代の男は、手元の携帯電話が鳴っていることに気づく。高原から、奪っておいた携帯電話だった。非通知の着信。出ると女の声がした。

26

楢崎は扉の前に立つ。

門番の姿もなく、扉は開いたままだった。扉の先に光はなく、密度のある暗がりが重なり合うようにさらに奥へ続いていく。楢崎はふと、初めに松尾の屋敷の門の前に立った時のことを思い出す。だが今、その先には沢渡がいる。

中へ進むと、扉が静かに閉じた。沢渡がこちらを見ている。椅子の上でだらけたようにあぐらをかき、首をやや下に傾けた状態で何かを言おうとし、面倒そうにやめ、だがやがて息を吐くように口を開いた。

「……そこに座れ」

沢渡の向かいに、誰もいない椅子がある。楢崎はなぜか、図形のような何かに、自分の身体が固定されていくように思う。

「……私に、何を」

「……んん」

楢崎を見ながら、沢渡の表情が微かに動いた気がした。何か特定の感情になる前の、特定の表情として現れる前の、何かの内面の動き。

「……確かによく似ている」

沢渡の声に、楢崎はうつむきそうになった顔を微かに上げる。

「あの時の男によく似ている」

だがその表情の動きはすぐに消えた。

沢渡の過去

昔、キリストの神を信じようとした。しかしそれは信仰というより、条件に近かった。世界は希薄であり、味気なく、神のような存在でもなければ耐えがたいと思うような人間。私の信仰はだから傲慢から生まれ、傲慢だった私はただ頭を下げ神を信じるのではなく神の秘密を知ろうとした。……学生だった私は医学をやりながら、伝統的な宗教の「過去」を調べようとした。それぞれの聖典には、その前に成立した何かの影響が必ず見えてくる。神の言葉であるはずのものが、先に成立していた物語や伝承などの影響を受けているという事実。そのようなことは容易く調べることができる。宗教を歴史として捉えれば捉えるほど、調べていけば調べていくほど、神は私から遠ざかった。私はそこに古代の人間達の都合の跡を見ないわけにいかなかった。神がいない。それは世界をより希薄にさせた。そして神がいなければ、私の情欲を止める理由は何一つ存在しないということになる。

戦後が過ぎていき、医師として働き始めた頃、一つの特定された情欲に囚われた。それはいつも、女の白い身体に銀色のメスを入れる瞬間に起こった。麻酔で意識を失った女の身体を前に、私はいつも喉が渇き、陶酔したように意識が薄れた。……私の手によって、この目の前の存在はどのようにでもなるのだということ。私が一センチ多くメスを動かすだけで、その女の動脈は切れ、血が、命が噴き出す。女の皮膚にメスを入れていく。女の身体が開かれ、隠されていた身体の内部の活動をこの目で見る。今、この女の人生、運命、そしてこの女が助かることで今後展開していく全ての物事が、私の意志に握られている。その全体を意識した時、私のメスの先はいつも微かに震えた。……私の性器は、その度に勃起していくことになった。なかなか暗い情景ということになる。メスを手に女の身体を見ながら、勃起していく青白い青年。だが私はいつもその情欲に身を任せることはなかった。時折マスクの上に見える私の目を同僚達が懸念の目で見ることはあっても。手術を終える度に、私は自分がその情欲を抑えたことに安堵し、その高揚を静めるため遊郭へ行き女を抱いた。遊郭の女達は美しかったが、それはただの性欲の処理に過ぎなかった。戦争に負けまだ貧困に喘ぐこの国の病人が途絶えることはなく、私の情欲の前に横たわる患者達は後を絶たなかった。私はその度にメスを握り、終わると遊郭へ行った。そのような日々の中で神を探し、探せば探すほど、神の存在は私から遠ざかった。

私は善を成す時に自分の身体に訪れる快楽に興味があった。だが同時に、悪を成す時に自分の身体に訪れる快楽にも興味があった。私の脳は乱れた。人間という存在が、一体どのようなものにまでなれるのかという興味。幼少の頃、私はよく無表情で虫を殺した。虫を殺しながら、自分の内面にどのような感情が生まれるかに異様な関心を寄せた。……気の毒に思いながら、しかしみっともなく潰れていく虫の姿勢に可笑(おか)しみも感じた。善と悪の両方への渇望は、ゲーテのファウストやドストエフスキーのスタヴローギンという先例が一応はある。私はそれらの作品を読み慰められたが、彼らとの大きな差異もまた同時に感じるようになった。私の感情の中核には性があった。全てはそこが起点であり、彼らの宗教やインテリの苦しみは私から遠かった。彼らより私の精神はより性に近く、より具体的でより闇に近く、彼らの根幹の善悪の観念というデリケートな苦しみからも遠いところにあった。結局のところ、私は彼らと違い過ぎた。十字架をギリシャ語でいえばスタウロスとなるように、スタヴローギンの人物像の背後には常にキリスト教の存在があった。……私の神の探求は奇妙な方向を辿った。鈴木、という師に弟子入りし、そこに松尾がいた。私は最も神に近いと思っていた師が老いぼれていく様を興味深く見つめた。私はいとも簡単に彼を陥れることができた。陥れた時も私は情欲を感じた。だが同時に善への渇望もあり、私はやがてアジアの島々へ渡った。医療を受けることのできない貧しい村を周り、薬の投与や簡易な手術をして回った。まるで私の善への渇望を満たす材料でも探すように。人間を救う時、私の感情はいつも温かなものに包まれた。自己を特別な存在のように感じるだけでなく、命が救われた人間達の喜ぶ姿を見ると、私は達成感に似た染み入るような快楽を感じるのだった。

……マレーシアの南部で、ナイラという少女に出会った。やや褐色の肌をもつ、美しい十五歳の少女。結核だった。彼女は貧しい村で隔離され、呪術のような医療しか受けていなかった。私はもう日本では普通に出回るようになっていたストレプトマイシンを与え、彼女は回復した。私は彼女の回復に喜びを覚えたが、その喜びと同時に、内面に相反する感情の動きを感じた。私の喜びは次第に萎えた。

結核で苦しんでいたナイラは、回復するとその美しさが半減するようだった。やせ細り、死を目前とした悲劇の底にいる彼女を見ながら私が感じていた情欲は薄れた。「ありがとうございます」幼い声で言われた時私の体内に温かな感情が湧いたが、それと同時に、彼女がまた病にかかることを願った。それはすぐ実現した。彼女は元々体内の免疫が弱く、様々な病に身体が蝕（むしば）まれていた。決定的だったのは心臓の疾患であり、放っておけば彼女はすぐにでも死んだ。

彼女が命を左右するほどの重度の腹膜炎になり、村の簡易ベッドの上で彼女に麻酔をかけ、服を脱がせた。メスを手に、私は意識が惹き込まれていた。喉が渇いていく。今、この少女の運命の全てを、私の意志が握っている。彼女の美しい肌にメスを入れる瞬間を味わうように、私は凝視した。美しい肌が裂かれ、メスが体内に入っていく。私が体内で少しでもメスを別の方向へ動かせば、彼女は血を噴き出しながら死ぬだろう。体内に入るメスと、その周囲の体内の致命的な各部位には、あらゆる可能性が潜んでいた。まるでその可能性を望みヒクヒクと私を誘うように。私は息を飲む。ナイラの体内に入ったメス、その銀色のメスの先を中点に、緩い渦を見たように思った。渦はいつまでもいつまでも、緩く長く回り続ける。私のメスが彼女の致命的な部位を裂き、その渦が乱れ彼女が悶える場面を想像する。私はそのような彼女を気の毒に思い、悲しく思い、さらにメスを動かし続け、私は肉体的な刺激もなしに、私のメスと性器が連結したような感覚の中で精を放出する。そんな妄想を抱いた。このような村で医療事故が起きても誰も気に留めない。むしろ私はストレプトマイシンにより村で信頼を得ていた。だが私は無難に手術を終えた。ベッドの上で彼女が目を覚ました時、彼女は目に涙を浮かべ、私に礼を言った。私は体内に温かなものが広がるのを感じた。一人の少女の幼気（いたいけ）な未来を、私は手渡すことになった。この達成の感情の動きは誰にでも感じられるものではない。しかし同時に、まさにその善の感情が私に起こったその瞬間に、私は一つの考えから逃れることができなくなった。それは、私が急変したら彼女はどうするだろう、という興味だった。今、彼女を救った善良な私が、冷酷で無残な男に変化したとしたら。……私はその興味に自分をゆだねた。ゆだねている時、私の内面に善悪の葛藤は起こらなかった。私の興味の前では、いつもその葛藤は薄れ感じられないほど小さくなるのだった。ただ鼓動だけがトクトクと速くなった。私に何かを期待させるように、静かに、鼓動だけが。

「……服を脱げ」

治療と思ったのだろう。少女が服を脱ぐ。膨らみかけている胸を恥ずかしそうに隠しながら。私は少女に近づく。

「全ての服を脱ぎ足を開け。お前は逆らうことはできない。もしお前が逆らえばもう私はお前の治療はしない」

そのセリフを、私は一字一句、噛みしめながら吐いた。身体の中に、なぜか善を成した時と同じような温度があった。まだ十五歳の少女を、その命を人質に凌辱しようとする男。その醜さがより一層私の情欲を掻き立てた。だがそこで不思議なことが起こった。困惑すると思っていた少女が静かに、胸を隠していた腕をどけたのだった。

少女が下着を脱ぎ、私に向かって足を開く。彼女の身体が震えているのを見た時、私は彼女の上に覆いかぶさっていた。熱帯の土地であるのに、その部屋は日本に似て湿気に覆われ冷えていた。縫合した箇所が痛み、彼女が顔をしかめる。私は彼女に同情し、その傷口を労わりながら、しかしさらに痛むようにした。彼女の苦痛に同情し想像力を働かせれば働かせるほど、彼女の痛みに近づき、彼女の苦痛を身近に感じることができるのだった。私の善への感触が、つまり他人の苦痛を感じ取れる能力が研ぎ澄まされていた。そしてその彼女の苦しみが大きければ大きいほど私は欲情した。彼女の上で動き続ける私の影が、ヒビ割れた灰色の壁に映っていた。私のような存在に犯される彼女を気の毒に思い、その気の毒に思う感情がより私を駆り立てた。彼女が流す涙を優しく拭いながら、私はもっと彼女の涙が流れるようにした。激しい快楽が私を包む。美しい彼女の中に射精した時、私の中に鈍い後悔が生まれた。私の内面の欲求のごく一部を、初めてこの世界に実現させてしまったことの後悔。男の射精の後には、必ずこのような冷静な思考が湧く。だがしかし、彼女は泣きながら私に向かって微笑んでいた。どういうことかわからなかった。だがナイラは私に向かい、また助けてくださいと言った。また助けてください。そしてまた、同じことをしてもいいと。

「……命が惜しいのか」

「惜しくありません」

「ならなぜ？」

私の問いに、彼女は泣きながら答えなかった。私は彼女に睡眠薬を与え、その部屋を出た。何か得体の知れないものに触れた気がした。私はあの時、彼女に睡眠薬を与え逃げたのかもしれない。

腹膜炎が完治し、彼女はしかし熱を出した。風邪であるが、すぐ肺炎になる恐れがあり、彼女の体質を考えれば再び死の危険があった。苦しむ彼女を見ながら、私はまた激しい情欲を感じた。私は風邪薬を彼女に与えたが、量を薄めた。

ずっと苦しんでいて欲しい。そう思ったのだった。そうすれば彼女は私の中でいつまでも完全に近くなる。薬を与えないのではなく、薄めるという密かな行為が私の情欲を惹いた。彼女は私の薄めた薬で少しだけ力を得、話すことができるようになった。彼女をすぐに凌辱した。彼女彼女は熱の苦しみの中で、しかし喘いだ。やつれた身体で、私を細い腕でしっかりと抱いた。

「なぜだ?」

私は彼女の上で問いかけた。

「お前は今凌辱されている」

「はい」

「ならなぜだ」

「私は今、あなたによってどうにでもなる」

彼女が喘ぎながら言う。顔を紅潮させていた。彼女の性器はもう、成人の女のもののように激しく収縮し、酷く濡れていた。

「あなたの意志一つで、私の命はどうにでもなる。……それが嬉しい。私は完全にあなたのものになっている。私の意志などいらない。ただあなたに身を任せていればいい。あなたから苦痛を与えられ、あなたから命を、喜びを与えられ、私は無条件にあなたに従う犬になった。もっと凌辱してください。もっと抱いてください。私は、私は」

彼女は身体をのけぞらし、笑みを浮かべながら身体を痙攣させた。

「あなたが私の神です」

私は彼女の中に激しく射精したが、治まらなかった。私はなおも動き続け射精し、またも動き続け射精した。

「滅茶苦茶にしてください。殺してください。殺して、生き返らせて、また殺してください。どのようにでもしてください。私はあなたを愛しています」

熱に浮かされている？　そう思った。彼女の声質まで変わっていく。だが彼女は意識のはっきりした目で私を見続けた。私は自分の疑念を伝えずにはいられなかった。

「俺のような存在を愛する？　今この行為を見ている連中はどう思うだろう？」

「……何を言ってるのです」

彼女が言う。

「ここは世界から見捨てられた村。誰も来ようとしなかった。あなた以外は。あなたが来なければ、私は結核で既に死んでいた。私にとっては、私の村に来なかった人々は無に等しい。私に何もしてくれなかった人間達の同情などいらない。そんな人間達の道徳など聞く必要はない」

痛みと苦しみの中で絶望的に喘ぐナイラを見ながら、視界が霞んだ。彼女の身体に舌を這わせながら、仏教の思想を思い出していた。仏教の説話では、仏のような神的な存在が、よく一般の人間達に混ざり登場する。乞食が実は仏であった事例。貧しい少年が実は仏であった事例。神はそのように時々現世に降り人の姿となって人を試す。このナイラが仏であったとしたら？　私はそう思い笑った。ならば私は仏を犯すのだ。いや、俺は試されているのか？　何に？　自分の悪徳を放棄し、ナイラを愛するようになれと？　そんなくだらない仏教の説話の一つでもここで実現させろと？　もしくはナイラの死によって私が激しく後悔し、その後善的な存在に生まれ変わるとでも？　私は毎日ナイラを犯しながら、奇妙な感覚に襲われた。ナイラを抱きながら、私は虫を殺していた幼少の頃からずっとそうしていたように、自分の体感や内面の感情を細かく、逃すことなく観察しようとしていた。そこではっきりわかったことがあった。私はナイラが喜びで声を上げている時より、苦しみの悲鳴を上げている時の方がより情欲が増すと。

ナイラはそれに気づいていた。ナイラは私にもっと激しくすることを要求した。自分を快楽の底へ落とし身体への負担が苦痛になるほど激しく。ナイラは自分の喜びが私の喜びにはならず、自分の苦痛でしか私に喜びを与えられないことに気づいていたことになる。私に体勢を変えさせ、より自らが凌辱されるような姿勢を取り、痛みと苦しみを自ら引き寄せていく。ナイラが病で衰弱している時ほど私はナイラをより多く犯した。その時、弾かれている、と思った。私は、性から弾かれている。

相手の苦しみでしか真の快楽を得ることのできない私は、この世界から弾かれている。相思相愛の美しいセックスから、私の存在は遠ざけられている。人間同士における最も濃密なコミュニケーションがセックスであるとしたら、相手の拒否でしか満足できない私は全てから弾かれている。神は今、私にそれを見せようとしているのだろうか？　私の真実を、私の目の前に突きつけるために。

しかし私はそれに怯む存在ではなかった。私はファウストやスタヴローギンのようなキリスト教圏の人間ではない。私にとってのキリスト教は知識であり、血肉でなかった。私はそこから自由でいられた。自由でいる私に際限はなかった。ナイラはよく、自分が自分でなくなる瞬間があると私に言った。何かが、自分の身体をつかい、自分が感じる感情や感覚を味わってるかのようだと。自分の身体を使って、自分と共に、その何かも同時にそれを味わってるかのようだと。……これは仏教でもない。私はそう思った。少なくとも、原始仏教ではない。仏教は基本的に無を説くものだ。全ては一切消え去ることを教えるものだ。これは……、私はその時、鈴木の元で修行の真似事をしていた時の情景を思い出した。

草木の中で、瞑想をする。内面に、草木を思い浮かべ、瞑想をし続けることで、その草木と自分との境界が曖昧になっていく。私はその最中、一度だけ、奇妙な体験をしたことがあった。大地の肉欲を感じたのだった。

草や木が、大地や岩が欲情しているように感じた。全てが全てと繫がろうとし、相手に拒否をされてでも、繫がろうとし、その度に快楽に震えていく。私の瞑想は町にまで及んだ。私はその時刻、その場所で行われている町の男女の全ての情欲をこの目で見たように思った。男女が喘ぎ、声を上げ、世界が震えていく。原子、と思った。原子は、人間を誕生させる可能性に満ち満ちていたが、それは同時に、肉欲を発生させる可能性にも満ち満ちていたことになる。原子は流動し入れ替わり渦のように展開し、様々なものを発生させそこで情欲をも発生させ続ける。それは爆発的な巨大なうねりとして私の内面の視界を打った。素粒子達が震え、乱れ飛び、肉欲の快楽を味わいさらにさらにと欲しがっていく。ナイラの脳という形となった素粒子達が、ナイラの身体となった素粒子達と連動し、苦痛や快楽や絶頂を欲しがり続けている。大地、世界、私の肉欲は善でも悪でもない。振動、この世界に出現する、歯ぎしりのような強烈な震えの一つに過ぎない。では私は、ではそれに圧倒的に囚われている私という存在は——。ナイラとの日々を続けながら、私はその村や隣の村での医療を続けた。医療により、私は多くの命を救う快楽に身を預けた。私の医療により無邪気に走り回る子供を見ながら微笑み、その子供が低い崖の下を覗いていた時、私は背後から忍び寄りその小さな背中をそっと押した。崖を見下ろす子供の背中を見た私は、そうしなければならないような気がしたのだった。落下した子供が苦痛に顔を歪め、私はそれを気の毒に思う。何かを気の毒に思う時の感情の動きを私は気に入っていた。さっき小さな背中を押した右の手のひらに温かさを感じながら。大丈夫かと駆け寄り、軽い打撲ではあるが治療をする。何も知らない子供が私に感謝する。私はその無邪気な子供に可笑しみを覚える。その母親が私に感謝の意を示すために私の病室を訪れる。母親は中々帰らない。私が抱き寄せると母親は恍惚の表情で私を崇めるように見ている。何も知らずに抱かれる母親をいたぶりながら、いたぶられ喜んでいる母親を見ながら欲情した。後悔も葛藤もない私の快楽は螺旋となり終わりがなかった。神の元へ昇る螺旋ではなく、神から逸れていきながらしかしいつまでも終わらない螺旋。終わりは一時的なものでしかなく、外部からやって来た。医療を行う私の噂を聞きつけた遠くの村々が、私の治療を切に願うようになったのだった。

ナイラは、私が村に留まれば、それだけ助からない命が遠くで発生する事実に気づいていた。ナイラには既に許嫁(いいなずけ)があった。妻を亡くした五十を過ぎた酒飲みの男で、ナイラが十八歳になれば家政婦のように嫁ぐことが決まっていた。仮に正義のようなもので世界を覆えたとしても、このような網の目の細部まで行き渡らせることは容易ではない。ナイラは私を殺してくれと言った。あなたは私を殺し、村を出るのだと。私はあなたがいなければどうせ何かの病で死ぬのだし、許嫁と定められた私があなたと消えたら私の家族は村で暮らせなくなると。

私は承諾しなかった。まだナイラの身体に未練があったからだった。だが不意にナイラが苦しみ始める。心臓の発作だった。

薬で容体は安定したが、いつまでももつものではない。弁の手術をしなければならない。私はナイラにそう説明した。私に殺してくれと言った彼女は、しかし私に手術を望んだ。言葉ではそう言っていても、まだ幼い彼女は私と離れたくなかったのだろう。準備を整え、数日後、彼女に麻酔をかけ寝台の上で裸にした。彼女の身体にメスを入れる。

身体を開かれ、無防備となった彼女の心臓を見ながら、自分の鼓動が速くなっていた。私は集中するために息を深く吸ったが、自分の鼓動は、いつまでも治まらなかった。麻酔で緩くなっているはずの彼女の心臓の鼓動もなぜか速くなっていく。まるで私の心臓と呼応するように。

私は情欲に囚われていた。この致命的な部分に、心臓に、与えてはならないダメージを与えてみたいという興味。いや、それはできない。それをすればナイラは死んでしまう。だが私は、なぜナイラが死んではならないのかがわからなくなった。今、ナイラの全てが私の手にあった。銀色のメスを持つ手が微かに震えていく。

　試しに、と私は思った。試しに、ナイラの心臓を傷つける、そのすぐ手前までやろう。実際にやらなくてもいい。でもそのすぐ手前の感覚を、味わってみよう。私はまず手始めに、助手が見ている中で、大きくため息をついて見せた。これは酷い。これはもう駄目だ。……そう言っておけばナイラが死んでも、誰も私を責めることはない。村で私を手伝う助手に深い医学の知識などない。ここを切開しなければならない。私はそう呟き、心臓の部位のうち、手術をしなければならない箇所と全く異なる場所をメスで指した。言いながら、また鼓動が速くなっていく。ナイラの心臓の鼓動も、私の意図に気づき恐怖を覚えたように、あるいは私を誘うように速くなっていく。私はメスを心臓に近づける。あと少し。あと少し近づければ、ナイラの命は終わる。私は命というもののすぐ側にまで来ていることを思った。私はギリギリまでメスを近づけ、息が苦しくなるほどギリギリまで近づけ、陶酔を感じ、性的に興奮していく中で力を抜いた。だが、私がやめても、私の心臓の鼓動とナイラの心臓の鼓動は治まらなかった。続いている。私がやめたのに、状況は続いている。やってみようか。私は汗で身体が濡れていくのを感じながら思っていた。ずっと望んでいたこと。その人間の全ての可能性を手にした中で、無造作に命を裂く。私はメスをもう一度近づけた。メスを握る指の震えが止まっていることに微かな驚きを感じていた。このままでは、私はやるだろう。このままでは、私はやるだろう。喜びが体内に湧き上がっていく。何だろうと思った時、それが、手術台の上に設置されたライトの光であることに気づいた。なぜこれが気になるのか。そう思った時、まともにライトを見た私の目を光が激しく打った。視界が広がっていく。私は、さっきまで自分が見ていたナイラの体内が、白黒の視界であったことにその時気づいた。いつの間にか、私の視界は色を失っていたのだった。恐らく私の緊張が、私の残酷を私に対し和らげるために、脳から色を省いたのだろうと思った。だが今、目の前には赤いナイラの体内が広がっている。心臓の鼓動が、その鮮やかな赤が、自分の目に鮮明に映っている。越えていく。そう思った。もう、自分は、この鮮やかな色を前にしてでも越えていくのだと思った。私はその鮮やかな色の中でメスを心臓に入れた。すぐ切り裂かれるはずのそれには、なぜか微かな弾力による抵抗があった。境界だったのかもしれない。私とどこかを隔てる微かな膜の境界。私の鼓動が痛いほど高鳴る。まるで私の心臓にメスが肉迫してるかのように、私の心臓が緊張していく。メスが埋まり、破り裂いた。その瞬間、ピリリとした感触が私の心臓に走った。血が噴き出す。美しく構築された人体は、崩れる時も美しかった。終わりに直面したそれぞれの器官が悶え、激しく抵抗しているように思えた。だが私のメスは止まらなかった。その激しい抵抗の命を、次々裂いていく。どれだけの抵抗が生み出されたとしても、快楽の中で無造作に裂いていく。何も病に侵されていない部位を切り取り、縫合する。だがもうその心臓は致命的に損なわれていた。私は精を放出していた。存在が震えるほどの喜びと共に。

血圧が下がり、彼女の脈拍が急速に速くなっていく。心電図モニターの音が響き続けていた。私は麻酔をかける前、彼女が私をじっと見ていたことを思った。彼女は気づいていたのだろうか？　助けてくれと言いながらも、私に向かい、何かの意志を固めたように幼い表情で頷いていたようにも思えた。だが、彼女が気づいていたからといって、それが何だろう？　モニター音がさらに速くなっていく。助手は焦るが、身体を開いた時私が手術の不可能を呟いていたため、助手はただ涙を流すだけでそれ以上慌てることはなかった。私は、情欲の満足以外に、自分の身体に何か後悔のような変化が訪れるかを待った。何かの感傷を覚えるには、死体の顔を見るのがいい。人間の死体の顔には、何か感情を掻き立てるはずのものがあるのだから。彼女の寝顔のような幼い表情を眺める。五秒が過ぎ、三十秒が過ぎる。泣き崩れる自分を思ったが、何も起こらなかった。心電図の警告アラームが響き、モニター音が不規則になっていく。私はその自分の平静さを、少しの驚きをもって感じた。あるのは、静かな充足感だけだった。モニター音がさらに不規則になっていく。もう止まるはずだった。まだか？　私は思った。まだか？　意外と長い。内面にそのような感情はなくても、泣いてみようか、という考えが浮かんだ。私がそう思ったのは、時間があったからかもしれない。試しに泣くために、彼女の美しさや、気の毒さを意識し続けた。やがて、私は悲しくなり、涙が流れた。そしてそのすぐ後に、私は喜んでみようという考えが浮かんだ。彼女の美しい身体を好きなように貪ったあげく、命まで思い通りにしたことを。最後のあの境界を越えたことを。私の口角は笑みのために上がっていた。善悪が混ざり合い私の感情は震え続けた。私の意識は私がどう思おうと否応なく自在なものになっていた。音が遠のき、やがて止まる。私の身体にはやはりどのような変化もない。弾かれている、という言葉が意識の片隅に浮かんだ。私は神を意識するスタヴローギンの善悪の呵責（かしゃく）から、弾かれている。結局は善を受け入れたファウストからも。私は善悪の呵責から、弾かれている。私はその後、まだ死んでまもないナイラをもう一度犯した。私はそれに興奮を覚えることができ、射精による快楽を感じることができた。そして彼らの両親の前では悲しくなることができ、実際に心から悲しくなり涙まで流すことができ、村を出る時は陽気になることができた。私を遠くの村へ案内する運転手に、日々の暑さへの愚痴を自然な言葉で言っている自分に気がついた。

　私は次の村でも、その次の村でも同じことを繰り返した。ナイラほどの少女と出会うことはなかったが、命を助け、凌辱し、私の感情は目まぐるしく動いた。もう私の視界から色が消えることはなかった。そのような日々の虚しさは、情欲が高ぶる度に消えた。逆に言えば、どのような人生が虚しくないというのだろう？　生とは、結局は終わるものだ。善悪などやがて消える人間の都合に過ぎず、第二次世界大戦のような惨劇が起きたとしても日々は結局は続くのであり、大したことなどどこにもない。私はそう感じていた。そもそも世界の悲劇を知っていても何もしない人間達が私の道徳を批判することの滑稽さを覚えた。人間とは自分を善人と思いたい種族であり、世界とは、無関心の悪によって成り立つ。私のような存在がそもそも生まれなければ良かった、とは考えた。私の先祖は私のような化物に帰着するくだらない血統を守り続けたのだと。だから血統に尊さなどなく、重要であったのは彼ら先祖達の一回一回の人生であり、その人生は終わるものであるから結局は虚無であると。いや、しかしこれは他者、という存在に私が気だるく呟く類のことであり、私の真の内面はそのようなことすら考えていなかった。私は各地で貧困にあえぐ人間達の命を助ける満足を覚え、そこで女達を酷いやり方で凌辱することに満足を覚えた。スタヴローギンがあれほど苦しんだ虚無は私にとっては人生の前提であり、悩む対象ではなかった。その点では仏教が私に複雑に絡みついていたのかもしれない。

私の興味は、神がいるのかどうか、だった。神がいれば、私の生き方の全ては否定される。しかし、もしもナイラが何者かの快楽の感知器のような存在であったとしたら、神が存在しても私の存在は肯定されることになる。神に祈る人間達を私は時折微笑ましく眺めた。たとえばスポーツ競技で神に祈るプレイヤー達。飢えて死ぬ子供達を無視し続ける神が、選手の成否に関心を持つはずがない。どのような罪もない子供が自然災害や病で死ぬ時も見捨てる神に、私を糾弾する権利はない。少なくとも、この世界での、人間の理性の範囲内における論理で言えば、私と同等に神も善なる存在とはいえない。問題は死んでからであるが、そこで神の真理とやらが私達に提示されたとしても、人間の限られた脳しか持たない私達が現世でそれを感じるのは不可能であり、死んでから神が私を罰するとしても、それは私と神の力の差によるものに過ぎず、力による罰であるのなら私にはどうしようもなく、ただその力にものをいわせる神を私は軽蔑しながら眺めるだけだろう。神の真意は計りしれない、という言葉は都合がいい。ならばその計りしれない真意によれば、私が肯定される可能性もあるというわけだ。

それが起こったのは、私がインドネシアで新たな医院をつくった時だった。栄養失調で死にかけていた少女に点滴を与え、その親から感謝のような言葉を受けていた最中だった。私は透明なグラスに入った透明な水を飲もうとしていた。私はグラスをつかむ。だが私は指の皮膚に違和感を覚え、そのグラスを離した。

私はグラスを眺めた。それはやはり多少の濁りはあるが透明であり、水も同様に透明だった。私はもう一度グラスをつかむ。だがそのつかんだ感触が、以前とは異なっているように思えたのだった。気がつくとさっきの母親はいなくなっていた。私は自分の病室を見渡す。その病室にある寝台、医療器具、椅子、壁などのどれもが、以前とは少しだけ異なっていた。私はその違和感の中でグラスをつかんだまま、中の水を喉に流し込んだ。水の生温かさを感じる。微かな錆の味も。私は再びグラスを机に置く。グラスと机がふれた硬い音は確かに鳴った。だがそのどれもが、スムーズでなかった。

世界が、どこか滑らかでなくなっていた。私が何かにふれれば、ふれている感触を覚え、私が何かの物体を移動させれば、その物体は移動する。だがそのどれもがぎこちなかった。まるで私が本来の世界のありよう、物達がそこに存在するありようを、無理やり変化させているかのように。弾かれている、という言葉がもう一度浮かんだのもその時だった。世界と、私がしっくりと合わさっていない感覚。

私は外に出た。熱帯の木々を揺らしながら、生温かい風が頬を打った。砂埃が舞う。だがそのどれもが、よそよそしく、私が見たからそう仕方なく目の前に現れたようで、私は自分の体温が、すっと低くなっていることに気づいた。それ以来、その感覚は度々やってきた。整備されていない土の道を歩いている時、死にかけた老人を看取っている時、女を凌辱した後などに。それは無造作にランダムに、私の元に訪れた。その時折の変化に、だが私は孤独を感じることはなかった。孤独とは私にとって当然のことであり、悩むことでなかった。世界から弾かれている者が見る景色にしては、その有り様は耐えられないものではなかった。私は生まれながらに、このような存在だったわけではない。体温の低下を感じ、周囲の物達がよそよそしくなる時、私はよく思った。私はナイラの心臓を前に、色をなくすという私の脳の配慮を越え、あの鮮やかな視界を出現させ、自分で越えたのだと。私は自分の意志で、このようになったのだと。

私は日本に戻り、性の仕事につく女達を解放しハーレムをつくった。私の父親が経営していた日本各地の病院は他人に預け、私はそこから利益だけを得ていた。私は偽の神を演じることで、実際の神を呼べるかもしれないと考えた。私のような存在を、神が放っておくだろうか？私には、神がいなくてはならなかった。神のいない世界を生きていたという愚かさを、私の傲慢は許さなかった。私は冗談半分で神を演じ続けた。だが神は来ることはなく信者が増えた。私の中の空洞が、人間を惹きつけるようだった。全てから弾かれている私に人間が惹きつけられてくる。人間も世界の一部であるから、世界の一部が、私側へと引き剥がされてくるように思えた。私は全てから弾かれる中で、悲しみも虚しさも感じずただ快楽だけを感じ、生き続けた。私は虚しさからも弾かれていたのかもしれない。

だがそこで問題が生じた。私の中の、エネルギーの減退についてだった。

悪を成すにも、善を成すにも、エネルギーが必要だった。感情的な激しさがなければ、その二つを積極的に成すのは難しい。人間がどのような存在にまでなれるのか、を考えていた私は、拍子抜けするように思った。私はただこれから欲望が希薄になるだけで、徐々に萎びて死ぬのだと。ここが人間の到達できる限界であり、私は時折世界がスムーズでなくなるあの感覚を覚えながら、その体温の低下を感じながら、徐々に無へ向かっているのだと。私はぼんやりそう思うようになったが、しかしそうではなかった。

もう一度アジアへ渡った時のことだった。インドだった。

私は少数の信者を連れ貧困地域で医療を行った。あの国での貧富の格差は興味深いものがあった。億万長者と呼べる大金を持つ者の横で、片腕を失った少年が物乞いをしている。物乞いで同情を誘うため、親が片腕を切り落としたのだった。私は減退していくエネルギーの中で、そのような貧弱な子供の命を救う時に自分に何が訪れるかに興味があった。だが命を救うことの満足も希薄であり、その後女を凌辱することの満足も希薄だった。強い日差しに照らされながら、私の体温は下がっていく。布きれのような小屋も、自動車がまき散らす砂埃も、どこかスムーズでなくなっている。中心街から離れた道を、私は歩いていた。不意に性的な興味を覚えていた。なぜだかわからなかった。そこには何も私の刺激となるようなものはなかった。

私は自分のすぐ前を、汚れたボールが転がっていることに気づいた。そのボールは周囲から奇妙なほど浮き立ち、なぜか存在感に溢れていた。そのボールの先に、親子がいた。壁の上で不安定に立つ少女、その少女を見ることなく、現地に出回り始めていた公衆電話で誰かと話し続ける若い母親。その身なりで、彼女達が裕福であるとわかった。高い壁の上に立つ少女の姿勢は、あまりにもバランスを欠いていた。私は喉が渇き、鼓動が乱れていた。ボールが少女の下へ転がっていく。少女はやがてそのボールに気づくだろう。

少女が落下する。そう思ったのだった。私が蹴ったボールに誘発され、気を取られた少女が落下する。あの高さでは助からない。なぜだかわからないが、私はそう確信していたのだった。ボールは、舗装されているとは言い難い道路をしかし真っ直ぐ転がっていた。私をどこかへ連れていく、美しい線を引いていくように。そのボールが向かっていく真っ直ぐな線、少女の落下を誘発するその真っ直ぐな線が、周囲から浮かび上がっているようだった。しかし私は意図的にそれをしたのではなかった。私の足は私の意識を通過することなく、そのボールを静かに蹴っていたのだった。私は後からそのことに気づいた。意識の遅れ、脳の動き——。エネルギーが減退しくすぶっていた私の脳が、どこかへ誘うように私をそう動かしたように思った。線が伸びていく。少女の下に。少女がボールに気を取られる。落ちる、そう思った。ボールが近づいていく。まだだろうか？　まだ少しかかるだろうか？　ボールはもう私の意志の届かない場所で動き続けていた。もう誰もその動きを止めることはできない。ボールが少女の真下へ届く。自分を見ようとしない母親の注意を惹こうとでもしたのだろうか、少女はボールに向かい飛び降りた。私は息を飲む。少女の小さな身体が石の地面に叩きつけられた時、その少女は大人の姿となって私の目に映った。その身体の全てが衝撃で揺さぶられ震えている様子を思い、私は激しい情欲を感じた。

母親が叫び、駆け寄る。だが私にはそれらがもう人間には見えなかった。激しい衝撃で生命を失いつつある素粒子の繋がりと、それに駆け寄る素粒子の繋がり、そして私という素粒子の繋がり。人間的な意味が私から消えた。私は急速に情欲を失い、ただ目の前で、脳が私に見せようとしている映像の奥に、素粒子の動きを見たように思った。ただそのボールが通過した線だけが、そのような素粒子の乱れを引き起こした真っ直ぐな線だけがくっきり見えた。私は善も悪も情欲もなく、その二人に近づいていた。身体は冷えていたようだった。人間の形を上手く真似た素粒子の塊が目の前に二つあるようだった。いや、そもそも人間が素粒子の集合であるから、彼らは何も真似をしたわけではない。私は意識を停止させていた。そのようなことが可能だった。私が、私の脳が、何かをしゃべろうとしている。私はただその自分の声を聞いていた。

「お前は美しい顔をしている」

私はそのまま、母親の首を絞めた。自分はそうするのか、と思いながら。さっき激しく命を終わらせた少女と母親がよく似ていたからだろうと思った。周囲には誰もいない。犯罪が多発するこの地域で、女の一瞬の叫びなど一体なんだというのだろう？　目の前の壁と、放置された二台の自動車と、巨大な木が私達を囲い、周囲の全ての視線を防いでいるのに気づいた。人間達の中にあり、しかしその人間達が一切気づかない視覚的に隔離された場所。母親はなぜ自分が首を絞められるのかわからない表情を私に向けている。当然だった。私にもわからないのだから。体温が冷え、あらゆるものがぎこちなくなっていく。私は女の服を裂き、押し倒し身体を舐め続け、首を絞めながら腰を動かしていた。さっきの少女を凌辱している感覚の中で。さっきの少女がもし生きていたら、こうなっていただろうという姿を凌辱しているような感覚の中で。時間というものが目の前にあるようにも思った。過去と、あるはずだった未来と、結果的にこうなった未来とが入り乱れていた。しかし私はそれらに興奮などしていなかった。私は義務のようにそれをしていた。こういった義務はこれまでの私が度々感じていたことだ。何の義務だろう、と思った時、快楽が、私の背後で発生していた。私が遊離していく。危うい認識の場に、自分がいるように思った。世界が変化していく。世界の内部を覗く私は、しかしまだ世界の表層を見ている人間である背後の私のために、その背後の私という素粒子達のために、女を凌辱していたのだった。女がもう死んでいるのかどうかわからなかったが、私は腰を動かしていた。背後で快楽が発生し続けている。さっきの線は役目を終えて揺らぎ、緩やかな渦となってやがて消えた。その線や渦は、人間が人間でなくなる時、人間の脳が誤差のように私達に見せる何かなのかもしれない。興奮もなく女を犯している私自身の見る風景は、これまでのものと異なっていた。温度、意味、感触、全てがなかった。ただ以前は女と認識していた物体の顔だったものが歪んでいるだけだ。あらゆるものの輪郭がぼやけ、次第に風景と目の前の女が曖昧になっていく。絵画でいう遠近法のようなものが消え、微かに濁ってはいるが透明のようでもあり、やがて形もなくなっていくようだった。私の背後では、女を凌辱する快楽が発生し続けている。だが私自身は世界の表層の奥にあるものに入り込んでいた。喜びも孤独も快楽もなく、ただ素粒子が結合し漂う。ここには何もかもがあり、何もかもがなかった。素粒子は生まれては消え、消えてはまた生まれていく。あるのはただその漠然とした動きだけだった。この世界を成立させているただのシステム。そして私という器官は、それを意味あるもののように眺めていたに過ぎない。私はその光景を前に、一瞬、激しい恐怖を感じた。身体が、内部から冷たく震えたように思った。このようなシステムの中に、自分の存在がこれまでいたということに。その時に感じた冷気とその風景の冷気は恐らく同じ温度だった。だがその恐怖は一瞬のことだった。私は次第に慣れ、その風景と同化し、女の中に射精した。私は何も感じないが、途方もなく激しい快楽が私の背後で発生していた。射精の後、また元の風景が目の前に広がり始めた。私は私へと戻り、私のエネルギーはまた急速に減退し、その減退は、私の生命を危うくさせるほどの体温の低下をもたらした。私は神の秘密を知ったように思った。ただのシステムを人間を騙すように変化させ見せている神の秘密。私はこれから、自分は時々は世界をあのように見ることができ、そして、あのような世界から自分を人間へと戻し、以前のような快楽を得ることもできるのだろうと思った。そして恐らく、もうそれに恐怖も感じないのだろうと。そしてそれはその通りだった。

……私の最後の興味は、私のような存在が、最後どうなるのかということだった。神がもしいるのだとしたら、神は私にどのような最後を与えるのだろうかと。私の最後は、破滅が相応しい。だが私の身には何も起こらなかった。数十年が過ぎ、私の身体に異変が現れた。癌だった。知った時、私はあまりの平凡さに微かな驚きを感じた。これほど長生きした私が癌。あれほど女を凌辱し、時に殺した私の最後が癌。そんな罰でいいのだろうか？ 私は神に問いたくなった。本当に、そんなことでいいのだろうか？ この世界の秩序は、そのようなことでいいのか？　癌など苦しみを感じる前に私は死ぬ薬を持っている。生に執着もない私にとってそれは不幸ですらない。私の最後は破滅が相応しい。私はそう考えた。私はベッドの上で女をだらけたように抱きながら、眠りながら、ぼんやり考えるようになった。癌は平凡に進行し平凡に私は死を迎えようとしている。それはすぐ身近に迫っていたが、私の最後は破滅でなければならなかった。神がいないのだとしても、私は傲慢さから、最後は神との対峙で終わりたかった。いてもいなくてももうどうでもよかった。私が神をつくればいいだけだった。私は私を超える存在以外にはもう心を動かされなくなっていた。私が神をつくればいい。私が少し動くだけで、私の破滅が実現できる状態が展開されていた。つまり――。


「なぜ私にその話を？」

不意に黙り込んだ沢渡に、楢崎は呟くように言っていた。このような化物の前にいることに恐怖を感じたが、そう聞かずにはいられなかった。

「お前はよく似ている」

「誰に」

「私の助手に」

沢渡はだらけたように呟いた。まるで自ら話し出したことに、もう興味を失ったように。

「私の助手は、私とナイラとの関係に薄々気づいていた。彼は純朴で熱心で、滑稽なほど無能な男だった。あの頃の私にとって、少しだけ、わずかに気に障る男だった。何もできないが、私を公に非難する勇気もないが、何か言いたげだったあの男に」

「……どういうことですか？」

「立花涼子が探偵ではなくお前に目をつけた時、資料の写真を見て少し面白いと思った。……あのような善良な助手も、結局は女を貪ることになる。今からこのフロアは火に包まれる」

「……は？」

「……まだわからないか」

沢渡は気だるく言う。言うのも面倒というように。

「この一連の出来事は、私が破滅するために自ら作り出したものだ。私には何の主義主張もない。ただ私の最後を破滅で飾るための圧倒的な我儘に過ぎない」

「……そんな」

「ただそれだけだ。後は知らない」

楢崎は茫然と沢渡を見続ける。この部屋に来るまで、外の状況は聞いていた。自衛隊機が二機、行方不明であるという報道まで流れていた。

「……全て、あなたの？」

「そうだ」

「今どれだけの人間が」

「日本だけでなく、自衛隊に中国を攻撃させるとは彼らも考えてなかっただろう。過激思想に囚われた隊員がいたから、私が長い時間をかけ背中を押したのだ。私はただ政府を怒りに燃えさせたかっただけだ。私に政治的主張などない。政治などどうでもいい。彼らの私への攻撃を凄まじくさせようとしただけだ。……もうそろそろ機動隊が突入してくる。恐らく地下水路からこのビルへ、下から穴も開けてくるだろう」

沢渡が気だるそうに椅子にもたれる。

「機動隊に突入され、燃え盛る火の中で自殺するという最後。それが私に相応しい。松尾を側に置けないのなら、あの時の助手をこの場に置きたいと思った。女で堕落させた後で。私は存在しない神に対し語った。お前に語ったわけではない。ただお前はこの場にオブジェとして置いただけだ。お前の運命などこの火と同様ただの私の気だるい演出に過ぎない。……この映像は記録されている」

楢崎は動くことができない。

「今頃、ＪＢＡを占拠した篠原達のＰＣに映像が送信されているだろう。……私からの最後の命令が届くと思っていた彼らの元に」

沢渡の背後の家具から煙が上がり始める。

「一度世界から捨てられた彼らは、さらに私に捨てられることになる。……少し面白いかもしれない」

「私はあなたを」

「……許せないとでも？　俺の女達を貪っていたお前が？」

沢渡が不思議そうに楢崎を見る。楢崎は何も言うことができない。炎が上がる。沢渡が立ち上がる。

「……ここにいる信者達は今頃、全員眠っている。私からの儀式という形で薬を飲んでいる。……世界に捨てられ、私に捨てられた者達がどうなるのか、悪の種となれば、少しは刺激があっていいように思うが、どうでもいいだろうか。彼らが所有する武器は全て改造され殺傷能力がない。……まあどうでもいい。生かしたければ生かせばいい。お前の好きにしろ。私はもうこのことにすら興味を持てないでいる。……行け」

沢渡の背後の炎が大きくなる。煙が吹き出し、楢崎は口を開く。

「……私は」

「聞こえなかったか」

沢渡が呟くように言う。虫でも払うように。

「私にとってお前などどうでもいいことくらいもうわかるだろう」

楢崎は気がつくと扉から外へ出ていた。様々なことが崩れていく。崩れないのは、このような男を信じようとした事実と、自分でも驚くほどに傷ついている事実と、このような男が用意した女に溺れ、立花を失った事実だった。楢崎は階段を駆け降りようとし、不意に止まる。何をすればいい？　何を？　自分のような惨めな存在が今するべきことは何だというのだろう？　楢崎はその場で動けなくなる。

沢渡は炎の中で立っている。

白い服に炎の色が薄ら（うっす）と映っている。沢渡は、煙や熱に動じる素振りがない。何か面倒な作業をするように、ポケットから拳銃を取り出す。もっと自分が炎に包まれることを期待していたのか、火の広がりの遅さに微かな不満を持っているように見える。沢渡は拳銃を眺め続ける。撃鉄を引き、何かを思いついたような表情を浮かべ、その拳銃の先を自分の性器の方へ向ける。

沢渡の指が引き金にかかる。

だが沢渡は動かない。自分の性器の辺りと、拳銃の先を無表情に眺めている。

不意に拳銃を動かし、沢渡はこめかみに向かって引き金を引く。乾いた音と共に、沢渡が崩れ落ちる。

背後のドアが開く。峰野が歩いてくる。炎の中、拳銃を手に倒れている沢渡に近づく。沢渡の手元が狂い、銃弾は脳をかすめただけで貫通していない。致命的な脳の損傷だが、即死ではなく、死ぬまでにまだ数秒はかかった。峰野が沢渡の側にしゃがみ込む。沢渡の腕を引き、倒れたままのその身体を支える。

「……まだいたのか、と思ってるんでしょう？」

峰野が囁くように言う。沢渡は不思議そうに峰野を見上げている。

「ずっと聞いていたんです。半分くらいしか聞こえなかったけど。今痛い？　でもそんな痛みでは、あなたの望んだ破滅には届かないんでしょう？」

峰野は微笑む。沢渡の顔を覗き込み、そのままキスをした。

沢渡は微かに驚いたように峰野を見上げ続けている。背後で炎が吹き上がる。

「全てから弾かれたあなたが、ちょっとだけ可哀想になって。……でもどうしますか」

峰野がまた微笑む。

「あなたのこの計画も、全て神によるものだったとしたら」

炎で部屋の家具が崩れ落ちてくる。

「神の意志だったとしたら、私がまたこうするのは間違ってるのかもしれないけど。……じゃあ」

峰野がもう一度沢渡にキスをする。長いキスだった。沢渡は動かない。沢渡がいつ死んだか峰野にはわからなかったが、この世界を、ただぼんやり眺めるような目で動かなくなっていた。

「……峰野さん」

楢崎が戻ってきていた。なぜ戻ったのか楢崎にもわからないまま、拳銃の音を聞いた瞬間、彼は階段をまた上りここへ来ていた。炎や煙が激しくなっている。その沢渡が既に死に峰野がいる。

「危ない。出よう」

楢崎はぼんやりしている峰野の腕を引く。

「なぜ？」

峰野が呟くように言う。

「なぜ生きなければならない。なぜ生きる必要が？」

楢崎は答えられない。ただ怒りに襲われていた。この世界に対する怒り。自分の卑小さへの怒り。

楢崎は何も答えられないまま峰野の手を引いていく。沢渡の身体が背後で炎に包まれる。その炎に特別なことは何も起こらず、近くの床や椅子と同じように火花を上げた。

27

高原君じゃない。携帯電話を握りながら立花は気づく。

声が違うだけでなく、背後から伝わる雰囲気のようなものも、どこか異質に感じた。

携帯電話を握る指が汗で湿っていく。タクシーの窓から見える風景が次々移り変わる。後から振り返り、立花は自分がなぜ咄嗟にああいうことを言えたのか思い返すことになる。

「高原は、どこにいる。……〝R〟の、名にかけて」

高原ではない何者かが、高原の携帯電話を持っている。それは〝R〟の関係者か、もしくは〝R〟の関係者を装う何者かの可能性が確かに高い。でも警察関係者かもしれず、馴染まない声なので可能性は低いが、教団の人間かもしれない。賭けに近かったが、立花は咄嗟にそう言っていた。

携帯電話を握っていた五十代の男も、考えを巡らすことになる。〝R〟の関係者は実在していたのか。相手が〝R〟の関係者なら、場所を教えた方が得策だろうか。五十代の男は短い時間であらゆる可能性を取捨選択し続ける。あの時、あの高原という男はまだ決断から遠い表情をしていた。五十代の男は思い返す。怖気づくかもしれない。ならば連中からの後押しは必要だろう。

だがこれまであらゆる危険を経験してきた五十代の男は、もしかしたら相手が〝R〟と全く関係ない何者かである可能性も捨ててなかった。でも五十代の男はその自分の思いつきを無視する。微かに笑みを浮かべながら。何か大きな流れの中に自分がいるようにも感じていた。そうならば、その流れに合わせてみようかと。脳裏には沢渡の姿がちらついていた。

男が初めに沢渡を見たのは、まだ公安部に配属されたばかりの二十代の頃だった。新興の不穏な匂いのするカルト教団を調査していた。沢渡が信者の一部を連れ〝慈善事業〟と称しフィリピンへ行った時、尾行するメンバーとして海を渡った。首都のマニラでぼんやり歩く沢渡を見張った。だが突然、沢渡が方向を変え近づいてくる。自分が日本人だからか？　男は動揺した。でもいくら自分が日本人だからといって、それが尾行者であると気づくはずがない。なぜなら沢渡は、一度もこちらを振り返っていないのだから。

　現地の人間達で賑わう露店市場の中を、沢渡がゆっくり、最短距離で近づいてくる。今逃げるのは危険だった。男は待ち構えた。もしかしたら、道を聞かれるだけかもしれない。同じ日本人を見つけただけかもしれない。男はまだそのような期待を抱いていた。

　沢渡は男の目の前まで来る。そして男を不思議そうに見、突然、手で男の顎を下からつかむようにした。身体が宙に浮くようだった。男は驚きを通り越し恐怖で何も言えなかった。

「……暇だな」

　沢渡が言う。男は意味がわからない。

「こんなところまで来るのか」

ばれてる。その時初めて気づいた。殺されるだろうか。こいつの周りで、何人もの人間がこれまで不審に死んでいると聞いていた。

だが沢渡は動かない。男の目をじっと見ていた。男の息が止まりそうになるほど長く。

「んん、……なるほど」

　沢渡が呟くように言う。

「お前は化物になるだろう」

沢渡はそう言い、男に背を向けまた歩いていく。もう男の存在など忘れたように。男は治まらない心臓の鼓動を感じながら、呼吸を乱しながら、座り込みそのまま動けなかった。自分の全てを、見抜かれている。男の汗は止まらなかった。教祖になるような男は、そういうものだろうか？　それともあの男だけか？　男は思いを巡らしていた。自分の野望も、暗い情念も、見抜かれたように感じた。きっとどのような存在でも自分を救えないと確信するほどの、自分の内面の奥の泥濘までも。その奥に、あの教祖の何かが確かに触れた感覚があった。

あれほど、自分の内面に入ってきた存在はいない。

そしてその内面に驚かなかった者も。

五十代の男の脳裏に、その時の沢渡の後ろ姿が浮かぶ。通行人の有無に構うことなく、ただゆっくり遠ざかっていった沢渡の後ろ姿が。彼の上に行こうという思いは、なぜか浮かばなかった。

「……申し訳ございません。私は高原様よりこの携帯電話を預かっています」

五十代の男はそう言う。電話の相手が答える。

「高原はどこにいる？」

五十代の男は、相手にわからないようにため息を吐く。そうじゃないだろう？　五十代の男は思う。自分を〝R〟の関係者のように見せ、居場所を聞き出したいなら、まず私の存在について問わなければならない。なぜ重要な連絡手段である携帯電話を別の人間が持っているのかを。お前は誰なのかと。これは重要な問題であるはずだった。この声は立花涼子か、と五十代の男は思う。でも動揺を見せず〝R〟の関係者を咄嗟に名乗った勘と度胸は褒めなければならない。

「……携帯電話についたGPSによれば、……西ヶ森町の繁華街に。時計台の下です」

五十代の男はそう真実を言う。笑みを浮かべていた。どのような結末になるのか知らないが、そうしてみたいと思っていた。

「そう。では直ちに向かう」

携帯電話が切れた。そうじゃないだろう。五十代の男はまた思う。切り方が急すぎる。それに状況を探ることも忘れている。五十代の男は笑みを浮かべたままソファに深くもたれる。携帯電話をテーブルに置き、飲みかけていた紅茶のカップに手を伸ばす。

「何の電話ですか」

三十代の男が聞く。だが五十代の男は答えない。

「もうすぐ十時です。爆破時刻」

暗がりの部屋。三十代の男が言いながら席を立つ。

「私は現場に向かいます。もし奴が怖気づいたら脅して番号を聞き出します」

「……奴は何も言わんよ」

五十代の男は呟くように言う。紅茶を飲んでいる。いつもは不味そうに飲むが、まるでそのことを忘れたようにぼんやり飲んでいる。

「でも行かなければなりません。いずれにしろ……、奴は私達の顔を見ている」

五十代の男はしげしげ眺め始める。支度を始める三十代の男を。

「アイヒマンを知っているか」

「……詳しくは」

時計の針が確実に動いていく。

「ヒトラー政権下、数百万のユダヤ人虐殺に大きく関わった〝役人〟。……彼は冷血な男と言われていたが、時折懐から酒の小瓶を取り出し飲んでいたらしい。……あのアイヒマンでさえ、あのような残虐を行うのに酒が必要だった。だが君は……」

五十代の男はカップをテーブルに置く。

「何も必要としないだろう」

三十代の男は意味がわからない。ただ軽く頭を下げ部屋を出ようとする。

「私は引退することにした」

五十代の男の言葉に、思わず振り返る。

「あとは君がやれ。子育て侍」

＊

楢崎と峰野は階段を下りエレベーターに乗る。

前から、奇妙な造りだとは思っていた。沢渡のいる21階とそれ以下のフロアは、階段でしか繋がってない。火はその21階だけに留まり、下へ広がらないような構造になっているのかもしれない。もしそうであるなら、沢渡はこの建物に教団を移した頃にはもう、こういう最後を考えていたことになる。

エレベーターを降り、フロアに向かう。扉を開け、楢崎は驚く。沢渡の言う通りだった。大勢の信者達がフロアで倒れている。

中央に、巨大な壺のような容器がある。倒れているそれぞれの信者達の周りに、落ちた無数のグラス。儀式の形式だったのか、何かが燃えた跡もある。

「……死んではいない。でも何でだろう」

楢崎はそう言ったが、峰野は答えない。

恐らく、自殺の邪魔をさせないために、あの最後を邪魔させないために、こうしたのだろうと楢崎は思った。でも殺すこともできたはずだった。いやそもそも、21階を立ち入り禁止にすれば、放っておいても邪魔されなかったはずだ。なぜだろう。

「信者達を、助けようと……?」

「まさか」

峰野が呟くように言う。

「随分盛り上がってきた信者達を、不快に感じたんだと思う」

「自分がそうさせたのに?」

「あなたは何を聞いてたの?」

目の前に、まだ何も知らない信者達が倒れている。自分達が眠らされるとも思ってなかった信者達が。楢崎と峰野は彼らを見下ろす。

「あの人にとっては、全てはどうでもよかったんだと思う。自殺する時ですら面倒そうだった。……騒がしくなってきたから、もう用はなくなったから、眠らせた。毒があったら毒を飲ませたかもしれない。そういう人だと思う」

楢崎は落ちていた銃を拾う。本物のように見えるが、もし沢渡が言ったように全て改造され殺傷能力がなかったら。楢崎は思いを巡らす。

「でも結果的に、これは皮肉だよ」

楢崎が続ける。

「国が、玩具みたいな銃を持った宗教団体を、機動隊で大げさに囲んだことになる。……国にとって悪夢だよ」

落ちていた拡声器を見つける。

「これで機動隊に伝えよう。彼らが全員眠ってるって。……機動隊の奴らが暴走しないように、テレビカメラを一台入れよう。国のためと熱くなって暴走する馬鹿がいるかもしれない」

峰野のすぐ背後には、キュプラの女が生きていて倒れていた。峰野からＵＳＢメモリを奪った女だが、峰野は気づかない。救える命が大勢倒れている、と楢崎は思う。横になって動かない小牧の姿を見つけた。小牧の身体を思い、また性的な気分に覆われる自分を振り払う。立花涼子がいない。でもきっと、彼女はどこかへ上手く逃げたのだろうと楢崎は思う。後のことは、後で考えよう。ひとまず彼らの命を救わなければならない。そのことが、彼ら自身の精神を救うことにならなくても。拡声器を拾った楢崎に、峰野が言う。

「彼らは皆教祖と一緒に死にたがってた。教祖の本心を知ったら彼らはどうせ生きていけない。それでも彼らの命を救うの？……なぜ？」

峰野が言う。何も知らない信者達が倒れている。みな、子供のような寝顔を浮かべている。恐らく、彼らがそれぞれのケースで傷ついてきた子供の頃の表情を。夢の中だけは、安全だった頃の表情を。最上階では沢渡が燃えている。

「……わからないよ」

楢崎は正直に言う。恐らく彼らの大多数が望んでいないことを、彼はやろうとしている。松尾ならこうする。楢崎はそう思っていたのだった。松尾ならきっと、死にたがる彼らを無理にでも、お節介だと罵られても、この世界に引き止め続けると。松尾が死んだことをここにいる楢崎はまだ知らなかったが、覚悟はしていた。松尾は、たとえ死んでもずっと生きているような気がしていた。自分の中にいる松尾に楢崎は従っている。それが今の自分の役割だと。

楢崎は拡声器を持つ。外には「現実」が広がっている。彼らの怒りを鎮めなければならない。緊張で乱れる息を噛み殺し、窓へ向かう。

28

「……そんなはずが」

パソコンの画面を見つめていた篠原がようやくそう言う。

顔の色が、奇妙なほど抜け落ちていた。この時間、教祖から最後の指令があるはずだった。人質を皆殺しにしろと言われたらしただろう。機動隊に突撃しろと言われたらしただろう。自分は恍惚の中で機関銃を乱射しただろう。機動隊に撃たれ、血に染まって倒れながら、自分は教祖様を想い幸福だったろう。なのに、自分の破滅のための行為？　このテロが？　いや、何より、あれは本当に教祖様なのか？　銃でご自身を撃ち抜かれたあの人物が？　教祖様に決まっている。教祖様に決まっている。叫び出す予感を感じている。叫び出さなければ、自分は狂う。周りのメンバーが遠くから自分を見ている。同じように人質達も。どうしたのだ？　違う。自分はもう叫んでいる。意識が途切れる。脳裏に倒れていく教祖の姿が浮かび続ける。別の場所にいたメンバー達がこちらを驚いて見ている。まだ何も知らないメンバー達が。耳からヘッドフォンが外れる。まだ自分は叫んでいる。教祖様が、教祖様が、ああ、違う——。篠原は思う。目から涙が流れる。

そうだ、あれが教祖様だ。あれこそが自分が慕った教祖様だ。

テロをする時、高原に計画を立てさせると教祖は言った。高原はそういうことに関しては優秀だと。高原は何かに脅され秘密裏に行おうとしているが、時機が来たらそれを乗っ取れと。一からやるよりその方が早いと。その通りだった。テレビで言うべき内容も教えてもらった。全ての計画を知っていた武器担当の吉岡、彼が急に怖気づき抜けたいと言い出し、自分が思わず殺したのを知っても教祖様は眉一つ動かさなかった。教祖様は全てに執着をなさらない。そうだ、あれこそが教祖様だ。あのように信者をその辺りの砂利のように扱うのが教祖様だ。その教祖様に惹かれ、自分はこの教団に入った。うじうじ悩む自分とはほど遠い存在の教祖様に。あの強さに。自分がこの世界で望んだ強さに。

全てが中途半端だった。自分は優秀であるはずなのに、まず受験で失敗した。連鎖して就職にも失敗し、自分に見合う会社に入れなければ、仕事が続かないのは仕方ないと思った。能力もなく、ただコミュニケーションの力だけで集団で群れる人間達。いつも邪魔する人間達。だが自分は彼らを打ち倒すこともなく、屈服し続けた。プライドがもうもたなかった。社会の中で自分は有力なポジションにいるべきなのに、気がつくとどこにも就職できない状態になっていた。有力な会社、肩書、何でもいい、自分を納得させるものが欲しかった。それが手に入らずただ年月だけが過ぎていき、次第に、自分の内面の芯のようなものが歪んでいくのを感じた。こんな社会は潰してしまえばいいはずなのに何もできなかった。通り魔というケチな犯罪はさすがにしたくなかった。部屋の中でじっとしていた。世間を呪いながら。

そして自分を呼ぶものの存在を感じるようになったのだ。薄暗い部屋でじっとしている時。何か、暗がりの中にいる何かが、自分を誘うように思えた。今振り返ればあれは予兆だったのだ。あの存在が教祖様へと繋がっているのだ。

さすが教祖様だ。このように我々を裏切るのだから。そうだ、あの無造作な存在こそ、教祖様だった。いや教祖様には裏切った自覚すらない。自分が泣きながらそれを訴えたとしても、恐らく教祖様は私を不思議そうに見るだけだろう。そしてこう呟くだろう。ああ、そうだな裏切ったと。

篠原の目から涙が流れ続ける。導いてくれたのに、永遠に自分の手が届かない存在。だが、だが、どうしたらいい？　教祖様に捨てられた今、どうすれば？　意識が途切れていく。崩壊していく。何かが。意識が遠のく。気を失う——、だが篠原は力の限り自分の脚を叩く。意識を保つための反射的な、狂人的な突然の動きだった。今向こうにメンバー達がいる。人質もいる。まだ自分は意識を失っていない。だがもたない。崩壊していく。どうすれば、どうすれば——。

狭くなる視界の中で男が近寄って来る。思わぬ方向から近寄って来る。誰だ？　メンバーだ。

いる。

あの色狂いだ。あのような状況で、女を襲おうとしたあの馬鹿だ。自分は何かを言おうとして

「代わりをくれ」

自分は何を言ってるのだろう？

「代わりをくれ。教祖様の代わりを。俺には何もない。今、この瞬間、何もない。駄目だ、もたない。崩壊する。代わりをくれ。俺に代わりを」

「見てました」

目の前の男が言う。青白い顔をしながら。

「覗いていました。教祖様は死なれた。……落ち着いてください」

気づかれた！　篠原は狭くなった思考で思う。気づかれたら生かしておけない。視界に機関銃が入り、篠原は飛びつく。こいつから撃ち殺そう。それしかない。なぜだかわからないがそれしかない。ここにいる連中を撃ち殺し自殺する。それしかない。それしか道は残されてない。いや自殺するよりこいつらを殺したあと機動隊に向かおう。あいつらも皆殺しにしてやろう。

篠原は機関銃を男に向ける。引き金を引こうとする。

「……代わり？」

「そうだ代わりだ」

自分はまだ何を言ってるのだろう？

「……代わりなどありません」

篠原は気がつくと人質達のところに向かっていた。叫んでいた。

「お前ら一人ずつ俺の前に立て！　撃ち殺す！」

メンバー達の表情が変わる。まだ何も知らないメンバー達は、それが教祖からの指示であると思っている。

「どけ」

「駄目ですやめてください」

篠原と人質の間に男が立つ。ぼやけていく視界に映ったのは、やはりさっきの男だった。

「嫌です」

「なぜだ？　なぜ止める」

「だって」

男は呟くように言う。

「この中に母がいるから」

篠原は茫然と男を見る。そして背後の怯えきった人質達を眺める。

「いるわけないだろ？」

「いるんです。私の母のような女達が。いや、母のようになれるかもしれない女達が」

篠原は意味がわからない。

「何を言ってる？　お前は色狂いだろう？　聞いてるぞ。お前の過去は。軽犯罪を繰り返し、社会から弾かれこの教団に入った。ここなら自己を解放できるという理由で。お前みたいに入って来る奴が俺は前から嫌いだったんだよ。お前はゴミだ。消えろ。消えなければお前から撃つ！」

「消えません」

男はガクガクと震えながら、篠原の機関銃を見つめている。伸ばさなければならないはずの両腕をだらりと下げたまま。

「なぜだ？　なぜ庇う？」

「私はこの世界が好きだから」

「この世界を？　弾かれていたお前が？　色狂いで苦しんでいたお前が？」

「そうです」

男の目から涙が流れる。

「僕は世間から弾かれていた。女の人達から、軽蔑の目で見られ続けてきました。だけど、僕は女の人達が大好きだから」

男が泣き続ける。

「僕は色狂いだし、性的な人間だけど、それに苦しんでいたけど、でもそんな自分が好きなんです。この人質達はセックスをするんです。セックスです。わかりますか？　僕はそういう性的なことがとても好きだから。そのことで苦しんでいたけど、そんな苦しみも僕は好きだったから。セックスができなくても、人はオナニーするでしょう？　僕は変態だ。そんなことはわかってる。だけど僕は、この世界のそういうのが、とても好きだから。彼女達を殺すのは嫌だ。あの時爆破の番号は間違ってた。僕はカッとなるといつも我を忘れよくないことをしようとする。記憶が途切れたみたいに、よくないことをしようとしてしまう。だからあのあと心底安堵したんです。番号が間違ってて本当によかったって」

篠原は泣く男を放心したように見る。

「もうこの教団は終わる。僕はまた社会の中に放り出される。もう僕は一人でオナニーするだけの生活になるかもしれない。時々風俗に行けるかもしれないけど、基本的にはずっとオナニーをし続けて人生を終えるかもしれない。でもそれでいいんです。性とは素晴らしいんだから。……人を殺すのはやっぱり嫌だ。人を殺すのは僕の大好きな性を否定することになる。僕がこの世界で唯一信じた性を。そのことで苦しみ続けたけど、でも僕の存在の根幹だった性を。この女性達を殺させるわけにいかない。女性をあのようにできる男達も殺させるわけにいかない。同性愛でも何でも性は美しい。僕は」

男が篠原に近寄る。

「この教団からそれを学んだんです。どんなにそれが醜く苦しいものに思えたとしても、性それ自体は素晴らしいんだって。性に苦しんでいたとしてもいつかきっと、それが素晴らしいものだと思える時がくるって。この教団の女性達は僕を拒否しなかった。社会から弾かれた僕を受け入れてくれた。初めてだったんだ、この世界で、何かに受け入れてもらえたのは。彼女達は僕に教えてくれた。……そうでしょう？」

篠原は聞いていない。代わりをくれと呟き続けている。

「どけ。撃つ」

篠原が機関銃を構える。だが男は無我夢中に飛びつき、倒れた篠原から機関銃を奪う。人質達から悲鳴が上がる。何をどうすればいいかわからなかったメンバー達が、取りあえず篠原を守ろうと男につかみかかろうとする。だが男は奪った機関銃を構えた。

「……動くな。知ってるんだ。君達のは改造されてる。本物は多分これだけだ」

男は泣きながら、機関銃を構え続ける。震え続けている。

「でも、でも、もう僕を刺激するな。それ以上近づくな。それ以上近づかれたら、僕はもう何をするかわからなくなるから。これは本物だ。この機関銃は本物だ。……動画を見るといい。さっき篠原さんが見てた教祖様からの動画。僕は覗いてたんだ。篠原さんに怒られた腹いせに覗いてやろうと思って見てたんだ」

動揺したメンバー達の視界に、一台のＰＣが映る。さっきまで篠原が見ていたＰＣ。その様子から、何か不測の事態が起きたことは誰もが薄々気づいていた。

「全員で見たら。……テレビで言いましょうよ。……降伏すると。そして」

男が不意に気を失う。篠原は懐に高原を撃った拳銃を持ち、機関銃も奪える位置にいたが動けないでいる。メンバーの一人がＰＣに近づく。他の者も続く。

29

通り過ぎていく足。高原はまだ繁華街で座り続けている。

雨が降るかもしれない、と関係ないことを思う。午後十時まであと三十分。自分の意識がそこから逸れようとしていく。まだこの世界に未練があるのだと思う。

何本目かの煙草に火をつける。通り過ぎていく足の中で、止まっている足がある。自分のすぐ側で、立ち止まっている足。思わず見上げた視界の先に、立花涼子がいた。高原は鼓動が速くなっていく。涼子が？　なぜ？　立花は街のネオンに頭上から照らされ、高原を見つめる目が微かに濡れて見える。

「……やっと見つけた」

立花が呟くように言う。〝見つけた〟。なぜだかわからないが、高原の中にその言葉が長く留まる。

「……どうしてここが？」

「もう終わったの」

立花は呟くように言う。周囲を通行人が過ぎていく。ここにタクシーで向かう間、時々巻き込まれた渋滞の中カーラジオとスマートフォンで状況を知った。沢渡が死んだ。教団施設の建物は開放された。彼らの武器に殺傷能力がなかったと繰り返し報道されていた。テレビ局のメンバー達も投降した。中国に向かっていた自衛隊機は、中国機と交戦に入る前に、日本の自衛隊機によって撃墜された。日本の兵士が、日本の兵士に撃ち落とされたことになる。だがその二機のパイロットが空中で脱出した情報もあり、その生死はわからなかった。

立花は一つ一つ、丁寧に高原に伝える。高原は茫然としている。高原の様子はおかしかった。

沢渡が死んだこと以外、何も聞いてないように見える。

「……だから終わったの。あなたには、いやあなたと私には、これからやるべきことがある」

立花は小さく言う。本当は別のことが言いたいのに。そう思いながら。

「自首しましょう。そして、彼らが教祖にどのようにマインドコントロールされてたか、彼らがいかに無実に近いか証言するの。……あの中でまともなのはもう私達二人だけだから。彼らの罪を、少しでも軽くできるように」

「違うんだ」

「え?」

「……まだ終わってない」

高原はゆっくり立ち上がる。立花を見、綺麗だと思う。もう少し髪型を何とかした方がいいと、余計なことも思う。もう自分は、彼女に触れることができない。この世界への未練の全ては、そこにあるように思えた。

「彼らのテロは終わったかもしれない。でも俺達のテロは終わってないんだ」

invocation. 高原の手記にあった言葉が立花の脳裏に浮かぶ。

「落ち着いて聞いて。私はあなたの手記を読んだ」

だが高原は反応がない。別のことに気を取られてるかのように。

「『YG』。ラルセシル教の武装組織。もうそれは崩壊してるの。EUの空爆で壊滅してる。そして指導者のニゲールも死んでる。もう終わってるの。あなたが体験した悪夢はもう終わってる」

「……そんなことは知ってる」

高原の言葉に立花は驚く。

「知ってるよ。師が死んだことは。でも彼らの残党は生きてる」

「……どういうこと?」

「連絡があったんだ。日本でテロをやれって」

立花は考えを巡らす。でもやはりそれはおかしい。

「……騙されていた、という可能性は?」

「は？」

「確かに、最初は本当に、彼らの残党があなたに接触してたのかもしれない。何かのテロをやれと、要求してたかもしれない。だけどもう、彼らは壊滅してる。あなたへのテロの要求だって、彼らの威信をかけたような、もうそんな真剣なものではなくなっていたはず。日本でそのようなことが起これば、あなたの言う師への弔いになるというだけだったかもしれない。それに、……あなたは、日本語で彼らと交渉してたのでしょう？」

「……なぜそれを？」

「思い出して。いつから、あなたは彼らと日本語で交渉を？　あなたの手記を読む限り、彼らに日本語を話せる人間はいない。あなたは騙されていた可能性がある。途中から、そうなっていた可能性がある。沢渡か、このテロを望んでいた何か他のグループから」

「そんなはずはない」

高原は呟くように言う。

「昨日も俺は接触した。彼らと。病院で」

立花はその言葉を遮る。

「何言ってるの？　あなたが収容されてた病院？　警察がいたでしょう？　そこでどうやってあなたに接触するの？　ねえ、目を覚まして。警察がいたのにどうやってあなたに接触できるの？……もしかして」

立花は気づく。

「それは、片方が中年の男性で、片方が比較的若い二人組の？」

「なぜそれを？」

「彼らは公安。私は下界にいた時、この教団に対し公安警察が動いてる情報を得てた。彼らを目撃してる」

立花は高原の肩をつかむ。

「ねえ、あなたは今、正常でないの。普段のあなたなら、そんなことすぐ気づくはず。なのにあなたは」

「仮にそうだとしても」

高原が立花をまじまじと見る。なぜか懇願するように。

「仮に、君の言う通りだったとしても。全てはもう壊滅してて、『YG』にもうそんな力はないとしても。俺が途中から沢渡と公安の両方に騙されてたとしても、**それがラルセシルの、〝R〟の意志でない可能性がゼロと言えるか？**」

「……え？」

「**もしだよ、もし、本当に神がいるとしたら？　その神が、ラルセシルであり、もう崩壊した自己の組織の代わりに、俺を選んだのだとしたら？**」

「何言ってるの？」

立花は泣く。高原の身体を揺する。

「神がそんなこと要求するはずないでしょう？」

「お前は知らないんだ。彼らは」

「高原君！」

「君を説得するよ。……ここじゃまずい。場所を変えよう」

説得する？　立花は驚く。説得してるのは私の方なのに。彼は私を説得しようとしている。高原が怯えたように歩き出す。人通りが少なくなっていく。駐車場に出る。寂れた駐車場。一台の車もない。

「……いいかい？　『YG』は」

「そんな話はどうでもいい」

立花はすぐ遮る。もう何も聞きたくなかった。ポケットから拳銃を取り出す。

「……何を？」

「あなたが考えてることくらいわかる。あなたは私の命を守ろうとしてる。どうせ、彼らから私の命について言われて、その代わりテロをやるつもりなんでしょう？　なら、そうなら」

立花は拳銃を自分のこめかみに当てる。

「私が死ねばいい」

「おい！」

「動かないで。……だって」

立花は拳銃を自分のこめかみに当てながら、目から涙が流れる。

「あなたはテロをして、死ぬつもりなんでしょう？　あなたがいない世界は私にとって意味がない。そんな世界なら私も死ぬ。ずっと前から考えてたことなの。だから、あなたが私を守ってテロをして死んだとしても、どうせ私は死ぬから無駄なの」

「馬鹿なこと言うな」

「馬鹿なことを言ってるのはそっちでしょう？」

高原は動くことができない。彼女は、と高原は思う。脅しをかける女じゃない。激高すれば本当に撃ちかねない。

「ねえ、聞いて。どうしてあなたが〝R〟に惹き込まれたか。恐怖が媒介していた。それはそう。でも、もっと深いところを見て。……あなたは、飢餓をなくすという教えに、惹かれたんでしょう？　過去の自分を思って、その教えに、自ら惹かれたんでしょう？　あなたの意識か無意識か知らないけど、その一部分が、自ら、それに洗脳されることを欲したんでしょう？……だけど、それだけじゃない。もう一つある。あなたは他人を見下してる」

立花は続ける。

「あなたは、そのまま過ぎていく自分の人生を否定しようとしてたんでしょう？　テロリズムをやって早々と死ぬことを、あなたの中のどこかが望んでるんでしょう？」

「そうかもしれない」

高原は言う。前々から、自分でも気づいていたことだった。

「でも、どうやったらこの世界の連中を尊敬できる？　仮に君が言ったように警察に自首したとする。そうしたら、俺は何もできず、過去に屈服し、これまで蔑んできた連中から罵倒され細々と味気ない人生を俺は」

「やっぱり」

立花が叫ぶ。

「だからあなたの全部がではないにしても、あなたの一部は、今こうなってることを望んでるんだよ。テロをやって馬鹿みたいに伝説になろうとしてる。でも本当の強さはそんなことじゃない。たとえ不満を持ってても、自分の人生が苦しいと思ってても、最後まで生きなさいよ。それが本当の強さでしょう？」

立花は泣き続ける。

「やっと、松尾さんの言ってることがわかったような気がする。人生っていうのは、比べるものじゃないって。一本の道、人の、一本の道を、誰かと比べることなく生き切ることだって。誰かの人生を参考にするのは別にいい。影響を受けることだって。でも比べ過ぎては駄目なの。ねえ、いい？　よく聞いて。他の人と比べることなんて、どうだっていいの。大事なのは、目の前に出現したその自分の人生を歩くってことなの。他人と比べるなんて無意味。どんな人生も価値の上では等しい。それがどんな人生であっても、問題は、それをどう生きるかなの。人生っていうのはそれぞれ独立してる。生きるってことは、それぞれの上に立った独自のあなたの時間を最後まで生き切ることなの。どんな人生だって、それがもし満足いくものでなかったとしても、それを最後まで生き切ったあなたは格好いいじゃない。平穏な人生より、それが困難であればあるほど、何とか改善しようともがいたりしながら、生き切った時に格好いいじゃない。だからお願い、ねえ馬鹿なことはやめて。警察に行こう。行って、メンバー達の、彼らの罪が少しでも軽くなるように努力しよう？　世間から笑われたって別にいいじゃない。そんなことはどうでもいいの。自分の人生を、たとえ時々辛いことがあっても誇り高く最後まで生き切ればいいの。自分はこういう人生を生き切った、どうだ！　って」

「……でも、〝R〟が」

「馬鹿」

立花は高原の胸を叩き、腕で頭を抱くようにした。もうそうすることしかできなかった。

「今は無理かもしれないけど、そんな洗脳は私が解く。あなたは私と神、どっちが大事なの？」

高原は茫然と立花を見る。何かが、高原の中で崩れていこうとする。何か、全く予期せぬことが、高原の内部で起こり始めようとしている。しかし高原の視界の遠くに、その隅に、一人の男の姿が入る。高原の鼓動が速くなっていく。

「……あの男がいる」

「……え？」

「見るな」

高原の動揺が身体を通し立花に伝わる。

「君が言ったことをひとまず信じる。まだ正直自分の中で揺れてるけど、俺は君を信じる。信じることにする」

高原は、身体に立花の体温が広がるのを感じる。

「あいつらは〝R〟とは関係ない。俺はそう信じる。でも相手が公安なら、君が言うようにメンバー達の罪が軽くなるのは難しい。だから。……こちらでもカードを持つ」

「……何を？」

「君はここから離れて、あの男を撮影してくれ。スマホがあるんだろ」

「でも」

「撮影してくれ。公安の捜査員がテロリストに接触してる場面だ。あいつらは言い訳ができなくなる」

「高原君」

「他のメンバー達のためだ。そうだろう？」

「でも、もし」

「大丈夫。指令は遂行するとか適当なことを言う。追い払う。大丈夫」

立花は高原から身体を離す。生真面目にも、身体を離す。相手の男に気づいていない振りをすることも忘れずに、すぐ側の角を曲がっていく。メンバー達のため。立花は思う。でも本当は……。生真面目にもスマートフォンを起動させながら、立花は思う。

本当は、こんなことはどうでもいいのかもしれない。自分の好きなように、すればいいのかもしれない。だから、私はこう言えばよかったのかもしれない。本当は、こう言えば。

〝一緒に逃げよう〟

世間から、メンバー達から罵倒されてもいい。ただ二人で、逃亡しながら、ずっと二人で。自分らしくないことかもしれないけど、本当は、私はそうしたい。

でも立花はスマートフォンを起動させている。撮影を始める。生真面目さはここまでだ。立花は思う。これを終えたら、私は高原君に言おう。一緒に逃げようと。自分の中の何かが、緩く崩れていくように思う。刑務所になんて行きたくない。上手くいかなかったら、もう出てこられなくなるかもしれない刑務所になんて。この映像は芳子さんに渡そう。身勝手だけど、私はもう自分を解放しよう。

やっぱり……。久しぶりに高原の体温に触れた立花は、また流れ始める涙の中で思う。やっぱり、私は彼が好きだ。

立花はスマートフォンの画面を見る。あの男だった。公安の二人組。その若い方。

三十代の男は苛立ちを覚えている。

外出禁止令を出すタイミングで、教団が降伏してしまった。やつらが所持していた武器の中で本物だったのは、篠原とかいう男のものだけだった。ほぼ全員が模造銃の相手に重装備の機動隊。国家の面子は滅茶苦茶になりつつある。あの自衛隊機二機の暴走で、国民に恐怖も広がり始めている。テロリストにではなく、政府に対する恐怖。このまま右傾化していく流れに対しての恐怖。テレビで貧困問題まで言われ、様々な国や企業が名指しで大々的に批判された。影響はすでに世界に広まっている。最悪だった。

だがまだ一つ可能性があった。この高原という男が爆破装置を起動させれば、全ては好転する。やつらは降伏した振りをし、破壊活動をしたのだと。やつらはまだ終わっておらず、地下に潜り活動中だと。架空の敵を作り出し、また我々は利益を得るだろう。戦う政府は支持率を回復し、公安の権限も増すだろう。

だがやつが怖気づいていたら。そして番号も、こちらに伝えなかったら。

三十代の男は高原の前に来る。気のせいだろうか。顔が少し違って見える。気のせいだろうか。

「……時間は覚えてるか」

三十代の男は静かに言う。高原はうなずく。

「……本当に？」

三十代の男が再び言う。時計を見る。

「あと二分だ」

高原の顔に走った動揺を、三十代の男は見逃さなかった。やはりだ。こいつはまだ覚悟がない。時間丁度に来たのは正解だった。

「もうやれ。二分くらい誤差はいい」

「いや」

高原の声に動揺が混ざる。隠していても、男にはわかった。

「時間は守る」

「まさか覚悟が？」

「馬鹿な」

「番号を言え。俺が代わりにやろう」

高原と三十代の男の目が合う。

これは三十代の男の方しか知らない事実だが、二人は同じ年齢だった。

高原はゆっくりポケットから携帯電話を取り出す。番号のボタンに親指をかける。時間が過ぎていく。高原が再び三十代の男の顔を見る。

「……小細工は、やめよう。お前の前では全て見破られる。そんな気がする」

高原は続ける。

「お前は〝R〟の関係者じゃない。公安だ。そうだろう？」

三十代の男は、高原の視線を目で受け止める。同じように視線を逸らさない。

「こちらも小細工はやめよう。そうだ。私は公安だ」

「俺はお前達の顔を見てる。俺が番号を押しても押さなくても、俺は殺される。そうだろう？」

「そうだ」

三十代の男は高原を見つめる。我々が彼に顔を見せた時点で、生かしておくつもりはなかった。こいつを今さら警察に逮捕させるわけにいかない。警察の中には公安を不快に思う連中もいる。こいつに今回の我々の行為をしゃべらせるわけにいかない。

「今逃げても」

高原は深く息を吸って言う。

「お前達は国のあらゆる機関を使って俺を追う。そうだろう？」

「そうだ」

時間が十時を過ぎる。高原が口を開く。

「頼みがある」

その声は、これまでの高原にはなかったほど、無防備過ぎるほど、素直なものだった。

「見逃してくれないか」

三十代の男は何も言わず、じっと高原を見つめ続ける。

「政治も、宗教も、今はもういい。俺はお前達のことはしゃべらない。俺は」

高原が言う。彼には考えられないほどの幼い声で。

「生きたい」

三十代の男が拳銃を取り出して撃つ。頭を撃ち抜かれた高原が、地面に崩れ落ちる。

高原の目に映ったのは、三十代の男が素早い動きで拳銃を取り出し、こちらがもう一度何かを言う間を与えないほどのスピードで、目の前で、引き金を引いた映像だった。動かなければならない。咄嗟に思ったが、身体が動かなかった。こんな時、身体は動かないのか、待ってくれという懇願の感情が湧いた瞬間、頭に激しい熱が走り、映像が、拳銃を構え、撃ち終えた三十代の男の映像で止まった。身体が崩れていく感覚の中で、しかし視界はその映像のまま固定されていた。まだ意識があるのか、と自ら思った時、まぶたが閉じていくのがわかった。眠るのとは明らかに違う、自分が無理やり終わらされた感触。固定された映像の前を、何か黒い影が走った。それが最後だった。

スマートフォンの画面越しに、三十代の男が突然拳銃を取り出したのを見た時、立花は状況と認識が追いついていかなかった。咄嗟に自分が短く声を出したのがわかった。その時はもう、高原の身体は崩れ落ちていた。

嘘だ。そう思った。嘘に決まってる。だって高原君は、大丈夫と言ったのだから。いや、でも、これは違う。これは、何かの、間違いだ、高原君が撃たれた。これは違う。

自分が大きく叫び出すように思った。だがその瞬間、立花は悲鳴を無理やり押し殺している自分に気づいた。スマートフォンが、勝手に手から滑り落ちていく。

自分は何をしてるのだろう？　叫び出せばいいじゃないか。叫び出して、高原君に駆け寄り、あの男に自分も撃たれればいいじゃないか。なのに、なぜ、自分はここで隠れて、悲鳴を噛み殺してるのだろう？　なぜ？　そう思った瞬間、自分が、この映像のことを気にしてるのに気づいた。自分がここで殺されれば、この映像も回収されてしまう。高原君の死が犬死になってしまう。今持っている拳銃であの男を撃とうとしても、銃を撃ったこともない自分の弾が当たるはずがない。殺され映像を回収されるに決まってる。だから、自分は今、こうやって悲鳴を噛み殺し隠れてる方がいい。立花の目から涙が溢れる。なぜ自分は、こんなにも冷静に状況を判断してるのだろう？　こんな時にも生真面目に？　**お前は母に似ている。**母のように、苦しいほど真面目に？　高原君の死の悲しみを押し殺し、メンバー達のために動こうとしている？　そんな自分を、そんな悲劇のヒロインのような自分を、これから、メンバー達に見せつけようとしている？　彼らからの感謝を要求しながら？　嫌だ。違う、高原君が死んでしまった。いや、死んでない。死んでるはずがない。**お前は母に似ている。**似ていない。高原君も死んでいない。私は、私は——。

立花は、自分が叫んだことに気づく。その声を聞いた瞬間、自分の中の何かが、すっと下へ落ちていくように思った。解放されたような感覚。涙が流れ続ける。これでいい。私はここで高原君と死ぬ。死ぬ前に、銃を撃ってみよう。三十代の男がこちらに近づいてくる。ここで死ぬのだ。でもいい。もういい。私は、高原君と——。その瞬間、三十代の男の動きが不意に止まる。何かが聞こえていた。悲鳴だ。自分が上げた悲鳴とはまた別の悲鳴。三十代の男の背後で、現場を見た誰かが悲鳴を上げている。

三十代の男が走って逃げていく。立花は弾かれたように高原の元に駆け寄る。

また目から涙が溢れる。立花は自分の口を押さえる。頭が。立花は泣き続ける。頭が、撃たれてる。よりによって、あいつは、高原君の、頭を。

「……お」

高原の口から、そう聞こえた。だがしかしもう高原に意識はなく、だからこの声は、恐らく高原も自覚していない声だった。

「……おれのつみは、なんだったのかな」

つみ？　立花は思う。罪？　何が？　高原君に罪などあるはずがない。罪など、あるわけが。

「罪なんて」

高原を腕で抱き、立花は泣きながら言う。

「あなたに罪なんてない。そんなものがあるはずがない。ただあなたは小さい頃に傷ついて、それから不器用に生きただけ。罪なんてない」

だが高原はもう動かなくなっていた。立花はしかし言葉を出すことしかできない。

「高原君」

立花は泣きながら言おうとする。だがもう声が出なかった。言葉が途中で消えていく。

「一緒に、逃げ――」

＊

三十代の男は車に乗り込み、その場を後にする。

ハンドルを緩く切りながら、目撃者について思いを巡らす。あの女は誰だ？　そして背後でも通行人が見ていた。しかし……。男は笑みを浮かべる。あんな連中はどうにでもなる。俺が誰かなどわかるはずもない。あそこの管轄の警察署は押さえられる。問題ない。

袖に、血の付着を見つける。三十代の男は舌打ちをする。これはクリーニングに出したばかりだ。何度もクリーニングに出せば生地が傷む。

自分が何か忘れてることに気づく。そうだ。俺はあの高原という男に同情した方がいい。なぜなら、それが真っ当な人間がすることだから。

可哀想に。三十代の男は急にそう思おうとする。彼も犠牲者だ。国家というシステムに対しての。私もこんなことはしたくない。これは尊い犠牲だ。仕方ない。彼は運がなかった。男はこういう時にそう思えばいいというようなことを、頭の中で次々並べ始める。

理由をつくれば、人間はどのようなこともすることができる。理由をつくることに長けている人間は特に。三十代の男は、自分の内面がそれにより安定していくように感じた。だが元々、彼の内面は少しも乱れてなどいなかった。彼は瞬間的に自分の行為を「理由」に乗せることができる人間だったから。ただ少し面倒に思っていただけだ。何で他のやつじゃなくて俺がしなければいけない？　袖を汚してまで？　あいつも勝手に自殺でもしてればよかったんだ。そうすればわざわざこの俺がしなくてもよかった。

男はそのまま家に帰る。かなり上等なマンションだが、これは官舎だった。わずかな家賃しか払ってないが、男は家賃を払うこと自体不満だった。

玄関のドアを開けると妻が出迎えた。普段は鞄を持ってくれるのに、興奮したように自分を見つめている。

「……何だ？」

「立ったの」

「え？」

「カイ君が立った！」

三十代の男は慌てて部屋に行く。息子の海斗が立っている。頼りない二本の足で立っている。

「カイ君！」

男は叫ぶように言う。男は演技ではなくそう叫んでいる。なぜなら、それは世の中で美しいと思われている場面だったから。

「よくたったでちゅねえ……。えらいでちゅねえ……」

男の妻は、喜びながら子供を抱く夫を微笑んで見つめている。夫のスーツの袖に、血の飛沫がついていることにもさっきから気がついている。でも全く動じる素振りがない。なぜなら、夫が外で誰に何をしようがどうでもよかったから。自分の家庭が幸福であれば、何より、周囲から自分達が幸福と思われていればそれでよかったから。もし自分の夫が暴力団か何かだったら、さすがにその血を気にしただろう。だが夫は国家に勤めている。国家に勤めている夫が仕事で何をしても正しい。そう思うような女だった。

子供の海斗に、高原の粉のようになった小さな血の色がつく。銃を放ったものに付着する硝煙も。

風呂から上がり、三十代の男はスマートフォンでツイッターを始める。子育て侍。男のハンドルネームだった。

《今日はみなさんに重大発表があります！　ななな何と、カイ君が立ちました！》

男は、文章の最後につけるフェイスマークで悩む。号泣してるものにするか、喜んでるものにするか。絵文字のわりに、男の顔は無表情だ。号泣したフェイスマークを選び、ツイートする。フォロワーから続々反応が来る。三十代の男は微かに笑みを浮かべる。彼の幸福は、いちいち人に伝えなければ満足できないものだった。

だがその反応はやや奇妙だった。その多くが、何かのニュースに騒いでいる。

《よかったですね！　僕も我が子の時を思い出してもらい泣きです。世間ではこんな恐ろしいことがあるのに、我々は幸福を噛みしめましょう！》

画像が貼られている。高原の死体の前で自分が立っている。

《おめでとう！　カイ君、偉いぞ！　うちの歩夢も喜んでます。今世間はこのニュースで大騒ぎ。知らないみたいなので教えちゃいます。テロリストを撃った男！　怖いですね！　ユーチューブ見てください。もうテレビでもやり始めました！　衝撃！》

動画ではその全てが映っている。拳銃を撃った自分の顔がはっきり映っている。自分達が交わしたあの時の会話の内容も全て。

30

松尾の屋敷に、大勢のメンバー達が集まっている。

外の庭や、屋敷内の広間で、それぞれ談笑している。警察に屋敷に踏み込まれ、一度大勢が逮捕されたが、当然のことながらすぐ釈放されていた。松尾が生きていた頃の毎月第二土曜の定例会が、また行われ始めている。

芳子は集団から離れ、そっと門の方へ向かう。帽子を被った人物がいる。青いパーカーを着ている。立花だった。

「……すみません。ここまで来てもらって」

立花は謝る。自分達は沢渡の教団として松尾に詐欺を行っている。屋敷の中には入れない。

「大丈夫。……あなたはきっと、あの詐欺を知らなかった。知らずに協力してた。……そうでしょう?」

それは事実だった。でも立花は芳子の言葉に頷くことができない。責任があると思っていたから。高原の近くにいた責任が。そのような立花の内面も、芳子はわかっていた。

「だから気にしなくていいの。皆にも伝える。一緒に来なさい」

「……いえ。私は」

立花は芳子の目を見る。

「今から警察に向かいます」

一連の事件の余波で、報道はまだ過熱していた。

教団の施設の地下から一名の遺体、つまり吉岡の遺体が発見されたが、死後の時間の経過により細かい死因は不明とされた。テレビ局で撃たれた警備員は命を取りとめた。高原達が仕掛けていた爆発物は、高原に協力しそれを行った数人の信者達の証言により場所が特定され、全て取り払われた。起動装置の携帯電話の番号が何であったのか、その本当の番号を信者達は誰も知らなかったが、その爆発物に設置されていた携帯電話を回収し初めてわかった。つまり一般人に死者が出なかった。むしろ死んだのは自殺した教祖であり（焼け跡からその拳銃が後に見つかったが、装塡されていたと思われる弾丸は一発のみだった）、主要メンバーの高原を撃ったのは公安の捜査員で、しかも裏でその公安が様々に暗躍していたことが明らかになった。社会がこの報道で過熱しない方がおかしかった。今拘置所に勾留されている教団の信者達に、どのような罪状がつくのかにも注目が集まった。施設に立てこもった側の信者達の罪が何にあたるのかわからなかった。模造銃を持っていただけだ。そこを機動隊が取り囲み入ろうとする。それを拒否しただけだった。テレビ局を占拠した側、警備員を撃った篠原には重い罪が予想されたが、でも他の同行メンバー達には検察が期待するほどの重い罪を科すことはできそうになかった。先に仕掛けたのは警察側であり、しかも彼らは自首していた。彼らを極悪人にしなければならない司法は焦った。

あの公安と高原のやり取りが映った動画のせいで、国に対する不信感が広がり続けている。あの動画を撮っていたのは、あの施設から人質を装って救急車から逃げた女ではないか。そういう憶測は広がっていた。だから当然、あの動画を流した立花の存在を司法は注視していた。警察に行けば、国家の怒りを一身に受ける可能性がある。

「私は彼らのために証言しなければなりません」

そう言う立花を見ながら、芳子は目に涙が滲む。生真面目だ。本当にこの子は。こういう生き方は苦しいだろう。

「そう。それがあなたの生き方なのね」

「はい」

「ねえ、ちょっといい？」

芳子は立花を抱き締めた。温かい。立花は思う。不意に涙が込み上げる。

「私達はみんなあなたの味方。社会も今はそう。どんなことがあっても私達が守る。任せて」

立花は頷く。小さな芳子の身体の中で目を拭う。楢崎が遠くの芳子と立花に気づく。

「高原君の容体は……？」

芳子が聞く。立花は首を振る。

「意識が戻ることは恐らくもうないそうです。……でも」

「うん」

「まだわかりません。奇跡があるかもしれない」

「でも頑張らなくていい」

芳子が言う。立花の目を真っ直ぐ見て。

「あなたに元々罪はないのだから。私達もサポートする。出てきたらまたこの屋敷に来て」

「はい」

とする。

「大丈夫です。一人で行きます」

楢崎の姿に芳子が気づく。芳子は二人を交互に見、立花をもう一度抱いてその場を離れよう
立花は随分前から楢崎に気づいている。生温かい風が、屋敷の方から門を通って流れてくる。

「あの、俺は」楢崎が呟くように言う。

「君に酷いことを言って」

「いいの」

立花が笑みを浮かべる。

「大丈夫。気にしてない」

二人の間で沈黙が続く。二人とも、もう一緒になることができないことはわかっていた。

「これから、何を？」

「警察に行く」

「そう。やっぱり、君は……。立花さん、俺は」

楢崎が、小さくなる声に、何とか力を入れる。

「君に会えてよかった」

立花は楢崎の顔を見る。この人と一緒になる選択肢もあったことを思う。

「ありがとう。私もよかった」

「元気で」

「楢崎君も」

芳子は遠目で二人の様子を見ていたが、微かにため息を吐いた。

「こんなに男女が出てきたのに」芳子は思わず声に出して呟く。

「誰もひっつかないなんて」


歩きながら、芳子の内面に突然不安がよぎる。最後のメッセージを撮り終えた後、松尾が言った言葉をまた思い出したからだった。

このことは、度々芳子を不安にさせていた。松尾はとても不思議なことを言っていたのだった。

沢渡を殺すことしか、この悲劇は止めることができない。でも沢渡が死ねば大勢の信者達が自殺してしまう。

でも一つだけこの流れが悲劇にならない終わり方があるような気がする。でもその場合、結果的に高原が死んでしまうように思う。

高原君は命は取りとめている。沢渡は死んだが、自殺者はまだ出ていない。何も預言通り全てが動いたわけじゃなかった。でも。芳子は思う。この世界に、何かの秘密があるのだとしたら。運命のような恐ろしい秘密が、隠れてるのだとしたら。

松尾は高原との対面の時、少しの間記憶が途切れていたと言っていた。その時に、正太郎はこの世界の何かに触れたのだろうか？　芳子にはわからなかった。もしその運命のような世界の秘密が、私達の土台にあるのだとしたら。まだ私達の足元で、それが動き続けているのだとしたら。

だが、芳子は意識的に頭を振った。それでもいいじゃないか、と思う。もしそうだったとしても、私達はまたその中を潜り抜ければいいのだから。

芳子は遠くを見つめながら、少しだけ微笑もうとする。正太郎なら、きっとそう言うだろう。


門から離れ、立花はタクシーを拾おうとする。

警察に行くことには勇気が必要だった。自分の罪状が何であるか立花にも判断できなかったが、自分の証言が司法にとって邪魔なものになるのは明らかだった。

様々に攻撃を受けるだろう。マスコミにも、自分のネガティヴな要素が次々流れ続けることになるかもしれない。

タクシーはなかなか来ない。道を変えた方がいいと歩き始めた時、峰野がいた。

手に買い物袋を持っている。何かの買い出しの帰り。

「立花、さん。……え？　屋敷に行かないのですか」

「今から、警察に」

「……そうですか」

峰野が下を向く。何かを言わなければならない。峰野はそう思っていた。時間が過ぎていく。

色々言葉が浮かんだが、本心を言うことにする。

「……仲直りは、できないですね」

「確かに」

二人は少しだけ笑う。なぜ笑いたくなったのか不思議だった。

「大丈夫。私はそんなに不幸じゃない」

立花が言う。それは強がりではなかった。

「高原君は目が覚めないから、時々浮気しようと思ってるの。いい人がいたら乗り換える」

立花の言葉に、峰野は思わず笑みを浮かべる。

「それがいいです。じゃあ私もいい人ができなかったらまた高原君を奪いに行きます」

タクシーが通りかかり、立花が停める。

「立花さん」

乗り込む前に、峰野が言う。

「私はあなたのことが嫌いだったけど、……羨ましかった」

「そう」

立花がタクシーに乗り込む。

「私も同じかもしれない。……私は、あなたのようになりたかった」

芳子の元に、メンバー達が集まる。芳子の声はまだ通り、マイクを必要としない。広間の中央に松尾の写真がある。

「みなさん。今日は来てくれてありがとう」

今日は松尾の四十九日も兼ねていた。仏教では、宗派によるが死後四十九日目に霊魂がこの世界から正式に離れる、つまり来世の行先が決まるとされているので、法要を行い、親族などが集まる風習がある。

「本当は吉田さんがお経とか唱えるんだけど、風邪で声が出ないみたい。なので代役のお坊さんを呼んでます。みなさん吉田さんを非難してください」

吉田にブーイングが起こる。吉田は言い返そうとしたが声が出ない。笑いが起こる。

「私達は、松尾正太郎の意志を継ぎましょう。松尾の意志の中で、平和論に関しては確かに理想かもしれない。でもああいうことを理想だと言い、現実は云々と言い、いかにも自分は現実を見ているというような気持ちよさに浸ることは簡単です。理想を捨てれば人類は後退するだけです。あの理想を掲げながら現実の中でどう平和に向かい奮闘するかが大事なのです。平和を望む日本人としての誇りを持ちましょう。松尾正太郎の意志を継ぎながら、でも全面的に頭を垂れ従うのではなく、自分達の考えも上乗せしていきましょう」

　芳子が大きく息を吸う。

「私達は、世界を肯定しましょう。世界の全てでなくてもいい。世界の何かは肯定しましょう。松尾はエロかったので、エッチなことが大好きでした。この世界には、何かいいことが確かにある。たとえ性ができない人でも、ご飯を食べたりするでしょう？　その瞬間、おいしいって、思ったりするでしょう？」

　芳子は続ける。

「昔、貧しくて遊郭にいた頃、雪の降る中で外を歩いていたことがありました。お腹が空いて、暗い路地で蒸かしたお芋を売ってる小さな屋台を見つけて、財布の中身を見て迷いながらそれを買いました。一口食べた時、私はああ美味しいなって、思ったんです。気がつくと涙が出ていました。自分のような存在にでも、食べ物は幸福を与えてくれると。世界の中にある何かは、自分に対して優しいと。……味を感じられない人も、他の何かを感じるでしょう？　美しい風景。風景を見れなかったとしたら、美しい音。音が聞けなかったとしたら、温かな感触。感触も感じられなかったとしても――芳子の脳裏に今の高原の姿が浮かぶ――夢は見られる。生きていたら、その中で、どんな小さなことでも肯定できるものがある。私達は、全ての人達がこの世界の一部でも肯定できるように、一つでも多く、そういう肯定できるものを増やすことができるように、努力していきましょう。善を行うことに構えてはいけません。気軽な善でいい。

たとえば日本人全てが百円を出せば百二十億円になる。世界の何かを動かせるほどのお金になる。そうやって、日々の中で、少しでもいい。何かに関心を持って世界を善へ動かす歯車になりましょう」

不意に拍手が起こる。でもこれは芳子の言葉への拍手というより、人間そのものへの拍手のように響いた。不完全で、不安定で、でも何とか生きている人間という存在への励まし。正太郎。拍手の中で、松尾の写真を見ながら芳子は内面で呟く。私はまだあなたの元へいけない。私にはやることがたくさんあるから。目の前の彼らの助けにならなければ。今拘置所にいるあの教団の信者達の助けにもならなければ。お節介と言われようが、私はあなたのように生きよう。芳子はもう高齢だったが、内面に熱を感じる。

人生は不思議だ。芳子は微笑む。子供がいなかった私が、こんなにも大勢の子供達に囲まれるはめになるなんて。

「皆さん。私達は人間です。不安定だけど、人間です。皆さん」

拍手が続く。歓声が起こる。

「共に生きましょう!」

＊　＊

さっきまで降り続いていた雨が、急に止んだ。

この気候にはまだ慣れない、と楢崎は思う。いつでも傘を持ってないといけない。でも現地の人達は構わず濡れてるように思う。まるで雨も自然の一部だから、身体にふれるのも自然であるかのように。

アフリカは雨が少ないと聞いていた。でも雨季の今はこういうスコールが降るらしい。

松尾の遺言の中に、海外チームをつくるというのがあった。それぞれのグループに松尾の資金を分け、それぞれが考える事業をする。楢崎達は、アフリカの少女の娼婦達を業者から金銭で買い取り、自由にして、彼女達が共同で生活できる施設をつくった。大きな木の近くにある、学校を兼ねた施設。立花は今司法と戦っている。峰野は芳子と共に屋敷で暮らしている。

まだ自分達が地域に受け入れられていないのを感じる。こんな施設をつくって、どこかの武装組織が誘拐にでも来たら。心配の声は絶えない。地元の警察や軍に協力は要請しているが、彼らは賄賂をねだり、信用できるとは限らない。まだ自分達の活動は軌道に乗っていない。

視界を遮るものがない。小高い丘に上がり、楢崎は砂利の上に座っていた。遠くまできた、と思う。自分がこれからどうしたいのか、楢崎にはまだわからない。目をつぶればあの教団での女達の身体が浮かぶ。何も解決していない。でも、何も解決しないままでも進むことに決めていた。

楢崎は、もう随分と日に焼けている。

「何してるの？」

少女が楢崎に声をかける。学校が終わり、事務局の楢崎の後をつけてきたのだろう。三ヶ月前に保護した十三歳の少女。初めは何もしゃべろうとしなかったが、徐々に声を出すようになった。女性以外には、日本人の男性としか言葉を交わそうとしない。同じ肌の男達にはまだ恐怖があるらしい。

「遠くを見てたんだよ」

楢崎は英語でそう答える。アフリカに英語を公用語とする国は多く、この国も訛りは強いが英語が主要言語だった。楢崎は英語を習い始めている。なかなか上達しない自分に呆れるが、言語を学ぶことで何か自分が新しく生まれ変われるような感覚も抱いていた。

言葉とは、その人間の根本にあるものだから。

「あなたは悲しそう」

少女に言われ、楢崎は苦笑する。少女に心配されるようでは駄目だ。笑顔をつくる。

「ちょっと昔を思い出したんだ」

「昔？」

「うん」

楢崎は頷く。

「遠い国の話だよ」

皆、動き出している。自分も動き出している。恋愛とも友情とも違う何かで、自分達が繋がってるように感じる。

少女が走り出し、途中で止まり、楢崎を呼ぶ。楢崎は立ち上がる。少女が向かう道はぬかるんでいて、少し危ない。楢崎は呼び止める。

「そっちは進むのが大変だから」

少女が振り返る。広大な大地の上で、日の光が少女に当たる。

「平気だよ」

少女が微かに笑ったように見えた。もし彼女が笑ったなら、それは出会ってから初めてのことだ。

楢崎は駆け寄る。確かにそうだ。楢崎は思う。多少道がぬかるんでいても、歩いてはいける。

「ちょっと待って」

楢崎は追いつく。少し日が落ちてくる。

「なら一緒に行こう。一緒なら大丈夫」

楢崎は少女に手を差し出す。少女がその手を、そっと握った。

＊

『靖国問題』高橋哲哉、筑摩書房、2005年
『靖国神社』大江志乃夫、岩波書店、1984年
『戦争を知らない人のための靖国問題』上坂冬子、文藝春秋、2006年
『靖国戦後秘史』毎日新聞「靖国」取材班、毎日新聞社、2007年
『靖国神社』神社本庁編、PHP研究所、2012年
『国家神道と日本人』島薗進、岩波書店、2010年
『東京裁判』日暮吉延、講談社、2008年
『従軍慰安婦』吉見義明、岩波書店、1995年
『日本軍「慰安婦」制度とは何か』吉見義明、岩波書店、2010年
『[真珠湾]の日』半藤一利、文藝春秋、2003年
『俘虜記』大岡昇平、新潮社、1967年

＊

『対テロ戦争株式会社』ソロモン・ヒューズ、松本剛史訳、河出書房新社、2008年
『戦争請負会社』P・W・シンガー、山崎淳訳、日本放送出版協会、2004年
『アメリカの巨大軍需産業』広瀬隆、集英社、2001年
『最底辺の10億人』ポール・コリアー、中谷和男訳、日経BP社、2008年
『援助じゃアフリカは発展しない』ダンビサ・モヨ、小浜裕久監訳、東洋経済新報社、2010年
『食糧テロリズム』ヴァンダナ・シヴァ、浦本昌紀監訳、竹内誠也＋金井塚務訳、明石書店、2006年
『世界の半分が飢えるのはなぜ？』ジャン・ジグレール、たかおまゆみ訳、合同出版、2003年
『国際貢献のウソ』伊勢崎賢治、筑摩書房、2010年
『ルポ資源大陸アフリカ』白戸圭一、朝日新聞出版、2012年

WEBサイト

VICE Japan : *The Cannibal Warlords of Liberia, Prostitutes of God*, http://www.youtube.com/user/VICEjpch (URL cited 2014-9-20)

主な参考文献

『ヴェーダの思想』（中村元選集〔決定版〕8）中村元、春秋社、1989年
『ブッダのことば――スッタニパータ』中村元訳、岩波書店、1984年
『法華経』（現代語訳 大乗仏典2）中村元、東京書籍、2003年
『般若経典』（現代語訳 大乗仏典1）中村元、東京書籍、2003年
『密教経典・他』（現代語訳 大乗仏典6）中村元、東京書籍、2004年
『釈尊の生涯』中村元、平凡社、2003年
『禅マインド　ビギナーズ・マインド』鈴木俊隆、サンガ、2012年
『増補新版　宗教多元主義』ジョン・ヒック、間瀬啓允訳、法藏館、2008年
『マグダラのマリアによる福音書』カレン・L・キング、山形孝夫＋新免貢訳、河出書房新社、2006年
『原典 ユダの福音書』ロドルフ・カッセル他編著、藤井留美他訳、日経ナショナルジオグラフィック社、2006年

＊

『脳は空より広いか』ジェラルド・M・エーデルマン、冬樹純子訳、草思社、2006年
『脳はなぜ「心」を作ったのか』前野隆司、筑摩書房、2010年
『〈意識〉とは何だろうか』下條信輔、講談社、1999年
『野間宏の会会報』15号、藤原書店、2008年
『生物と無生物のあいだ』福岡伸一、講談社、2007年
『生命と記憶のパラドクス』福岡伸一、文藝春秋、2012年

＊

『眠れなくなる宇宙のはなし』佐藤勝彦、宝島社、2008年
『宇宙論入門』佐藤勝彦、岩波書店、2008年
『宇宙は本当にひとつなのか』村山斉、講談社、2011年
『宇宙が始まる前には何があったのか？』ローレンス・クラウス、青木薫訳、文藝春秋、2013年
『新装版　不確定性原理』都筑卓司、講談社、2002年
『量子力学の哲学』森田邦久、講談社、2011年
『ヒッグス』ショーン・キャロル、谷本真幸訳、講談社、2013年

初出一覧

第一部　「すばる」二〇一二年五月号～二〇一三年六月号
第二部　「すばる」二〇一三年八月号～二〇一四年九月号

装幀　鈴木成一デザイン室
カバー作品　桑島秀樹「Vertical 007」二〇〇八年

あとがき

この小説は、僕の十五冊目の本になる。

文芸誌「すばる」で約二年半にわたり連載をしていた。単行本化にあたり加筆し、完成したものになる。

世界と人間を全体から捉えようとしながら、個々の人間の心理の奥の奥まで書こうとする小説。

こういう小説を書くことが、ずっと目標の一つだった。これは現時点での、僕の全てです。

作家になって十二年が過ぎた。皆さんにもそれぞれの十二年がある。これからも読者と共に、歳を重ねていけたらと思う。

共に生きましょう。

二〇一四年一〇月二〇日　中村文則

著者略歴

中村文則（なかむら・ふみのり）　一九七七年、愛知県生まれ。福島大学卒業。〇二年「銃」で新潮新人賞を受賞しデビュー。〇四年『遮光』で野間文芸新人賞、〇五年「土の中の子供」で芥川賞、一〇年『掏摸（スリ）』で大江健三郎賞を受賞。他の著書に『悪意の手記』『最後の命』『何もかも憂鬱な夜に』『世界の果て』『悪と仮面のルール』『王国』『迷宮』『惑いの森〜50ストーリーズ』『去年の冬、きみと別れ』『A』などがある。

『掏摸（スリ）』の英訳版が米紙ウォール・ストリート・ジャーナルで二〇一二年のベスト10小説に、『悪と仮面のルール』の英訳版が同紙の二〇一三年ベストミステリーの10作品に選出される。また二〇一四年、ノワール小説の分野に貢献した作家に贈られるアメリカの文学賞「デイビッド・グーディス賞」を日本人として初めて受賞した。

公式サイト　http://www.nakamurafuminori.jp

本書の内容は、実在する個人・団体等とはいっさい関係がありません。

教団X

二〇一四年一二月二〇日　第一刷発行

著　者　中村文則
発行者　加藤　潤
発行所　株式会社集英社
東京都千代田区一ツ橋二―五―一〇　〒一〇一―八〇五〇
電話　〇三（三二三〇）六一〇〇〔編集部〕
〇三（三二三〇）六〇八〇〔読者係〕
〇三（三二三〇）六三九三〔販売部〕書店専用

印刷所　大日本印刷株式会社
製本所　株式会社ブックアート

ISBN978-4-08-771590-3 C0093
定価はカバーに表示してあります。

何もかも憂鬱な夜に

中村文則

施設で育った刑務官の「僕」は、夫婦を刺殺した二十歳の未決囚・山井を担当している。一週間後に迫る控訴期限が切れれば死刑が確定するが、山井はまだ語らない何かを隠している——。どこか自分に似た山井と接する中で、「僕」が抱える、自殺した友人の記憶、大切な恩師とのやりとり、自分の中の混沌が描き出される。芥川賞作家が重大犯罪と死刑制度、生と死、そして希望と真摯に向き合った長編小説。

解説＝又吉直樹／集英社文庫